자멘호프가 직접 쓴 에스페란토 책

처음 에스페란토

- 제1서, 제2서 번역・해설판

에스페란토 박사(D-ro ESPERANTO) 지음

박기완 옮기고 해설함

진달래 출판사

처음 에스페란토

인　쇄 : 2023년 4월 28일 초판 1쇄

발　행 : 2023년 5월 16일 초판 2쇄

지은이 : 루도비코 라자로 자멘호프

옮기고 해설한 이 : 박기완

펴낸이 : 오태영(Mateno)

출판사 : 진달래

신고 번호 : 제25100-2020-000085호

신고 일자 : 2020.10.29

주　소 : 서울시 구로구 부일로 985, 101호

전　화 : 02-2688-1561

팩　스 : 0504-200-1561

이메일 : 5morning@naver.com

인쇄소 : TECH D & P(마포구)

값 : 20,000원

ISBN : 979-11-91643-90-9 (03890)

ESPERANTO

처음 에스페란토

Unua Libro, Dua Libro

제1서, 제2서 번역・해설판

옮기고 해설한 이의 들어가는 말

국제공용보조어 에스페란토 〈제1서〉와 〈제2서〉는 우리말로 치자면 〈훈민정음〉의 "예의" 부분과 "해례" 부분에 해당한다고 할 수 있다.

이는 에스페란토의 창안자 자멘호프가 직접 쓴 것으로, 〈제1서〉에서는 에스페란토 창안의 동기, 그리고 언어적 기본이 되는 문법과 기본 단어장을 제시하였으며, 〈제2서〉에서는 연습문과 좀 더 자세한 설명을 제시하였다. 그러니 이것은 〈훈민정음〉의 두 부분과 비슷하다고 하지 않을 수 없다.

한글의 처음 모습인 "훈민정음"을 창제한 세종 임금은 〈훈민정음〉이라는 책에서 아래와 같이 말하였다.

> "우리나라의 말이 중국말과 다르기 때문에 중국 문자로써는 서로 잘 소통할 수가 없다. 그래서 배우지 못한 많은 사람들이 자신의 뜻을 표현하고 싶어도 제대로 할 수가 없는 형편이다. 나는 이들을 불쌍히 여겨 새로 28글자를 만들었는데, 모든 사람이 이 글자를 쉽게 배워 일상생활에서 편하게 쓰기를 바랄 뿐이다."

그래서 에스페란토를 창안한 자멘호프의 정신에 따라 위의 세종 임금의 말을 아래처럼 비슷하게 만들어 보았다.

> "세상의 말들이 서로 달라서 자신의 모국어만으로는 서로 잘 소통할 수가 없다. 그래서 많은 사람들이 다른 나라 사람들과 친구가 되고 싶어도 그렇게 할 수가 없다. 나는 이들을 불쌍히 여겨 새로 28글자를 만들었는데, 모든 사람들

이 이를 쉽게 배워서 일상생활에서 잘 활용하기를 바랄 뿐 이다.”

이것은 비록 내가 만들어낸 말이지만, 나는 이 말이 정말로 자멘호프의 생각 그대로라고 믿는다. 그리고 훈민정음이나 에스페란토 모두 그 글자의 수가 28자이니 이것 역시 재미있는 우연의 일치라 아니할 수 없다. 그리고 한글은 1443년에 창제된 후 3년간의 시험과 손질을 거쳐 1446년에 〈훈민정음〉이라는 이름의 책으로 공식적으로 발표가 되었는데, 나중에 그 책의 이름이 곧 그 글자의 이름이 되었다. 그러니, 이 또한 처음에 “에스페란토”라는 필명으로 이 언어를 발표하였다가 나중에 그 필명이 바로 이 언어의 이름이 된 에스페란토의 탄생 과정과 비슷하지 않은가?

나는 오래 전부터 이 두 책에 대해 무척 많은 관심을 가지고 꾸준히 연구해 오고 있었는데, 지난 2021년과 2022년에 기회가 있어, 이 두 책을 가지고 온라인으로 강의를 하게 되었다. 그리고 그 강의의 결과가 바로 여기 합권으로 펴내게 된 이 책이다. 이 자리를 빌려 그동안 두 강의에 함께하며 또한 여러 가지 도움말을 주신 모든 수강자 분들께 감사의 말을 전한다.

2023년 5월

문학박사 박기완

차　　　례

『제1서』

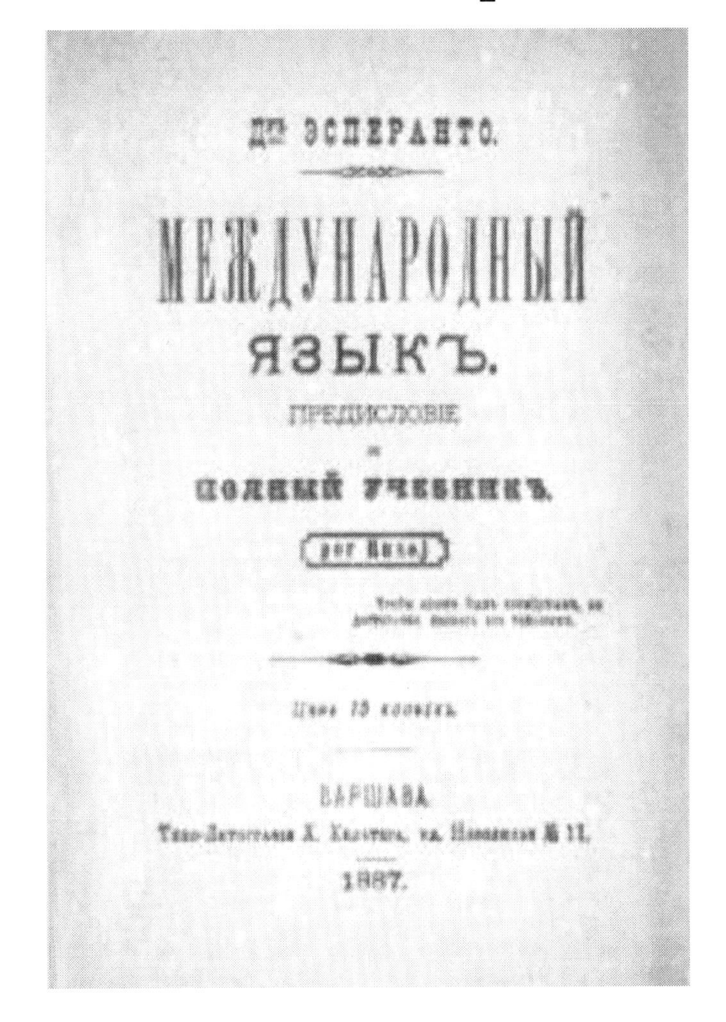
Д-ръ ЭСПЕРАНТО.

МЕЖДУНАРОДНЫЙ

ЯЗЫКЪ.

ПРЕДИСЛОВІЕ

и

ПОЛНЫЙ УЧЕБНИКЪ.

(por Rusoj)

Цѣна 15 копѣекъ.

ВАРШАВА

1887.

(Bildo 1) Lingvo Internacia por Rusoj

(Unua Libro), 1887 러시아인을 위한 국제어

FUNDAMENTA KRESTOMATIO

DE LA LINGVO

ESPERANTO

DE

L. ZAMENHOF

PARIS

LIBRAIRIE HACHETTE ET Cie

79, BOULEVARD SAINT-GERMAIN, 79

1903

Tous droits réservés.

(Bildo 2) Fundamenta Krestomatio konservata en Aŭstria Nacia Biblioteko, 1903

오스트리아 국립도서관에 보관된 기초 명문집

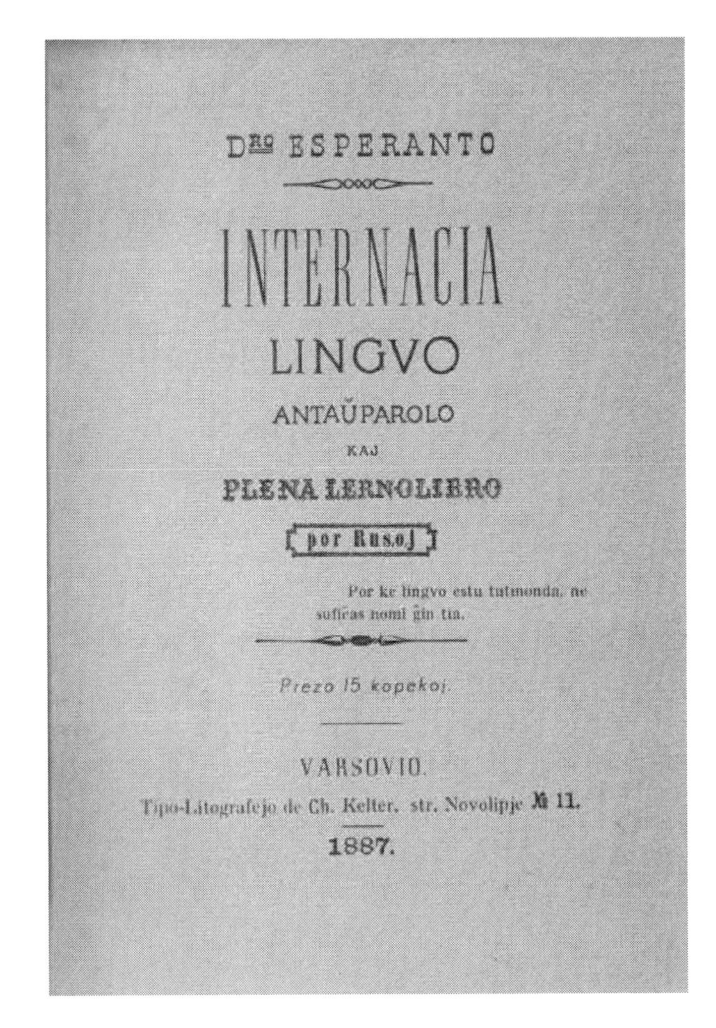

D-ro ESPERANTO

INTERNACIA

LINGVO

ANTAŬPAROLO

KAJ

PLENA LERNOLIBRO

por Rusoj

Por ke lingvo estu tutmonda, ne sufiĉas nomi ĝin tia.

Prezo 15 kopekoj.

VARSOVIO.

Tipo-Litografejo de Ch. Kelter, str. Novolipje № 11.

1887.

(Bildo 3) Unua Libro tradukita kaj kompilita de Vilho Setälä, 1948

Vilho Setälä의 제1서 에스페란토 번역

D-RO ESPERANTO

INTERNACIA LINGVO

ANTAŬPAROLO KAJ LERNOLIBRO
[por Rus,o,j]

Por ke lingvo estu tutmonda, ne suficas nomi ĝin tia.

Varsovio 1887

Klarigita kaj tradukita de
d-ro BAK Giwan

2021

Zaozhuang Universitato

CENZURA PERMESO

검열 통과

Varsovio 21 Majo 1887

☞ *Internacia lingvo, simile al ĉiu nacia, estas propraĵo socia, kaj la aŭtoro por ĉiam forcedas ĉiujn personajn rajtojn je ĝi.*

☞ 국제어는 다른 모든 나라말과 마찬가지로 사회적 자산이기에 저자는 이 국제어에 대한 모든 개인적 권리를 영원히 포기합니다.

〈 Vivo de Zamenhof, laŭ Edmond Privat 〉

자멘호프 연보

1859.12.15	비얄리스토크에서 출생, (자멘호프 자신은 Litovujo(리투아니아)를 조국으로 인식)
1878.	Lingwe Universala (에스페란토의 전신) 완성, 친구들과 축하연 개최
1879.	고등학교 졸업, 아버지가 원고 압수, 대학 입학 (모스크바 의과대학, 2년후 바르샤바 의과대학으로 옮김)
1885.	제1서 완성, 바르샤바 의과대학 졸업, 의사 자격증(일반) 취득
1885~1886	비엔나에서 안과 공부, 제1서 출판을 위해 노력
1886.	안과병원 개원 (바르샤바), Klara Zilbernik 만남
1887.04.11	Klara Zilbernik와 약혼 (율리우스력 3.30)
1887.06.02	Unua Libro (러시아어) 검열 통과 (율리우스력 5.21)
1887.07.26	Unua Libro (러시아어) 출판물 반포 허가 (율리우스력 7.14) 장인의 후원으로 인쇄 및 출판 완료 폴란드어, 프랑스어, 독일어판을 직접 번역 출판
1887.08.21	Klara Zilbernik와 결혼 (율리우스력 8.9)
1888.01.30	Dua Libro 출판 허가 (율리우스력 1.18)
1889.	Unua Libro 영어판 출판 (Richard Henry Geoghegan 번역)
1889.10.	Unua Adresaro (1천 명 서명 책자, Vivo de Zamenhof 44쪽 참조) 발간, Esperanto가 언어의 이름으로 정착됨
1903.	Fundamenta Krestomatio(기초명문집)출간
1905.	제1차 UK (프랑스, Boulogne Sur Mer), Fundamento de Esperanto (에스페란토 규범) 확정, 출판
1917.04.14	바르사뱌에서 영면

Strukturo de Unua Libro

구 성

머리말 (해결해야 할 3가지 문제 제시)

- 놀면서도 배울 수 있게 쉬워야 한다
- 배우고 나서 바로 사용할 수 있어야 한다
- 세상의 무관심을 해결하고,
  집단적으로 빨리 실용화되도록 해야 한다

I. 첫째 문제의 해결 방법 (간단한 문법, 접사)

II. 둘째 문제의 해결 방법 (단어의 첨가어적 구조, 외래어)
(견본문 6가지)

III. 셋째 문제의 해결 방법 (천만 명 서명 운동, 서명지)

교재 (16개 기본 문법)

A. 글자(28자) B. 품사(8가지)
C. 일반 문법(8가지)

단어장 (917개의 어근)

Notoj de la klarig-tradukinto

옮기고 해설한 이의 안내문

Tiu ĉi Esperanta traduko de la Unua Libro(1887) estis elprenita ĉefe el la Fundamenta Krestomatio de la lingvo Esperanto(1903), kiun d-ro Zamenhof mem tradukis en Esperanton. Kaj ĝi fakte estas iom aliforma ol la originala Unua Libro ruslingva.

여기 소개하는 '제1서'(1887)의 에스페란토 번역은 주로 Fundamenta Krestomatio de la lingvo Esperanto(1903, 에스페란토 기초 명문집)에서 발췌한 것입니다. 이것은 자멘호프가 러시아어로 된 원본 '제1서'를 직접 번역한 것이며, 원본과는 좀 다른 모습을 띠고 있습니다.

Kaj la plej granda diferenco kuŝas en la formo de la tempaj korelativoj 'tiam, kiam, ktp', kiuj aperis kiel 'tian, kian, ktp' en la originala Unua Libro.

그 가장 큰 차이점은 'tiam, kiam' 등의 상관사의 모습에 있습니다. 이 상관사들은 원본 '제1서'에서는 'tian, kian' 등의 모습을 띠고 있었습니다.

Kaj la specimenoj por la legantoj kaj la III-a parto de la libro estas ne troveblaj en ĝi, kaj mi elprenis ilin el la "Esperanta traduko de la Unua Libro" far s-ro Vilho Setälä(1948, Helsinki) kaj la 〈unuaj libroj por esperantistoj〉 (ludovikito, 1973).

그리고 원본에 나오는 견본문들과 제3장은 이 〈Fundamenta Krestomatio de la lingvo Esperanto〉에는 나오지 않습니다. 이 부분들은 Vilho Setälä의 〈제1서 에스페란토 번역〉(1948, Helsinki)과 〈unuaj libroj por esperantistoj〉(ludovikito, 1973)에서 발췌했습니다.

Kaj por viaj pluaj esploroj :

다음을 더 참고하시기 바랍니다.

http://ko.wikipedia.org/wiki/제1서
https://en.wikipedia.org/wiki/Unua_Libro

(Ne certas, kiam kaj kiom Zamenhof faris la Esperantan tradukon de la Unua Libro, kaj kiam ĝi eldoniĝis. - klarig-tradukinto)

(자멘호프가 '제1서'의 에스페란토 번역을 언제 얼마만큼 했는지, 그리고 그것이 자멘호프에 의해 직접 출판되었는지는 분명하지 않음. - 옮기고 해설한 이 주석)

ENKONDUKO[1]

de la Unua Libro de l' Lingvo Internacia

L. L. Zamenhof

La nun proponatan broŝuron la leganto kredeble prenos en la manojn kun malkonfido, kun antaŭe preta penso, ke al li estos proponata ia neefektivigebla utopio; mi devas tial antaŭ ĉio peti la leganton, ke li formetu tiun ĉi antaŭjuĝon kaj ke li pripensu serioze kaj kritike la proponatan aferon.

/ 주어: la leganto, mi / 목적어: La nun proponatan

[1] Tiu ĉi Esperanta traduko de la Unua Libro(1887) estis elprenita ĉefe el la Fundamenta Krestomatio de la lingvo Esperanto(1903), kiun d-ro Zamenhof mem tradukis en Esperanton. Kaj ĝi fakte estas iom aliforma ol la originala Unua Libro ruslingva. Kaj la plej granda diferenco kuŝas en la formo de la tempaj korelativoj 'tiam, kiam, ktp', kiuj aperis kiel 'tian, kian, ktp' en la originala Unua Libro. Kaj la specimenoj por la legantoj kaj la III-a parto de la libro estas ne troveblaj en ĝi, kaj mi elprenis ilin el la <unuaj libroj por esperantistoj> (ludovikito, 1973) kaj la "Esperanta traduko de la Unua Libro" far s-ro Vilho Setälä(1948, Helsinki). Kaj en nuna kajero mankas la Universala Vortaro entenata en ĝi. Se vi volas vidi la vortaron, bv viziti la retejon : http://esperanto.davidgsimpson.com/librejo/index.html Kaj por viaj pluaj esploroj : http://ko.wikipedia.org/wiki/제1서 ;

https://en.wikipedia.org/wiki/Unua_Libro

– la klarig-tradukinto (2021.05.10)

broŝuron, leganton / 동사: prenos, devas peti / La nun proponatan이 그것이 꾸미는 명사 broŝuron 앞에 나옴 (이것은 자멘호프 문장에서 흔한 일) / malkonfido 배신, 불신 / ke 이하는 앞의 명사구 antaŭe preta penso를 설명 / tial을 문장의 맨 앞에 쓰지 않았음 / ke 이하는 그 앞의 동사 peti와 연결되고, ke 다음에 명령법 '-u'가 쓰인 것을 보면 이 ke는 por ke (-하도록)의 줄임 / formeti는 '제쳐두다, 치워 버리다' 등의 의미 /

들어가는 말

독자 여러분은 틀림없이 불신의 선입견을 가지고 지금 제가 소개하는 이 소책자를 받아 보실 것입니다. 마치 제가 어떤 실현 불가능한 이상(유토피아)을 소개하고 있는 듯이 말입니다. 그래서 우선 여러분께 부탁을 드립니다. 여기 제가 소개하는 이 일을 제발 선입견 없이 진지하게 그리고 냉정하게 판단해 주시기를 간곡히 바랍니다.

Mi ne parolos tie ĉi vaste pri tio, kian grandegan signifon havus por la homaro la enkonduko de unu komune akceptita lingvo internacia, kiu prezentus egalrajtan propraĵon de la tuta mondo, apartenante speciale al neniu el la ekzistantaj nacioj.

/ 주어: Mi / 목적어: 없음 / paroli는 여기서 자동사로 쓰임 / vaste는 여기서 추상적 공간을 뜻함 / kian 이하의 절은 그 앞의 tio를 설명하는 절 / 그 이하의 절에서 주어는 la enkonduko / 목적어는 kian grandegan signifon / 동사는

havus / 여기 쓰인 kian은 의문사로 볼 수도 있고 감탄사로 볼 수도 있음 / kiu 이하의 관계절은 그 앞의 선행사 lingvo를 꾸밈 / prezenti -on = esti -o (자주 나옴) / apartenante는 부사분사구문 (자멘호프는 이런 분사구문을 자주 사용) / aparteni는 주로 전치사 al과 함께 쓰임 /

전인류를 위한 공동의 국제어가 얼마나 큰 의미를 가지는가에 대해서는 제가 여기서 길게 말하지 않겠지만, 국제어란 전세계의 공동 자산이며 동시에 어느 특정 나라에 속하지 않는 그런 것입니다.

Kiom da tempo kaj laboroj estas perdata por la ellernado de fremdaj lingvoj, kaj malgraŭ ĉio, elveturante el la limoj de nia patrujo, ni ordinare ne havas la eblon kompreniĝadi kun similaj al ni homoj.

/ 주어: Kiom da / 목적어: 없음 / 동사: estas / perdata가 단수로 쓰이고 있음에 주의 (앞의 주어를 단수로 보고 있다는 뜻) / kaj 이하에 또 하나의 문장이 있음 / 주어: ni / 목적어: eblon / 동사: havas / kompreniĝadi는 그 앞의 eblon을 꾸미는(설명하는) 말 (부정사의 형용사적 용법) / 자멘호프는 '-ad-'를 자주 사용함 / similaj al ni가 homoj 앞에 쓰임 (자멘호프 문장의 특징 가운데 하나) /

외국어를 배우기 위해 우리는 얼마나 많은 시간과 노력을 들여야 합니까! 당장 자신의 조국을 벗어나기만 하면 우리는 우리와 비슷한 사람들하고도 소통을 할 수 없는 그런 경험을 많이 하지 않습니까!

Kiom da tempo, laboroj kaj materialaj rimedoj estas perdata por tio, ke la produktoj de unu literaturo estu aligitaj al ĉiuj aliaj literaturoj, kaj en la fino ĉiu el ni povas per tradukoj konatiĝi nur kun la plej sensignifa parto de fremdaj literaturoj;

/ 주어: Kiom da … / 목적어: 없음 / 동사: estas / 수동태 구문 / 보어로 단수 perdata가 쓰인 것으로 보아 주어 Kiom da …는 단수로 취급됨 / ke 이하는 그 앞의 tio를 설명하는 절 / 그 이하의 주어는 la produktoj / 동사: estu / aligitaj는 'al-ig-it-a-j'로 분석, aligi 접근시키다 / kaj 이하에 또 하나의 절이 나옴 / 주어: ĉiu / 목적어: 없음 / 동사: povas konatiĝi /

어느 한 민족의 문학이 다른 여러 민족의 문학에 접근하기 위해서 우리는 얼마나 많은 시간과 노력 그리고 물질적인 수단들을 동원해야만 합니까! 그리고 마침내 우리는 모두 번역이라는 것을 통하여 그저 외국 문학의 중요치 않은 부분밖에는 알지 못하게 되지 않습니까!

sed ĉe ekzistado de lingvo internacia ĉiuj tradukoj estus farataj nur en tiun ĉi lastan, kiel neŭtralan, al ĉiuj kompreneblan, kaj la verkoj, kiuj havas karakteron internacian, estus eble skribataj rekte en ĝi.

/ 주어: ĉiuj tradukoj / 목적어: 없음 / 동사: estus / 전치사구 'ĉe ekzistado de lingvo internacia'는 '국제어가 있다면'으로 해석 / tiun ĉi lastan이 목적격으로 쓰인 것은 이동

의 방향으로 해석 (어느 언어로 번역하는 것은 이렇게 'en+목적격'으로 씀 / kiel neŭtralan은 그냥 neŭtralan만 쓰도 좋겠음, 자멘호프는 아마도 '중립적인 언어로서의 이 국제어로'라고 말하려고 하는 것 같음 / kiuj 이하 관계절은 앞의 verkoj를 꾸밈 / 여기의 주어는 verkoj / 동사: estus / 수동태 구문 /

그러나 국제어가 있다면 모든 번역은 모두 다 잘 이해할 수 있는 이 중립적인 국제어로 이루어 질 것입니다. 또한 국제적인 성격의 작품이라면 아예 처음부터 이 국제어로 쓰이게 되겠지요.

Falus la ĥinaj muroj inter la homaj literaturoj; la literaturaj produktoj de aliaj popoloj fariĝus por ni tiel same atingeblaj, kiel la verkoj de nia propra popolo;

/ 두 개의 문장 / 주어: ĥinaj muroj / 동사: falus / 주어: la literaturaj produktoj / 동사: fariĝus / 'tiel ~ kiel —'은 '—처럼 그렇게 ~'의 뜻 / 'ĥinaj muroj'는 사전에 '만리장성'으로 나옴, 그러나 무엇을 막고 방해한다는 뜻으로 보자면 '죽의 장막'도 괜찮을 것 같음 /

인간의(인류의) 문학에서 '만리장성'(죽의 장막)은 사라질 것입니다. 그리고 다른 민족의 문학작품도 자기 민족의 문학작품처럼 그렇게 쉽게 접할 수 있게 될 것입니다.

la legataĵo fariĝus komuna por ĉiuj homoj, kaj kune kun ĝi ankaŭ la edukado, idealoj, konvinkoj, celado, — kaj la popoloj interproksimiĝus kiel unu familio.

/ 주어: la legataĵo / 동사: fariĝus / kaj 이하에서 주어: ankaŭ la edukado, idealoj, konvinkoj, celado, — kaj la popoloj / 동사: interproksimiĝus / konvinko는 주로 이념, 주의, 종교 등의 뜻으로 쓰임 / legataĵo는 그냥 legaĵo로 하는 것이 더 좋겠음 (자멘호프 자신이 Lingvaj Respondoj에서 그렇게 말함) / 'kune kun ĝi'에서 ĝi는 앞의 legataĵo /

문학은 모든 인류에게 공동의 것이 될 것입니다. 그뿐 아니라 교육, 이상, 신념(종교, 이념, 주의 등), (인생의) 목표 그리고 민족들까지도 모두 한 가족처럼 가까워질 것입니다.

Devigataj dividi nian tempon inter diversaj lingvoj, ni ne havas la eblon dece fordoni nin eĉ al unu el ili, kaj tial de unu flanko tre malofte iu el ni posedas perfekte eĉ sian patran lingvon, kaj de la dua flanko la lingvoj mem ne povas dece ellaboriĝi,

/ 주어: ni / 목적어: la eblon / 동사: havas / Devigataj … 는 주어 ni를 꾸미는 형용사 분사구문 / dividi 이하는 앞의 devigataj를 설명함 / dividi는 '쪼개다, 나누다, 서로 나누어 가지다, 공유하다'의 뜻 / fordoni nin은 어떤 일에 자신을 온전히 바친다는 뜻 / 그 이하에서 주어: iu / 목적어: patran lingvon / 동사: posedas / 그다음 절에서 주어: la lingvoj / 동사: ellaboriĝi / el-labor-i는 '만들어 내다, 이루어 내다'의 뜻 /

자신의 시간을 여러 언어를 배우는 데 쪼갤 수밖에 없는 우리는 자신의 모든 역량을 어느 한 언어에 집중할 수가 없습니다. 그래서 한편으로는 우리 가운데에 자신의 모국어조차도 완벽하게 할 수 있는 사람이 별로 없으며, 또 다른 한편으로는 그 언어 자체도 그렇게 잘 발달해 나갈 수가 없는 것입니다.

kaj, parolante en nia patra lingvo, ni ofte estas devigataj aŭ preni vortojn kaj esprimojn de fremdaj popoloj, aŭ esprimi nin neprecize kaj eĉ pensi lame dank' al la nesufiĉeco de la lingvo.

/ 주어: ni / 동사: estas devigataj / aŭ가 두 번 나옴 / preni와 그 뒤의 esprimi는 devigataj를 설명함 / devigi (혹은 fari) iun fari ion 누구로 하여금 무엇을 하게 하다 / lame는 '정확하지 못하게'라는 뜻 / dank' al (danke al)은 '~덕분에'라는 뜻인데 여기서는 뒤에 부정적인 말이 나오므로 '~때문에'로 해석하는 게 좋겠음 /

그리고 자신의 모국어로 말을 하면서도 우리는 자주 외국어의 낱말과 표현들을 빌려 쓸 수밖에 없는 것입니다. 또는 모국어(언어) 자체의 불완전함 때문에 우리 자신을 제대로 표현하지 못하거나 생각 자체를 제대로 할 수 없게 됩니다.

Alia afero estus, se ĉiu el ni havus nur du lingvojn, — tiam ni pli bone ilin posedus kaj tiuj ĉi lingvoj mem povus pli ellaboriĝadi kaj perfektiĝadi kaj starus multe pli alte, ol ĉiu el ili staras nun.

/ Alia afero estus '다른 문제(일, 상황)일 것이다' / se 이하

에서 주어: ĉiu el ni / 목적어: du lingvojn / 동사: havus / tiam 이하에서 주어: ni / 목적어: ilin / 동사: posedus / kaj 이하에서 주어: tiuj ĉi lingvoj / 동사: povus pli ellaboriĝadi kaj perfektiĝadi kaj starus / posedi는 '어떤 말을 할 줄 알다'는 뜻 / stari alte는 '발전한 상태에 있다'는 뜻 / 자멘호프는 '-ad-'를 자주 씀 / ĉiu el ili에서 ili는 lingvoj /

그러나 우리가 만약 오직 두 가지의 말만 사용하게 된다면 문제는 완전히 달라질 것입니다. 그때에는 우리가 그 두 가지 말을 훨씬 더 잘 배울 수 있게 될 것이며, 그리고 그 말 자체도 지금보다는 훨씬 더 발전하게 되고 또 완벽하게 될 것입니다.

Kaj la lingvo ja estas la ĉefa motoro de la civilizacio : dank' al la lingvo ni tiel altiĝis super la bestoj, kaj ju pli alte staras la lingvo, des pli rapide progresas la popolo.

/ 주어: la lingvo / 동사: estas / dank' al 이후의 주어: ni / 동사: altiĝis / kaj 이후의 주어: la lingvo, la popolo / 동사: staras, progresas / jus pli ~ des pli – '~할수록 더 –하다' /

(보충 설명) ju pli 없이 des pli만 쓰일 때가 있는데, 그때는 '더욱이, 게다가, 더더욱' 등의 뜻으로 해석하면 됨 / Des pli bone, ke vi akompanos min. 그대가 나를 동행하겠다니 더더욱 좋습니다 ; Li foriris, kaj des pli bone, ke li ne revenos. 그는 떠났습니다. 그리고 더욱 다행인 것은 그가 다시 돌아오지 않을 것이라는 겁니다. /

그리고 언어란 문명의 주동력입니다. 언어 덕분에 우는 다른 짐승들보다 우위에 서게 된 것입니다. 그리고 언어가 발달할수록 사람도 따라 빠르게 발전하게 되는 법입니다.

La diferenco de la lingvoj prezentas la esencon de la diferenco kaj reciproka malamikeco de la nacioj, ĉar tio ĉi antaŭ ĉio falas en la okulojn ĉe renkonto de homoj : la homoj ne komprenas unu la alian kaj tial ili tenas sin fremde unu kontraŭ la alia.

/ 주어: la diferenco / 동사: prezentas / 목적어: la esencon / prezenti는 여기서 '표현하다'의 뜻인데, '-와 같다'는 뜻으로 해석하는 게 좋겠음, '선물하다'는 뜻이 없음에 주의 / ĉar 이하에서 주어: tio ĉi / 동사: falas / falas en la okulojn '눈에 띄게 두드러지다' / 마지막 절 주어: la homoj, ili / 동사: ne komprenas, tenas / unu la alian은 부사절이지만 여기서는 목적어 역할을 함 / tenas sin fremde '자신을 낯선(이방인의) 상태로 유지하다' / unu (kontraŭ) la alia는 앞뒤 문맥에 따라 전치사를 선택할 수 있음 /

언어의 차이가 바로 민족 차이의 본질이며 상호불화의 핵심입니다. 왜냐하면 이것이 인간의 만남에 있어 가장 두드러지는 요소이기 때문입니다. 사람들은 서로를 이해하지 못하기 때문에 서로에 대해 적대적이 되기 마련입니다.

Renkontiĝante kun homoj, ni ne demandas, kiajn politikajn konvinkojn ili havas, sur kiu parto de la tera globo ili naskiĝis, kie loĝis iliaj prapatroj antaŭ kelke da miljaroj : sed tiuj ĉi homoj ekparolas, kaj ĉiu sono de ilia parolo memorigas nin, ke ili estas fremdaj por ni.

/ 주어: ni / 동사: ne demandas / 목적어: kiajn 이하의 3 개의 절 / sed 이하에서 주어: tiuj ĉi homoj / 동사: ekparolas / kaj 이하에서 주어: ĉiu sono / 동사: memorigas / 간접목적어: nin, 여기서 nin은 'al ni'를 대신한 것 / 직접목적어: ke 이하의 절 / memorigas는 '일깨워주다'의 뜻인데, 여기서는 '우리가 알아챘다'로 해석하는 게 좋겠음 / fremdaj 뒤에 전치사 por를 썼음 (앞에서는 fremde unu kontraŭ la alia에서 kontraŭ를 썼음) /

(보충 설명) 에스페란토에서는 영어의 소위 4형식 문장이 없음, 간접목적어는 항상 전치사로써 나타내야 함, Li donis ĝin al mi.(o); Li donis min ĝin.(x), Li donis ĝin min.(x), Li sciigis min pri tio.(o), Li sciigis tion al mi.(o) /

누구를 처음 만났을 때 우리는 그 상대방의 정치적 관심(확신)이나 또는 그가 지구상 어디에서 태어났는지 혹은 수천 년 전 그의 조상은 어디에서 살았는지 등은 묻지 않습니다. 다만 그가 말하는 소리를 듣고 우리는 금방 그가 우리와는 다른 사람이라는 것을 알아챌 뿐입니다.

Kiu unu fojon provis loĝi en urbo, en kiu loĝas homoj de diversaj reciproke batalantaj nacioj, tiu eksentis sendube, kian grandegan utilon alportus al la homaro lingvo internacia,

/ 주어: tiu / Kiu-관계절이 먼저 나왔음 / 동사: provis / 목적어: loĝi / provi는 '시도하다'의 뜻인데, 여기서는 '-하려고 한 적이 있다'로 해석하는 것이 좋겠음 / en kiu 이하는 urbo를 꾸미는 관계절 / tiu는 맨 앞의 Kiu-관계절의 선행사, 〈kiu ~, tiu ~〉 / 전체 시제가 과거로 되어 있지만 번역할 때에는 조심해야 함, 이런 시제 표현이 에스페란토에서 부족함 (가정법 시제), (povintus eksenti) / 그 이하의 절에서 주어: lingvo internacia / 동사: alportus / 목적어: kian grandegan utilon / kian은 감탄사 / provi '시도하다, 단련하다, 시험하다'등의 의미, 간단하게 이루어지는 행위(동작동사)에 대해서는 sperti와 비슷하게 쓰임 (provi manĝi), 그러나 loĝi와 같은 경우에는 그렇지 않음, 이때에는 '시도해보다'의 뜻 (voli) /

서로 싸우고 있는 여러 민족들이 함께 모여 사는 도시에서 한 번이라도 살아보려고 해본 적이 있는 사람이라면 틀림 없이 국제어라는 것이 인류에게 얼마나 큰 유익을 가져다 줄 수 있을 것인지를 금방 느낄 수 있었을 것입니다.

kiu, ne entrudiĝante en la doman vivon de la popoloj, povus, almenaŭ en landoj kun diverslingva loĝantaro, esti lingvo regna kaj societa.

/ 주어: kiu (이것은 관계절) / 동사: povus esti / ne 이하는 부사 분사구문 / entrudiĝante en은 '(남이 싫어하는데도) 억지로 -에 관여하다'는 뜻 / trudi는 '억지로 –을 하게 하다'

는 뜻 / doma는 '내부적인'의 뜻 /

그 국제어는 모든 민족의 민족 내부의 삶에는 관여하지 않을 것입니다. 그러나 적어도 서로 다른 언어를 사용하는 민족들이 함께 모여 사는 그런 나라 (다민족국가)에서는 국가적, 사회적 (공식)언어가 될 수 있을 것입니다.

Kian, fine, grandegan signifon lingvo internacia havus por la scienco, komerco — per unu vorto, sur ĉiu paŝo — pri tio mi ne bezonas vaste paroli.

/ 주어: lingvo internacia / 동사: havus / 목적어: kian grandegan signifon / per unu vorto 한마디로 말해서 / paŝo는 '발걸음'의 뜻이지만, 여기서는 '분야, 영역' 등으로 해석 /

그리고 또 (결론적으로) 그 국제어가 과학이나 상업의 측면에서 — 한마디로 인간의 모든 영역에서 얼마나 큰 의미가 있을 것인지에 대해서는 제가 더 길게 말하지 않겠습니다.

Kiu almenaŭ unu fojon serioze ekmeditis pri tiu ĉi demando, tiu konsentos, ke nenia ofero estus tro granda, se ni povus per ĝi akiri al ni lingvon komunehoman. Tial ĉiu eĉ la plej malforta provo en tiu ĉi direkto meritas atenton.

/ 주어: tiu / Kiu-관계절이 먼저 나왔음 / 동사: konsentos / 목적어: ke 이하의 절 / Kiu-관계절에서 주어: Kiu / 목적어: ekmeditis / 부정문에서는 주로 tro를 씀, tre를 잘 쓰지

않음 / se ni 이하는 계속 ke 이하의 목적어 절 안에 포함됨 / per ĝi akiri는 전치사구 per ĝi가 동사 앞에 나온 것 / akiri al ni lingvon은 좀 특이한 표현, 'al ni'는 없어도 되겠음 / ĉiu eĉ la plej malforta provo는 ĉiu provo eĉ la plej malforta로 해도 좋겠음 (이것은 관형어의 위치에 관한 문제) / 자멘호프가 이렇게 위치를 정한 것은 그 뒤에 나오는 en tiu ĉi direkto와 연관이 있는 것 같다 /

한 번이라도 진지하게 이 문제에 대해 생각해 본 사람이라면, 우리 인류가 이 인류 공동의 언어를 얻기 위해서라면 그 어떤 희생도 마다하지 말아야 할 것이라는 점에 대해서는 동의할 것이라 생각합니다. 그래서 이런 방향으로의 시도는 아무리 작은 시도라 할지라도 우리가 주의를 기울일 필요가 있는 것입니다.

Al la afero, kiun mi nun proponas al la leganta publiko, mi oferis miajn plej bonajn jarojn; mi esperas, ke ankaŭ la leganto, pro la graveco de la afero, volonte oferos al ĝi iom da pacienco kaj atente tralegos la nun proponatan broŝuron ĝis la fino.

/ 주어: mi / 동사: oferis / 목적어: miajn plej bonajn jarojn / leganta publiko는 '독자들'로 해석하는 것이 좋겠음, / 그 뒤의 절에서 주어: mi / 동사: esperas / 목적어: ke 이하의 절 / ke 이하에서 주어: la leganto / 동사: oferos, tralegos / 목적어: iom da pacienco, la nun proponatan broŝuron / la nun proponatan broŝuron 명사구에서 어순에 유의 /

지금 독자 여러분께 제안하는 이 일을 위해 저는 제 인생의 황금기를 바쳤습니다. 그리고 독자 여러분께서도 이 일의 중차대함을 알아주시고 저의 이 제안에 조금이라도 주의를 기울여 주시며 또 여기 보내 드리는 이 소책자를 끝까지 한 번 잘 읽어 봐 주시기를 간절히 기대하는 바입니다.

Mi ne analizos tie ĉi la diversajn provojn, faritajn kun la celo krei lingvon internacian. Mi turnos nur la atenton de la legantoj al tio, ke ĉiuj tiuj ĉi provoj aŭ prezentis per si sistemon da signoj por mallonga interkomunikiĝo en okazo de granda bezono,

/ 주어: Mi / 동사: analizos / 목적어: la diversajn provojn / faritajn 이후는 provojn을 꾸미는 말 / 주어: Mi / 동사: turnos / 목적어: la atenton / ke 이하는 tio를 설명하는 절 / 이후로 aŭ가 두 번 나옴, aŭ나 kaj는 연결되는 두 말 앞에 모두 쓰일 수 있음 / 주어: provoj / prezenti -on이 자주 나오는데, 이것은 esti -o로 생각해도 좋음 / '-는(은) 경우에'라는 뜻으로 자멘호프는 en kazo보다 en okazo를 더 자주 씀 /

저는 여기서 국제어 창안의 여러 가지 시도들에 대해서 일일이 말하지는 않겠습니다. 다만 독자 여러분께서 다음과 같은 점을 유념해 주시기를 바랄 뿐입니다. 즉, 그 모든 시도들은 아주 특별한 경우의 간단한 의사소통을 위해 만들어진 일련의 기호체계에 불과했거나,

aŭ kontentiĝis je plej natura simpligo de la gramatiko

kaj je anstataŭigo de la vortoj ekzistantaj en la lingvoj per vortoj aliaj, arbitre elpensitaj.

/ 주어: (앞의 provoj) / 동사: kontentiĝis / anstataŭigi -on per -o 무엇을 무엇으로 대체하다 /

아니면 문법을 아주 단순화 시키거나 또는 기존의 단어를 자기 마음대로 생각해 낸 다른 단어로 바꾼다거나 하는 정도에 그쳤다는 것입니다.

La provoj de la unua kategorio estis tiel komplikitaj kaj tiel nepraktikaj, ke ĉiu el ili mortis tuj post la naskiĝo; la provoj de la dua kategorio jam prezentis per si lingvojn, sed da internacia ili havis en si nenion.

/ 주어: La provoj / tiel ~, ke - '너무 ~해서 -하다' / komplikitaj는 komplikaj로 써도 됨 / prezenti -on은 여기서는 esti -o로 생각해도 좋음 / per si 스스로, 그 자체로 / da는 수량을 나타내는 전치사, 여기서는 da가 먼저 쓰였음 (자멘호프 문장의 특징) / Mi trinkis 2 glasojn da nigra biero kaj 1 glason da blanka vino = Da nigra biero mi trinkis 2 glasojn kaj da blanka vino mi trinkis 1 glason. / 여기에는 internacia 다음에 뭔가 생략 되었음, karaktero로 추측함, Ili havis nenion da internacia karaktero. /

그 첫째 유형의 시도들은 너무 복잡하고 비실용적이어서 발표되자마자 바로 사라졌습니다. 그리고 둘째 유형의 시도들은 그 자체로 하나의 언어이긴 했으나 국제어라고 말하긴 어려운 것들이었습니다.

La aŭtoroj ial nomis siajn lingvojn « tutmondaj », eble nur pro tio, ke en la tuta mondo estis neniu persono, kun kiu oni povus kompreniĝi per tiuj ĉi lingvoj!

/ 주어: La aŭtoroj / 목적어: siajn lingvojn / 동사: nomis / tutmondaj는 목적격 보어 / pro tio, ke~는 '~(이)라서' / kompreniĝi per~ '~로써 의사소통을 하다 (이해하다)' /

그러나 어떤 이유에서인지는 몰라도 그 창안자들은 자신이 만든 말을 "세계어"라 불렀습니다. 아마도 세상에서 그 언어로 서로 이해할 수 있는 사람이 아무도 없어서 그랬던 것일까요?

Se por la tutmondeco de ia lingvo estas sufiĉe, ke unu persono ĝin nomu tia, en tia okazo ĉiu el la ekzistantaj lingvoj povas fariĝi tutmonda laŭ la deziro de ĉiu aparta persono.

/ 주어: ke 이하의 절 / 동사: estas / 이럴 경우 보어는 부사가 됨, sufiĉe / ke 이하에 동사의 명령법이 나오면 '-하도록'의 뜻 / aparta는 '별개의, 개개의'의 뜻 /

만약 어느 한 사람이 어떤 언어를 세계어라 부르기만 한다고 그 언어가 바로 세계어가 된다면, 이 세상에 세계어가 되질 못할 언어가 어디 있겠습니까?

Ĉar tiuj ĉi provoj estis fonditaj sur la naiva espero, ke la mondo renkontos ilin kun ĝojo kaj unuanime donos al ili sankcion, kaj tiu ĉi unuanima konsento ĝuste estas la plej neebla parto de la afero, pro la natura indiferenteco de la mondo por kabinetaj provoj, kiuj ne alportas al ĝi senkondiĉan utilon, sed kalkulas je ĝia preteco pionire oferi sian tempon, — tial estas kompreneble, kial tiuj ĉi provoj renkontis plenan fiaskon;

/ 주어: provoj / 동사: estis / ke 이하는 espero를 설명하는 절 / 주어: la mondo, konsento / 동사: renkontos, estas / 목적어: ilin / unu+anim-e 한마음으로, 이런 유형의 조어가 에스페란토의 아주 큰 장점 / indiferenta 다음에는 por가 많이 쓰임 / kiuj 이후에서 주어: kiuj / 동사: alportas, kalkulas / 목적어: utilon / kalkuli (je)의 뜻 가운데 '-을 믿다, 기대하다'라는 뜻이 있음 / ĝia는 '이 세상(사람들)' / 뒤의 sian은 '이 세상 (사람들)' / 여기 tial은 없어도 됨 / tial 이후 주어는 kial-절, 동사는 estas, 보어 kompreneble /

왜냐하면 그런 시도를 한 사람들은 이 세상이 바로 그것을 환영해 주고 또 한마음으로 그것을 승인해 줄 것이라는 순진한 희망을 가졌기 때문입니다. 그러나 이 한마음으로 동의해준다는 것, 그것이 바로 이 일에 있어 가장 불가능한 점이라는 것을 그들은 알아야 했습니다. 왜냐하면 이 세상은 그 어떤 탁상공론적인 시도들에 대해서는 아주 냉담하기 때문입니다. 특히나 그것이 사람들에게 조건없는 유익을 가져다 주지도 않고 단지 사람들로 하여금 선구자적인 마음으로 자신의 시간을 희생해 줄 것만을 기대하고 있다면 말이지요. 그래서 왜 그 모든 시도들이 완전히 실패했는지 우리는 잘 알 수 있습니다.

ĉar la plej granda parto de la mondo tute ne interesis sin je tiuj ĉi provoj, kaj tiuj, kiuj sin interesis, konsideris, ke ne estas inde perdi tempon por la lernado de lingvo, en kiu neniu nin komprenos krom la aŭtoro;

/ 주어: parto / 동사: interesis / 목적어: sin / interesi는 타동사 / sin은 앞의 주어를 받는 재귀대명사 / 주어: tiuj / 동사: konsideris / 목적어: ke 이하의 절 / kiuj sin interesis는 관계절 / estas inde~ '~할 가치가 있다' / ke 이하의 절에서 주어: perdi / 동사: estas / 보어: inde / tempon은 주어로 쓰인 동사 부정형 perdi의 목적어 / en kiu 이하는 lingvo를 꾸미는 관계절 /

대부분의 세상 사람들은 그런 시도에 대해 관심이 없었고, 또 어느 정도 관심을 가지는 사람들이 있었다 해도, 그 사람들은 창안자 자신밖에는 아무도 이해하지 못하는 그런 언어를 배우는 데 시간을 빼앗길 이유가 없다고 생각했기 때문에,

« antaŭe la mondo », ili diris, « aŭ kelkaj milionoj da homoj ellernu tiun ĉi lingvon, tiam mi ankaŭ ĝin lernos ».

/ 주어: ili / 동사: diras / 목적어: 인용문 / 명령법 ellernu가 쓰인 것은 "~하라, 그러면 그때 ~"라는 의미 때문 /

“세상이 먼저 하면”이라고 그들은 말한 것이며, “또는 적어도 수백만 명이 먼저 이 언어를 배우면 그때 나도 그걸 배우겠다”라고 말했던 것입니다.

Kaj la afero, kiu povus alporti utilon al ĉiu aparta adepto nur tiam, se antaŭe jam ekzistus multego da aliaj adeptoj, trovis nenian akceptanton kaj montriĝis malvive naskita.

/ 주어: la afero / 동사: trovis, montriĝis / 목적어: nenian akceptanton / 전체 문장은 과거시제, 그러나 에스페란토 가정법에서는 이 과거시제가 드러나지 않음 / kiu 이하는 afero를 수식하는 관계절 / nur tiam, se~ ‘~하기만 하면 그때‘라는 뜻, se 대신 kiam을 써도 됨, 그러나 가정의 뜻이 너무 크기 때문에 se를 썼음 / malvive naskita는 죽은 채로 태어났다는 뜻, 이때 malviva가 아닌 malvive로 쓰였음에 주의 /

그리고(그래서) 만약에 기존의 참여자가 많이 있었더라면 다른 모든 개개인에게도 유익을 끼칠 수 있었던 그 일은 결국 아무 참여자도 얻지 못한 채 태어나자마자 죽게 되었던 것입니다 (사생아로 태어날 수밖에 없었던 것입니다).

Kaj se unu el la lastaj provoj, « Volapük », akiris, kiel oni diras, certan nombron da adeptoj, tio ĉi estas nur tial, ke la ideo mem de lingvo « tutmonda » estas tiel alta kaj alloga, ke homoj, kiuj havas la inklinon entuziasmiĝi kaj dediĉi sin al pionireco, oferas sian tempon en la espero, ke eble la afero sukcesos.

/ 주어: unu / 동사: akiris / 목적어: certan nombron da adeptoj / certa는 '확실한'의 뜻 외에 '일정한'의 뜻이 있음 / kiel oni diras 는 삽입절 / tial, ke~는 ĉar와 같다 / tiel -, ke ~ '너무나 -해서 ~ 하다' / inklino는 '기울어짐(가까워짐), 성향, 경향'의 뜻 / dediĉi sin al- 은 '-에 헌신하다' / en la espero, ke ~ '~하기를 희망하면서' /

만약에 최근의 그러한 시도들 가운데 하나인 '볼라퓌크'가 사람들이 말하듯이 어느 정도의 참여자를 확보했다면 그건 오로지 '세계어'라는 그 자체의 정신이 고상하고 매력적이라서 선구자로 나서고 싶어하는 성향을 가진 사람들이 어쩌면 그 일이 성공할지도 모른다는 희망을 가지고 자신의 시간을 쏟아붓기 때문인 것입니다.

Sed la nombro de la entuziasmuloj atingos certan ciferon kaj haltos, kaj la malvarma indiferenta mondo ne volos oferi sian tempon por tio, ke ĝi povu komunikiĝadi kun tiuj ĉi nemultaj, — kaj tiu ĉi lingvo, simile al la antaŭaj provoj, mortos, alportinte absolute nenian utilon.

/ 주어: la nombro / 동사: atingos, haltos / 목적어: certan ciferon / 주어: la malvarma indiferenta mondo / 동사: ne volos oferi / 목적어: sian tempon / ke 이하는 tio를 설명하는 절 / 명령법 povu가 쓰이고 있음에 주의, "~하자고" / alportinte 부사 분사구문, al-이 접두어로 쓰인 것

을 보면 'al ni' 혹은 'al la mondo'가 생략된 것임 /

그러나 그러한 열정을 가진 사람들의 수가 어느 정도 채워진 후 더 이상 그 수가 늘어나지 않는다면 (않을 것입니다. 그리고) 이 차갑고 냉담한 세상은 그 소수의 사람들과 소통하자고 그 일에 자신의 시간을 투자하려고 하지 않을 것입니다. 그리고 이 언어는 다른 앞선 시도들과 마찬가지로 그 어떤 유익도 우리에게 안겨 주지 못한 채 사멸하고 말 것입니다.

[Piednoto: Tiuj ĉi vortoj estis skribitaj en la komenco de la jaro 1887, kiam Volapük havis en la tuta mondo grandegan gloron kaj rapidege progresadis! La tempo baldaŭ montris, ke la antaŭdiro de la aŭtoro de Esperanto ne estis erara.]

/ 주어: Tiuj ĉi vortoj / 동사: estis / kiam은 시간을 나타내는 관계절, "~할 때에" / La tempo baldaŭ montris, ke ~ '시간은 곧 ~라는 것을 드러내었다' / antaŭdiro 예언, antaŭvido 예견, antaŭludo 전주(preludo) antaŭpreparo 사전준비 /

[각주: 이 말은 1887년 초에 쓰인 것인데, 그때 볼라퓌크는 전세계적으로 인기가 대단했으며 크게 발전하고 있을 때였다! 그러나 곧 에스페란토 창안자의 이 예언이 틀리지 않았음이 증명되었다.]

La demando pri lingvo internacia okupadis min jam longe; sed sentante min nek pli talenta, nek pli energia, ol la aŭtoroj de ĉiuj senfrukte pereintaj provoj, mi longan tempon limigadis min nur per revado kaj nevola meditado super tiu ĉi afero.

/ 주어: La demando / 동사: okupadis / 목적어: min / sed 이하에서 주어: 한참 뒤에 나오는 mi / 동사: limigadis / 목적어: min / perei 사라지다, 사멸하다(자동사) / sentante 이하는 부사 분사구문 / 이 분사구문의 의미상 주어는 mi / longan tempon은 dum longa tempo / demando(논쟁거리나 이야기거리의 '문제', 시험문제)와 problemo(고쳐야 할, 풀어야 할 '문제')를 잘 구분해야 함 / 앞에 쓰인 nek는 ne로 바꾸어도 됨 / nevola 어쩔 수 없는 /super 무엇에 관하여 /

저는 오래 전부터 국제어에 대해 깊이 생각해 왔습니다. 그러나 그동안 나타났다가는 사라져 버린 수많은 국제어의 창안시도자들보다 제가 더 재주가 있거나 더 열정적이지 못하다는 걸 잘 알기 때문에 저는 오랫동안 이 일에 대해 그저 생각만 하고 있었을 뿐입니다.

Sed kelke da feliĉaj ideoj, kiuj aperis kiel frukto de tiu ĉi nevola meditado, kuraĝigis min por plua laborado kaj igis min ekprovi, ĉu ne prosperos al mi sisteme venki ĉiujn barojn por la kreo kaj enkonduko en uzadon de racia lingvo internacia.

/ 주어: ideoj / 동사: kuraĝigis, igis / 목적어: min, min / igi -on -i 뭘(누구를) -뭘 하도록 하다, igi 대신 fari를 써도 됨 / ĉu 이하는 ekprovi의 목적어절 / prosperi al '노력

의 결과로 무엇이 가능하게 되다'라는 뜻, Ĉu prosperos al mi sukcesi en la ekzameno? 내가 과연 시험에 합격할 수 있을까? / ĉu 이하 절에서 주어: venki ĉiujn barojn / 동사: prosperos / en uzadon에서 방향을 나타내는 목적격이 쓰인 것은 enkonduki(-에 무엇을 도입하다) 때문 / enkonduko en uzadon 실용화 안으로의 도입, 즉, 실용화 되도록 함, 실용화 /

그러나 이런 어쩔 수 없는 심사숙고의 열매로 나타난 몇 가지 다행스러운(괜찮은) 생각들이 저로 하여금 앞으로 나아갈 용기를 주었고 그리고 하나의 시도를 해 보게끔 만들었습니다. 즉, 이상적인 국제어의 창안과 실용화에 대한 모든 장애물을 제가 체계적으로 제거할 수 있게 되지는 않을까 하는 생각 말입니다.

Ŝajnas al mi, ke tiu ĉi afero iom prosperis al mi, kaj tiun ĉi frukton de longatempaj persistaj laboroj mi proponas nun al la prijuĝo de la leganta mondo.

/ 주어: ke 이하의 절 / 동사: Ŝajnas / Ŝajnas al mi, ke~ '~처럼 보이다, ~인 것 같다' / kaj 이후의 절에서 주어: mi / 동사: proponas / 목적어: tiun ĉi frukton / prosperis 여기에서는 '번성하다, 잘 풀려나가다'의 뜻 / persisti는 '끈질기게 지속하다 (지속되다)'의 뜻 / prijuĝo 판단, 평가 /

이 일에 확실히 진전이 좀 있었습니다. 그래서 오랜 세월 동안 기울인 끈질긴 노력의 이 열매를 지금 독자 여러분의 평가에 맡기는 바입니다.

La plej ĉefaj problemoj, kiujn estis necese solvi, estis la sekvantaj : I) Ke la lingvo estu eksterordinare facila, tiel ke oni povu ellerni ĝin ludante.

/ 주어: problemoj / 동사: estis / kiujn 이하는 problemoj를 수식하는 관계절 / 관계절 안의 주어: solvi (kiujn) / 동사: estis / 주어가 동사 부정법 solvi이기 때문에 보어로 부사 necese가 쓰임 / 또 solvi의 목적어로 kiujn이 쓰임 / Ke 이하에 동사 명령법 estu가 쓰였기 때문에 "~하도록"으로 번역함 / tiel ke 다음에도 동사 명령법이 쓰였음에 주의, '그렇게 해서 ~할 수 있도록" / ellerni 다 (완전히) 배우다, 마스터하다 /

가장 우선적으로 해결해야 할 과제들은 다음과 같은 것들이었습니다 : I) 그 언어는 사람들이 놀면서도 배울 수 있을 정도로 아주 쉬워야 한다.

II) Ke ĉiu, kiu ellernis tiun ĉi lingvon, povu tuj ĝin uzi por la kompreniĝado kun homoj de diversaj nacioj, tute egale ĉu tiu ĉi lingvo estos akceptita de la mondo kaj trovos multe da adeptoj aŭ ne,

/ 주어: ĉiu / 동사: povu uzi / 목적어: ĝin / kiu ellernis tiun ĉi lingvon은 ĉiu를 꾸미는 관계절 / 자멘호프는 접미사 '-ad-'를 자주 사용한다 / tute egale ĉu ~ aŭ ne, '~이든 아니든 상관없이 똑같이' / estos -ita ' -되어 있을 것이다', 미래완료형 /

II) 이 언어를 다 배운 사람은 세상이 이 언어를 인정하든지 인정하지 않든지, 또는 그 사용자가 많든지 적든지 간에 전혀 상관없이 즉각적으로 다른 나라 사람들과의 의사소통에서 그것을 사용할 수 있어야 한다.

— t.e. ke la lingvo jam de la komenco mem kaj dank' al sia propra konstruo povu servi kiel efektiva rimedo por internaciaj komunikiĝoj.

/ t.e. = tio estas, 즉 / ke 이후 절의 주어: la lingvo / 동사: povu servi / 여기서도 동사가 명령법 povu로 쓰인 것에 주의 / servi kiel ~ '~로서 기능하다' / mem은 큰 뜻이 없음 /

— 즉, 그 언어는 처음부터 그 자체의 고유한 구조(체계)로 인해(덕분에) 국제적 의사소통을 위한 실제적 수단으로 기능할 수 있어야 한다.

III) Trovi rimedojn por venki la indiferentecon de la mondo kaj igi ĝin kiel eble plej baldaŭ kaj amase komenci uzadi la proponatan lingvon kiel lingvon vivan, — ne kun ŝlosilo en la manoj kaj en okazoj de ekstrema bezono.

/ 주어: Trovi rimedojn, igi ĝin / 동사: 없음 / rimedojn은 주어로 쓰인 부정법 동사 trovi의 목적어 / kiel eble plej ~ 가능한 한 가장 ~게 / igi ĝin komenci uzadi ~ 그것(세상)이 ~을 사용하기 시작하도록 만든다 / kiel 다음에 목적격의 단어가 쓰인 것은 이 단어가 그 앞에 쓰인 lingvon과 동격이기 때문이다 / ŝlosilo 이 제1서에 붙은 단어장을 이렇게 부르기도 했다 / 여기 쓰인 kaj는 nek로 쓰는 것이 더 좋겠

다 (문장이 좀 애매하다) /

III) 세상의 무관심을 극복할 방법을 찾고, 또한 세상이 가능한 한 빨리 그리고 가능한 한 많은 사람들이 제가 제안하는 이 언어를 살아 있는 언어로 바로 사용하도록 그 필요한 방법을 찾는다. — 이것은 손에 단어장(열쇠)을 들고 사용하는 것을 말하는 것도 아니며, 그리고 또 아주 극단적인 필요의 경우에만 사용하는 것을 의미하는 것도 아니다.

El ĉiuj projektoj, kiuj en diversaj tempoj estis proponitaj al la mondo, ofte sub la laŭta, per nenio pravigita nomo de « lingvo tutmonda », neniu solvis pli ol unu el la diritaj problemoj, kaj eĉ tiun ĉi nur parte.

/ 주어: neniu / 동사: solvis / 목적어: pli (multon이 생략됨), 일반적으로 pli ol을 목적어로 자주 씀, Li scias pli ol oni pensas. / 처음 나오는 El 이하의 전치사구는 전체 문장의 부사어 역할을 함 / sub la nomo~ '~라는 이름으로' / per nenio pravigita '그 무엇으로도 정당화 되지 않은', 여기서도 per nenio가 앞에 쓰인 것에 주의, 뒤의 nomo de ~에 자연스럽게 연결되기 위해서임 / kaj 이하에서 tiun ĉi는 앞에서 말한 unu, "이 하나조차도…" / nur parte 다만(그저) 부분적으로 /

여러 시대에 걸쳐 '세계어'라는 거창한 이름으로 (사실 종종 아무 근거도 없이 붙인 이름입니다만) 발표된 모든 시안들 가운데 거의 모든 시안은 제가 앞에서 말씀 드린 그 문제들 중 하나 정도는 겨우 부분적으로 해결했습니다만 그 이상으로 해결한 시안은 아무것도 없었습니다.

Krom la supre montritaj tri ĉefaj problemoj, mi devis, kompreneble, solvi ankoraŭ multajn aliajn, sed pri ili, ĉar ili estas ne esencaj, mi ne parolos tie ĉi.

/ 주어: mi / 동사: devis solvi / 목적어: multajn aliajn / supre montritaj가 앞에 쓰인 것에 주의 / sed 이하에서 주어: mi / 동사: parolos / pri ili에서 ili는 앞의 multaj aferoj / ĉar … esencaj는 삽입절 /

위에서 말씀 드린 그 세 가지의 중요한 문제들 외에도 물론 저는 여러 가지 다른 문제들도 많이 해결해야만 했습니다. 그러나 그것들은 본질적인 것이 아니기 때문에 여기서 말씀 드리지 않겠습니다.

Antaŭ ol mi transiros al la klarigo de tio, kiel mi solvis la supre diritajn problemojn, mi devas peti la leganton mediti iom pri la signifo de tiuj ĉi problemoj kaj ne preni tro facile miajn rimedojn de solvo sole nur tial, ĉar ili aperos al li eble kiel tro simplaj.

/ 주어: 둘째 줄의 mi / 동사: devas peti / 목적어: la leganton / 목적격보어: mediti, preni / Antaŭ ol ~ '~하기 전에' / kiel 절은 앞의 tio를 설명하는 절 / peti iun -i 누구로 하여금 뭘 하도록 청하다 / sole nur tial, ĉar 에서 'sole nur '는 같은 뜻의 말을 두 개 써서 강조함, 보통 tial, ke로 써서 ĉar의 뜻을 나타내나 여기서는 강조를 위해 tial, ĉar로 쓰고 있음, pro tio, ke와 같음, 여기서 강조가 아주

강조되었음 / preni tro facile miajn rimedojn에서 부사 facile가 쓰인 것에 주의 / preni는 본래 '취하다, 잡다'의 뜻이나, 여기서는 '여기다'의 뜻으로 해석하는 게 좋겠음 / kiel tro simplaj에서 뒤에 rimedoj가 생략 되었다고 볼 수도 있음 /

위에서 말씀 드린 그 문제들을 제가 어떻게 해결했는지를 설명 드리기 전에 먼저 독자 여러분께 부탁 드릴 것이 있습니다. 여러분은 이 문제들이 과연 무엇을 의미하는지에 대해 좀 깊이 생각을 해 주시고 또 저의 문제 해결 방법을 너무 가볍게 봐 넘기지 말아 주시기를 부탁 드립니다. 왜냐하면 그 방법들이 아마도 여러분께는 너무 간단하다고 생각될 것이기 때문입니다.

Mi petas tion ĉi tial, ĉar mi scias la inklinon de la plimulto da homoj rigardi aferon kun des pli da estimego, ju pli ĝi estas komplikita, ampleksa kaj malfacile-digestebla.

/ 주어: Mi / 동사: petas / 목적어: tion ĉi / 앞에서와 같이 여기서도 tial, ke 대신 tial, ĉar를 씀으로써 강조하는 느낌을 줌, pro tio, ke와 같음 / plimulto da homoj 대부분의 사람들, da 대신 de를 써도 됨 / rigardi는 앞의 inklinon을 수식하는 동사 부정법 / 일반적으로 ju pli ~, des pli ~를 쓰는데, 여기서는 차례가 반대로 되어 있음, 앞뒤 문맥에 따라 가능한 일 / des pli da estimego가 재미있다, des pli multa estimego나 des pli multe da estimego라 해도 된다 /

제가 이걸 부탁 드리는 이유는 대부분의 사람들은 어떤 일이 복잡하고 광범위하고 (장황하고) 또 이해하기 어려우면 어려울수록 그 일을 더 대단하게 보는 경향이 있다는 것을 잘 알고 있기 때문입니다.

Tiaj personoj, ekvidinte la malgrandegan lernolibron kun plej simplaj kaj por ĉiu plej kompreneblaj reguloj, povas preni la aferon kun ia malestima malŝato,

/ 주어: Tiaj personoj / 동사: povas preni / 목적어: la aferon / ekvidinte 이하는 부사 분사구문 / kun 이하는 앞의 lernolibro를 꾸미는 전치사구 / por ĉiu plej kompreneblaj reguloj에서도 reguloj가 맨 뒤에 나온다 / preni는 본래 '취하다, 잡다'의 뜻이나, 여기서는 '여기다'의 뜻으로 해석하는 게 좋겠음 / malestimi 깔보다 / malŝato 멸시 / 본래 ŝati는 '무엇을 높이 평가하다'는 뜻 /

그런 분들은 이 지극히 조그만 교재, 아주 간단하고 또 누구나 아주 쉽게 이해할 수 있는 규칙들로 이루어진 이 교재를 받아 보시고는 이 일을 아주 가소롭게 여기실 수도 있을 것입니다.

dum ĝuste la atingo de tiu ĉi simpleco kaj mallongeco, la alkonduko de ĉiu objekto el la formoj komplikitaj, el kiuj ili naskiĝis, al la formoj plej facilaj — prezentis la plej malfacilan parton de la laboro.

/ 주어: la atingo / 동사: prezentis / 목적어: malfacilan parton / dum은 전치사로는 '-는 동안', 접속사로는 '~ 반

면에'의 뜻, 여기선 접속사로 쓰임 / atingo는 '도달, 성취, 업적' 등의 뜻 / la alkonduko 이하의 절은 앞의 atingo를 설명하는 절 / alkonduki ion el ~ al ~ '무엇을 ~로부터 ~로 이끌다' / el kiuj 이하는 앞의 la formoj komplikitaj를 꾸미는 관계절 / 관계절 안의 ili는 앞의 ĉiu objekto를 뜻하는데, 여기서 복수로 쓰인 걸 보아서 앞에서도 ĉiuj objektoj로 하는 게 더 좋을 듯, 앞에서는 '각각 하나 하나씩'의 의미가 강함, 그리고 뒤에서는 그 각각의 집합을 생각하는 것 같음 / 자멘호프는 prezenti를 esti의 뜻으로 자주 씀, prezenti 뒤에는 목적격이 와야 함 /

그러나 (반면) 바로 이 단순화, 간결화의 작업, 즉, 본래 아주 복잡한 형태였던 모든 것을 가장 쉬운 형태로 바꾸는 이 작업이야말로 이 일에 있어서 가장 어려웠던 부분이었습니다.

I

La unuan problemon mi solvis en la sekvanta maniero :
a) Mi simpligis ĝis nekredebleco la gramatikon, kaj al tio de unu flanko en la spirito de la ekzistantaj vivaj lingvoj, por ke ĝi povu facile eniri en la memoron, kaj de la dua flanko — neniom deprenante per tio ĉi de la lingvo la klarecon, precizecon kaj flekseblecon.

/ a)에서 주어: Mi / 동사: simpligis / 목적어: la gramatikon / kaj 이하에서는 주어나 동사가 없다, 앞의 절과 같다고 보아야 함 / al tio 거기에 더해서 / de unu flanko 한편으로는 / por ke ~하도록, 동사의 명령법을 씀 /

neniom deprenante는 부사 분사구문 / depreni — de ~ ~으로부터 —을 빼앗다 / tio ĉi는 '이것으로써'의 뜻인데, 여기서는 '이렇게 단순화 시킴으로써'의 뜻 /

I

그 첫째 문제를 아래와 같은 방법으로 해결했습니다 : a) 문법을 믿을 수 없을 정도로 단순화 시켰습니다. 그리고 한편으로는 기억이 잘 되도록 하기 위해 현존하는 언어들의 정신을 그대로 살렸으며 다른 한편으로는 이 단순화가 이 언어의 명확성, 정밀성 그리고 유연성을 해치지 않도록 노력하였습니다.

La tutan gramatikon de mia lingvo oni povas bonege ellerni en la daŭro de unu horo. La grandega faciligo, kiun la lingvo ricevas de tia gramatiko, estas klara por ĉiu.

/ 주어: oni / 동사: povas bonege ellerni / 목적어: la tutan gramatikon / ellerni 마스터하다 / 주어: faciligo / 동사: estas / kiun 이하는 faciligo를 수식하는 관계절 / ricevas de ~로부터 얻다, 받다 /

제가 창안한 이 언어의 문법은 사람들이 한 시간 안에 완전히 다 배울 수가 있습니다. 그리고 여러분은 바로 이러한 문법으로 인해 이 언어가 엄청나게 쉬워졌다는 걸 다 잘 알 수 있을 것입니다.

b) Mi kreis regulojn por vortofarado kaj per tio ĉi mi

enportis grandegan ekonomion rilate la nombron de la vortoj ellernotaj, ne sole ne deprenante per tio ĉi de la lingvo ĝian riĉecon,

/ 주어: Mi, mi / 동사: kreis, enportis / 목적어: regulojn, grandegan ekonomion / ekonomio 경제, 경제성 / per tio ĉi 이 조어규칙으로써 / enporti 들여오다, 도입하다, 획득하다, 뒤에 en mian lingvon이 생략되었다고 볼 수도 있음, 즉, '내가 만든 언어 안으로 엄청난 경제성을 들여올 수 있었다' / rilate+al = rilate+목적격 / ne sole(nur) ~ sed ankaŭ / 이 뒤에 sed kontraŭe가 따라옴, '~을 뿐만 아니라, 오히려 그 반대로' / ne deprenante 이하는 부사 분사구문, 이 구문의 의미상 주어: mi /

b) 저는 조어규칙들을 만들었습니다. 그리고 이 조어규칙으로써 배워야 할 단어의 수와 관련하여 엄청난 경제성을 얻게 되었습니다. 그리고 이 규칙으로 인해 언어의 풍부함을 훼손시키지도 않았을 뿐만 아니라,

sed kontraŭe, farante la lingvon — dank' al la eblo krei el unu vorto multajn aliajn kaj esprimi ĉiujn eblajn nuancojn de la penso — pli riĉa ol la plej riĉaj naturaj lingvoj.

/ farante 이하는 부사 분사구문, 이 구문의 의미상 주어는 앞의 분사구문의 의미상 주어와 같다, mi / 이 분사구문의 핵심은 "(mi) farante la lingvon pli riĉa ~"이다, "이 언어를 더 풍부하게 만들어 주면서" / dank' al에서 penso까지는 삽

입구 / 삽입구의 핵심 단어는 eblo / 이 eblo를 꾸미는 동사 부정형이 두 개, krei와 esprimi / multajn aliajn 다음에 vortojn이 생략되었음 /

오히려 그 반대로 이 규칙은 이 언어를 다른 그 어떤 풍부한 어휘의 자연어들보다 훨씬 더 어휘가 풍부한 언어로 만들었습니다. 왜냐하면 이 규칙 덕분에 우리는 하나의 단어로부터 많은 다른 단어들을 만들 수 있으며, 또 우리가 생각할 수 있는 모든 뉘앙스 (어감)들을 다 표현할 수 있기 때문입니다.

Tion ĉi mi atingis per la enkonduko de diversaj prefiksoj kaj sufiksoj, per kies helpo ĉiu povas el unu vorto formi diversajn aliajn vortojn, ne bezonante ilin lerni.

/ 주어: mi / 동사: atingis / 목적어: Tion ĉi / prefikso+sufikso=afikso / per kies 이하는 prefiksoj kaj sufiksoj를 꾸미는 관계절 / 관계절 안에서 주어: ĉiu, 동사: povas formi, 목적어: diversajn aliajn vortojn / ne bezonante 이하는 부사 분사구문 / 이 분사구문의 의미상 주어: ĉiu / ilin lerni에서 ilin이 lerni 앞에 쓰인 것에 주의 / bezoni와 necesi를 주의: bezoni는 본래 타동사, necesi는 본래 형용사 necesa에서 나온 자동사, Mi bezonas ĝin. Ĝi necesas al mi. / 그러나 bezona는 bezonata, necesa와 같은 뜻으로 쓰임, “Ĉu lingvo internacia estas bezona?” /

저는 접두사와 접미사의 도입으로 이것을 이루어냈습니다. 이 접사들을 사용하여 우리는 하나의 단어로부터 여러 다른 단어들을 만들어 낼 수 있으며 그 단어들은 따로 배울 필요가 없는 것입니다.

(Pro oportuneco al tiuj ĉi prefiksoj kaj sufiksoj estas donita la signifo de memstaraj vortoj, kaj kiel tiaj ili estas lokitaj en la vortaro.) Ekzemple :

/ 주어: la signifo / 동사: estas donita / Pro oportuneco는 독립적인 전치사구 / 여기 signifo가 단수로 쓰이고 있음, 자멘호프 문장에서 이런 경우가 많이 있음, 이 signifo를 잘 이해해야 함, 꼭 '의미' 가 아님, "독립적인 단어의 가치" / kiel tiaj '그러한 모습(형태)으로', 즉, 독립적인 단어의 형태로, 독립적인 단어와 동등하게 /

(편의상 이 접두사와 접미사들을 독립적인 단어처럼 취급했습니다. 그리고 그런 형태로 그것들은 사전에 올라 있습니다.) 보기 :

1) La prefikso « mal » signifas rektan kontraŭaĵon de la ideo; sekve, sciante la vorton « bona », ni jam mem povas formi la vorton « malbona », kaj la ekzistado de aparta vorto por la ideo « malbona » estas jam superflua; alta — malalta; estimi — malestimi k. t. p.

/ 주어: La prefikso, ni, la ekzistado / 동사: signifas, povas formi, estas / 목적어: kontraŭaĵon, la vorton / sciante 이하는 부사 분사구문으로 그 뒤의 주절 ni jam … 의 부사어 / superflua는 '흘러 넘치는'의 뜻, 불필요한 /

1) 접두사 ⟨mal⟩은 직접적인 반대의 뜻을 나타냅니다. 그래서 ⟨bona⟩(좋은)라는 단어를 알면 ⟨malbona⟩(나쁜)를 스스로 만들어 낼 수 있습니다. 그리고 ⟨malbona⟩를 뜻하는 별개의 단어는 이미 불필요한 것이 되는 겁니다. Alta-malalta(높은-낮은), estimi-malestimi(존경하다-멸시하다) 등도 마찬가지입니다.

Sekve, ellerninte unu vorton « mal », ni jam estas liberigitaj de la lernado de grandega serio da vortoj, kiel ekzemple « malmola » (sciante « mola »), malvarma, malnova, malpura, malproksima, malriĉa, mallumo, malhonoro, malsupre, malami, malbeni k. t. p., k. t. p.

/ 주어: ni / 동사: estas / ellerninte 이하는 부사 분사구문으로 그 뒤의 주절에 따르는 부사어 / liberigitaj de ~으로부터 자유로운, liberiĝi de ~ , liberigi iun de ~ / kiel ekzemple 예를 들어 / serio da 일련의 / k.t.p. = kaj tiel plu /

따라서 ⟨mal⟩이라는 단어 하나를 배우고 나면 우린 벌써 수많은 다른 단어들을 배울 필요가 없어지는 겁니다. 예를 들자면, ⟨mola⟩(말랑말랑한)를 알면 ⟨malmola⟩(딱딱한)를 저절로 아는 것과 마찬가지이며, malvarma(차가운), malnova (오래된), malpura(더러운), malproksima(먼), malriĉa(가난한), mallumo(어두움), malhonoro(치욕), malsupre(아래에), malami(증오하다), malbeni(저주하다) 등도 다 마찬가지입니다.

2) La sufikso « in » signifas la virinan sekson : sekve, sciante « frato », ni jam mem povas formi « fratino », patro — patrino. Sekve superfluaj jam estas la vortoj « avino, filino, fianĉino, knabino, kokino, bovino » k. t. p.

/ 주어: La sufikso, ni, la vortoj / 동사: signifas, povas formi, estas (superfluaj) / 목적어: virinan sekson, 〈fratino〉 /

2) 접미사 〈in〉은 여성을 나타냅니다. 그래서 〈frato〉(형제)를 알면 스스로 〈fratino〉(자매)를 만들어 낼 수 있는 겁니다. 그리고 patro-patrino(아버지-어머니)도 마찬가지입니다. 따라서 〈avino, filino, fianĉino, knabino, kokino, bovino〉(할머니, 딸, 약혼녀, 소녀, 암탉, 암소) 같은 단어들은 이미 배울 필요가 없는 단어가 되는 것입니다.

3) La sufikso « il » signifas instrumenton por la donita farado. Ekzemple tranĉi — tranĉilo; superfluaj estas : « kombilo, hakilo, sonorilo, plugilo, glitilo » k. t. p. Kaj similaj aliaj prefiksoj kaj sufiksoj.

/ 주어: La sufikso / 동사: signifas / 목적어: instrumenton / donita farado 주어진 행동(일) / instrumento 도구, 악기 /

3) 접미사 〈il〉은 어떤 주어진 행위를 위한 도구를 뜻합니다. 예를 들자면 tranĉi(자르다)-tranĉilo(가위, 칼) 같은 것입니다. 그래서 〈kombilo, hakilo, sonorilo, plugilo, glitilo〉(빗, 도끼, 종, 쟁기, 썰매) 같은 단어들도 배울 필요가 없게 되는

것입니다. 그리고 다른 접두사나 접미사들도 마찬가지입니다.

Krom tio mi donis komunan regulon, ke ĉiuj vortoj, kiuj jam fariĝis internaciaj (la tiel nomataj « fremdaj vortoj »), restas en la lingvo internacia neŝanĝataj, akceptante nur la internacian ortografion;

/ 주어: mi / 동사: donis / 목적어: regulon / ke 이하는 앞의 regulon을 꾸미는 설명절 / ke 이하에서 주어: ĉiuj vortoj / 동사: restas / kiuj 이하는 앞의 vortoj를 꾸미는 관계절 / restas ~ neŝanĝataj 변함없이 그대로 남는다, 변함이 없다 / akceptante 이하는 부사 분사구문, 이 구문의 의미상 주어는 ĉiuj vortoj / internacia ortografio는 자멘호프가 지금 제안하는 국제어의 철자법, ortografio de la internacia lingvo /

그 외에 저는 또 한 가지 규칙을 만들었는데, 그것은 바로 이미 국제적으로 널리 쓰이고 있는 소위 '외래어'에 관한 규칙입니다. 그런 말들은 이 국제어에서도 변함 없이 그대로 쓰이게 됩니다. 다만 철자법만 이 국제어 철자법에 맞게 쓰면 되는 것입니다.

tiamaniere grandega nombro da vortoj fariĝas superfluaj por la lernado; ekzemple : lokomotivo, redakcio, telegrafo, nervo, temperaturo, centro, formo, publiko, platino, botaniko, figuro, vagono, komedio, ekspluati, deklami, advokato, doktoro, teatro k. t. p., k. t. p.

/ 주어: vortoj / 동사: fariĝas / grandega nombro da ~ 수많은 ~ /

그런 방법으로 다음과 같은 수많은 단어들을 따로 배울 필요가 없게 되는 것입니다. 보기: lokomotivo, redakcio, telegrafo, nervo, temperaturo, centro, formo, publiko, platino, botaniko, figuro, vagono, komedio, ekspluati, deklami, advokato, doktoro, teatro 등등 (기관차, 편집부, 전보, 신경, 온도, 센터, 폼, 군중, 인쇄기의 누름판(?), 식물학, 형상, 객차, 코미디, 착취하다, 선포하다, 변호사, 의사, (연)극장)

Dank' al la supre montritaj reguloj kaj ankoraŭ al kelkaj flankoj de la lingvo, pri kiuj mi trovas superflue tie ĉi detale paroli, la lingvo fariĝas eksterordinare facila,

/ 주어: paroli 뒤에 나오는 la lingvo / 동사: fariĝas / Dank' al 이하는 전체 문장의 부사어 / al이 두 번 나옴 / pri kiuj 이하는 앞의 flankoj를 꾸미는 관계절 / 이 관계절 안에서 주어: mi / 동사: trovas / 목적어: paroli / 목적격 보어: superflue, 목적어가 동사 부정법 paroli이기 때문에 보어가 부사로 쓰였음 / pri kiuj는 뒤의 paroli에 걸리는 말, ~에 관하여 말하다 / 이 관계절을 이렇게 할 수도 있음: flankoj de la lingvo, pri kiuj paroli detale ĉi tie mi trovas superflue, 혹은 paroli pri kiuj ~ /

(보충 설명) 보어를 부사로 쓰는 경우 : 1) 무주어문에서 (날

씨 표현, 감정 표현 등), 2) 주어가 동사 원형(부정법)일 때, 3) 주어가 하나의 절로 되어 있을 때 (주로 ke로 시작함) / Estas varme. Estas freŝe. Estas bone. ; Mensogi estas malbone. ; Tre bezone estas, ke vi venos tuj al ni. /

위에서 말씀 드린 규칙들과 그리고 또 다른 몇 가지 이 언어의 특성들 덕분에 (지금 여기서 자세히 말씀 드릴 필요는 없으리라 생각합니다) 이 언어는 아주 아주 쉬워지게 되는 것입니다.

kaj la tuta laboro de ĝia ellernado konsistas nur en la ellernado de tre malgranda nombro da vortoj, el kiuj laŭ difinitaj reguloj, sen apartaj kapabloj kaj streĉado de la kapo, oni povas formi ĉiujn vortojn, esprimojn kaj frazojn, kiuj estas necesaj.

/ 주어: laboro / 동사: konsistas / konsisti 다음에는 en과 el이 올 수 있다, en이 올 때에는 '~에 있다'는 뜻이고, el이 올 때에는 '-로 구성되어 있다'는 뜻임 / el kiuj 이하는 앞의 vortoj를 꾸미는 관계절 / 이 관계절 안의 주어: oni / 동사: povas formi / 목적어: ĉiujn vortojn … / kiuj 이하는 앞의 ĉiujn … frazojn을 꾸미는 관계절 / difini는 '한정하다'는 뜻, difinita는 '한정된, 일정한, 정해진' /

그리고 여러분이 배워야 할 것은 오로지 소수의 단어뿐입니다. 그리고 그 단어들을 가지고 필요한 다른 단어들과 표현들 그리고 문장들을 만들어 낼 수 있는데, 그 일은 정해진 규칙에 따라 하기만 하면 되지, 그 무슨 특별한 능력이 필요한 것도 아니며, 머리를 싸매고 노력을 하지 않아도 가능한 것입니다.

Cetere eĉ tiu ĉi malgranda nombro da vortoj, kiel oni vidos malsupre, estas tiel elektita, ke ilia ellernado por homo iomete klera estas afero eksterordinare facila.

/ 주어: vortoj / 동사: estas / 'kiel ~ malsupre'는 삽입절 / ke 이하는 앞의 tiel과 연결되는 구문 / tiel ~, ke - '~해서 -하다', '-하도록 ~하다' / ke 이하의 절에서 주어: ellernado / 동사: estas / por iomete klera는 부사어 역할을 하는 전치사구 / klera는 본래 '현명한, 판단력이 있는' 등의 의미인데, 자멘호프는 여기서 주로 '어느 정도 교육을 받은 사람'이라는 뜻으로 쓰고 있음 /

게다가 이 소수의 단어도, 아래에서 보시다시피, 어느 정도의 교육을 받은 사람이라면 누구라도 아주 쉽게 배울 수 있도록 그렇게 선택되고 만들어진 것들입니다.

La ellernado de tiu ĉi lingvo sonora, riĉa kaj por ĉiuj komprenebla (la kaŭzojn vidu malsupre) postulas sekve ne tutan serion da jaroj, kiel ĉe la aliaj lingvoj,

/ 주어: La ellernado / 동사: postulas / 목적어: serion da jaroj / 'sonora ~ komprenebla'는 앞의 lingvo를 꾸미는 형용사구 / sonori는 '소리의 여음이 계속되다'를 뜻하는데, 일반적으로 '듣기 좋은 소리를 내다'는 의미로 많이 쓰임 / por ĉiuj가 komprenebla 앞에 온 것에 주의 / kiel 이하는 부사절 / kiel과 ĉe 사이에 'La ellernado postulas'가 생략

되었다고 볼 수 있음 /

발음하기 쉽고 표현력이 풍부하며 또 모든 사람들이 쉽게 이해할 수 있는 이 언어를 배우는 데에는 다른 언어를 배우는 것처럼 그렇게 몇 년이나 걸리지는 않습니다. (그 이유를 아래에서 확인하실 수 있습니다.)

— por ĝia ellernado sufiĉas kelke da tagoj. Pri tio ĉi ĉiu povas konvinkiĝi, ĉar al la nuna broŝuro estas aldonita plena lernolibro. [Piednoto: En la originalo de la unua libro pri Esperanto en la fino estis presita la tuta gramatiko kaj vortaro el ĉirkaŭ mil vortoj.]

/ 주어: tagoj, ĉiu, plena lernolibro / 동사: sufiĉas, povas konvinkiĝi, estas aldonita / kelke da 조금의 / aldoni ion al io 어디에 무엇을 추가(첨가)하다 / 'plena lernolibro' 자멘호프는 '28개의 글자와 16개의 기본문법'을 '교재'라고 부른다 /

— 이 언어를 배우는 데에는 며칠이면 충분합니다. 이에 대해서는 여러분 모두가 확인할 수 있을 것입니다. 왜냐하면 이 책자 끝부분에 이 언어의 완벽한 교재가 부록으로 실려 있기 때문입니다. [각주: 제1서 원본 끝부분에 전체 문법과 약 1천 개의 단어가 실린 단어장이 인쇄되어 있었음.]

II

La duan problemon mi solvis en la sekvanta maniero:
a) Mi aranĝis plenan dismembrigon de la ideoj en

memstarajn vortojn, tiel ke la tuta lingvo, anstataŭ vortoj en diversaj gramatikaj formoj, konsistas sole nur el senŝanĝaj vortoj.

/ 주어: mi, Mi, lingvo / 동사: solvis, aranĝis, konsistas / 목적어: problemon, dismembrigon / sekvanta=sekva=jena / en 다음에 목적격이 쓰인 것은 dismembrig- 때문임 / tiel ke 그리하여 ~하다, ~하도록 / 'anstataŭ … formoj'는 삽입구 / konsistas el ~로 구성되어 있다 /

II

둘째 문제는 아래와 같은 방법으로 해결했습니다: a) 말하고자 하는 모든 개념을 철저히 분리시켜 각각 독립적인 낱말로 만들었습니다. 그리하여 이 언어는 여러 가지의 문법적 형태로 변화된 낱말이 아니라 전혀 변화가 없는 독립적인 낱말들로 구성되게 되었습니다.

(*)자멘호프가 말하는 '분리'는 오늘날 언어학에서 '첨가, 교착(膠着)'이라고 불리는 것임 (옮기고 해설한 이 주석)

Se vi prenos verkon, skribitan en mia lingvo, vi trovos, ke tie ĉiu vorto sin trovas ĉiam kaj sole en unu konstanta formo, nome en tiu formo, en kiu ĝi estas presita en la vortaro. Kaj la diversaj formoj gramatikaj, la reciprokaj rilatoj inter la vortoj k. t. p. estas esprimataj per la kunigo de senŝanĝaj vortoj.

/ 주어: vi, vi, ĉiu vorto, ĝi, formoj … k.t.p. / 동사: prenos, trovos, trovas, estas presita, estas esprimitaj / 목적어: verkon, ke~, sin / skribitan … lingvo는 verkon을 꾸미는 관계절 / sin trovi=troviĝi / nome 즉, 다시 말해 / per 이하는 부사어구 /

만약 제가 제안하는 이 언어로 쓰인 책을 보신다면, 여러분은 거기에 모든 낱말이 항상 오직 하나의 형태로만, 즉, 단어장에 인쇄된 것과 같은 모습으로만 나타나 있는 것을 발견하게 될 것입니다. 그리고 문법적 형태나 단어들 사이의 관계 등등은 이 변하지 않는 단어들의 연결로써 표현됩니다.

Sed ĉar simila konstruo de lingvo estas tute fremda por la Eŭropaj popoloj kaj alkutimiĝi al ĝi estus por ili afero malfacila, tial mi tute alkonformigis tiun ĉi dismembriĝon de la lingvo al la spirito de la lingvoj Eŭropaj,

/ 주어: kostruo, alkutimiĝi, mi / 동사: estas, estus, alkonformigis / 목적어: dismembriĝon / simila 앞에 관사 la가 쓰이지 않았음에 주의, '그 무엇과 같은'이라는 뜻이 아니라, 그저 '이와 같은'이라는 뜻 / fremda '이방의, 낯선' / alkutimiĝi ~에 익숙해지다 / tial은 안 써도 됨, 앞에 ĉar가 나오기 때문 / alkonformigi ion al io 무엇을 무엇에 부합하도록 (맞도록) 만들다 /

그러나 이와 같은 언어구조는 유럽 사람들에겐 아주 낯선 것일 것이고 또한 거기 익숙해지는 것은 그들에게 어려운 일일 것이기 때문에 저는 이 언어의 분리화 (첨가어화) 작업을 유럽 언어들의 정신에 부합하게 다듬었습니다.

tiel ke se iu lernas mian lingvon laŭ lernolibro, ne traleginte antaŭe la antaŭparolon (kiu por la lernanto estas tute senbezona), — li eĉ ne supozos, ke la konstruo de tiu ĉi lingvo per io diferencas de la konstruo de lia patra lingvo.

/ 주어: iu, li, la konstruo / 동사: lernas, supozas, diferencas / 목적어: mian lingvon, ke~ / tiel ke 그래서 / ne traleginte 이하는 부사 분사구문, 여기서 의미상 주어는 iu / 괄호 안의 말은 antaŭparolon을 꾸미는 관계절 / supozas는 본래 '가정하다'의 뜻인데 여기서는 '알아채다'로 해석하는 게 좋겠음, rimarki, rekoni / per io 그 무언가로써, 뭔가가 / diferenci de ~와 다르다 /

그래서 만약 어떤 사람이 이 서문을 (이 서문은 학습자에게는 전혀 필요하지 않습니다) 읽어 보지 않고 바로 교재를 가지고 이 언어를 배운다면, — 이 언어의 구조가 자신의 모국어의 구조하고 뭐가 다른지 전혀 알아채지 못할 것입니다.

Tiel ekzemple la devenon de la vorto « fratino », kiu en efektiveco konsistas el tri vortoj : frat (frato), in (virino), o (kio estas, ekzistas) (— kio estas frato-virino = fratino), — la lernolibro klarigas en la sekvanta maniero :

/ 주어: 뒤에 나오는 la lernolibro / 동사: klarigas / 목적

어: la devenon / kiu 이하는 〈fratino〉를 꾸미는 관계절 / 이 관계절 안의 주어: kiu / 동사: konsistas / la devenon … fratino)까지는 klarigas의 목적어 / konsistas el ~로 구성되어 있다 / klarigi 설명하다, ekspliki / (*) 자멘호프는 접사와 어미 등도 모두 vorto(단어)라고 말하고 있음. /

그래서 예를 들자면 〈fratino〉라는 단어는 사실 3개의 단어로 이루어져 있는데: frat(형제), in(여자), o(존재하는 것) (— 이건 frato-virino와 같으며 그건 fratino로서 '자매'의 뜻입니다.) -교재는 이것을 다음과 같은 방식으로 설명합니다: (*) 자멘호프는 접사와 어미 등도 모두 vorto(단어)라고 말하고 있음.

frato = frat; sed ĉar ĉiu substantivo en la nominativo finiĝas per « o » — sekve frat'o; por la formado de la sekso virina de tiu sama ideo, oni enmetas la vorteton « in »; sekve fratino — frat'in'o;

/ 주어: ĉiu substantivo, oni / 동사: finiĝas, enmetas / finiĝi per ~ 로 끝나다 / 'vorteto' 자멘호프는 모든 문법요소(어미, 접사 등)를 이렇게 하나의 '작은 단어'라고 표현한다 /

'형제'는 본래 frat이다; 그러나 모든 명사 주격은 〈o〉로 끝나기 때문에 따라서 이것은 frat'o가 됨; 그 같은 말의 여성을 나타내기 위해서는 〈in〉이라는 낱말을 끼워 넣어야 하기 때문에 결국 '자매'는 frat'in'o가 됨.

kaj la signetoj estas skribataj tial, ĉar la gramatiko postulas ilian metadon inter la apartaj konsistaj partoj de la vortoj. En tia maniero la dismembriĝo de la lingvo neniom embarasas la lernanton;

/ 주어: la signetoj, la gramatiko, la dismembriĝo / 동사: estas, postulas, embarasas / 목적어: ilian metadon, la lernanton / tial, ĉar가 함께 쓰인 것은 일종의 강조 / postuli는 본래 '요구하다'의 뜻 /

그리고 이 작은 부호(')를 붙이는 이유는 이렇습니다. 모든 단어에 있어 그 구성요소들 각각의 경계에 이런 부호를 붙이도록 문법이 만들어졌기 때문입니다. 그러한 방식으로 해서 이 언어의 '분리화' (첨가어화) 때문에 학습자는 조금도 놀랄 일이 없게 되는 것입니다.

li eĉ ne suspektas, ke tio, kion li nomas finiĝo aŭ prefikso aŭ sufikso, estas tute memstara vorto, kiu ĉiam konservas egalan signifon, tute egale, ĉu ĝi estos uzata en la fino aŭ en la komenco de alia vorto aŭ memstare,

/ 주어: li / 동사: suspektas /목적어: ke~ / ke 이하에서 주어: tio, 동사: estas / kion-절은 tio를 꾸미는 관계절 / kion-절에서 주어: li, 동사: nomas, 목적어: kion, 목적격보어: finiĝo … sufikso / kiu-절은 vorto를 꾸미는 관계절 / 이 관계절의 주어: kiu, 동사: konservas, 목적어: signifon / tute 이하는 부사절 / tute egale, ĉu ~든지 간에 똑같이 /

그는 그가 지금 어미나 접두사, 또는 접미사라고 부르는 그것이 다른 단어의 끝에 붙든, 처음에 붙든, 아니면 완전히 독립적으로 쓰이든지 간에 언제나 동일한 하나의 의미를 가진 완전히 독립된 단어라는 사실을 전혀 의심하지 않을 것입니다.

ke ĉiu vorto kun egala rajto povas esti uzata kiel vorto radika aŭ kiel gramatika parteto.

/ ke 이하의 이 절은 이 앞에 나오는 (suspektas) ke-절에 이어 둘째 ke-절임 / 주어: ĉiu vorto / 동사: povas esti / 자멘호프는 여기서 vorteto 대신 parteto를 쓰고 있음 / 여기 쓰인 'vorto radika'는 그냥 'radiko'라고 해야 옳다 / (*) 자멘호프는 여기서 〈vorto〉의 정의를 그렇게 엄격하게 하지 않고 있음. 에스페란토의 〈vorto〉는 〈radiko+finaĵo〉임 /

그리고 또 모든 낱말은 어근 (실사, 實辭)으로도 쓰일 수 있고, 또는 문법적 요소 (허사, 虛辭)로도 쓰일 수 있다는 사실에 대해서도 그는 전혀 의심을 하지 않을 것입니다.

Kaj tamen la rezultato de tiu ĉi konstruo de la lingvo estas tia, ke ĉion, kion vi skribos en la lingvo internacia, tuj kaj kun plena precizeco (per ŝlosilo aŭ eĉ sen ĝi) komprenos ĉiu, kiu ne sole ne ellernis antaŭe la gramatikon de la lingvo, sed eĉ neniam aŭdis pri ĝia ekzistado.

/ 주어: la rezultato / 동사: estas / tia는 주격보어 / ke-절은 tia를 설명해 주는 절 / ke 이하에서 주어: ĉiu, 동사: komprenos, 목적어: ĉion / kion-절은 앞의 ĉion을 꾸미는 관계절 / tuj kaj kun plena precizeco는 부사구, 이것의 차

례에 유의, 주어 ĉiu에 연결된 kiu-관계절이 길기 때문에 그 주어와 관계절을 맨 뒤로 보내고 부사구를 앞에 썼음 / ne sole ~ sed eĉ ~일뿐만 아니라 ~ 조차 / ĝia ekzistado는 '국제어의 존재', ekzisto라 해도 좋음 / rezultato와 rezulto는 거의 같이 쓰임, 그러나 rezultato가 조금 구체적인 '결과물'의 느낌이 강함 /

그러나 이 언어의 이러한 구조의 결과는 엄청난 것입니다. 만약 여러분이 이 국제어로 글을 쓴다면, 이전에 이 언어의 문법을 배운 적이 없는 사람이라 할지라도 또는 아예 이 언어의 존재에 대해서 들어본 적도 없는 사람이라 할지라도 모두 금방 그 글을 아주 분명히 이해하게 된다는 것입니다. (열쇠 (이 책에 부록으로 달린 단어장)가 있거나 없거나 상관없이 말입니다.)

Mi klarigos tion ĉi per ekzemplo : Mi troviĝis en Rusujo, ne sciante eĉ unu vorton rusan; mi bezonas turni min al iu, kaj mi skribas al li sur papereto en libera lingvo internacia ekzemple la jenon :

/ 주어: Mi, Mi, mi, mi / 동사: klarigos, troviĝis, bezonas, skribas / troviĝi=esti / ne sciante 이하는 부사 분사구문, 의미상 주어는 mi / turni min al iu 누군가에게 다가가다 / skribi al iu 누구에게 편지를 쓰다, 글을 쓰다 / 여기서 자멘호프는 에스페란토를 libera lingvo internacia라 표현하고 있다 / la jenon은 skribas의 목적어 /

저는 그 사실을 예를 들어 설명하겠습니다: 제가 러시아말은 하나도 모른 채 러시아에 있다고 칩시다; 저는 그저 누군가에게 이 국제어로 아래와 같이 종이에 써서 보여 주기만 하면 되는 겁니다:

Mi ne sci'as, kie mi las'is mi'a'n baston'o'n; ĉu vi ĝi'n ne vid'is? Mi proponas al mia interparolanto vortaron internacia-rusan kaj mi montras al li la komencon, kie per grandaj literoj estas presita la sekvanta frazo :

/ 주어: Mi, mi, vi, Mi, mi, frazo / 동사: scias, lasis, vidis, proponas, montras, estas presitaj / kie-절은 scias의 목적어절 / ĉu-절은 새로 시작되는 독립적인 문장 / interparolanto =kunparolanto / 여기서 komencon은 komencan parton의 뜻 / kie-절은 komenco를 꾸미는 관계부사절=en kiu / sekvanta=jena /

저는 제 지팡이를 어디에 두었는지 모르겠습니다; 당신은 그것을 보지 않았습니까? 저는 상대방에게 국제어-러시아어 단어장을 건네주면서 그 첫부분을 보여 주기만 하면 됩니다. 거기에는 다음과 같은 글이 큰 글자로 인쇄되어 있습니다:

Ĉion, kio estas skribita en la lingvo internacia, oni povas kompreni per helpo de tiu ĉi vortaro. Vortoj, kiuj prezentas kune unu ideon, estas skribataj kune, sed dividataj unu de la alia per signeto; tiel ekzemple la vorto frat'in'o, prezentante unu ideon, estas kunmetita el tri vortoj, el kiuj ĉiun oni devas serĉi aparte.

/ 주어: oni, Vortoj, la vorto / 동사: estas skribita, povas

kompreni, estas skribitaj, (estas) dividitaj, estas kunmetita / 목적어: Ĉion / 'unu de la alia'에서 전치사는 필요에 따라 여러 가지로 바뀔 수 있음 / prezentante unu ideon은 부사 분사구문, 의미상 주어는 la vorto fratino / kunmetita el=konsistas el / serĉi와 trovi를 잘 구별해야 함 /

국제어로 쓰인 모든 것은 이 단어장의 도움으로 이해할 수 있습니다. 하나의 개념을 나타내는 단어는 하나로 연결되어 쓰여 있습니다. 그러나 작은 부호로 연결 자리를 표시해 두었습니다. 보기를 들자면 frat'in'o라는 단어는 하나의 개념을 나타내지만 세 개의 단어가 연결되어 있는 겁니다. 그래서 그 세 개의 단어는 개별적으로 찾아보아야 합니다.

Se mia interparolanto neniam aŭdis pri la lingvo internacia, li komence rigardos min tre mirigite, sed li prenos mian papereton, serĉos en la montrita maniero en la vortaro kaj trovos jenon : [도표]

/ 주어: interparolanto, li, li / 동사: aŭdis, rigardos, prenos, serĉos, trovos / 목적어: min, papereton, jenon / aŭdi 다음에는 목적어가 올 수도 있고, pri io가 올 수도 있음 / mir-ig-it-e는 'kun granda miro'로 쓰도 좋겠음 / serĉos와 trovos의 주어는 모두 li /

만약 그 상대방이 국제어에 대해서 전혀 들어본 적이 없다면, 그는 처음에는 아주 놀라운 표정으로 저를 바라볼 것입니다. 그러나 제가 전해 주는 종이를 받아서 거기 적혀 있는 방법대로 단어장을 찾아본다면, 다음과 같은 설명을 발견하게 될 것입니다.

<table>
<tr><td>Mi</td><td>Ja</td><td>ja</td></tr>
<tr><td>ne</td><td>nje, njet</td><td>nje</td></tr>
<tr><td>sci</td><td>znatj</td><td rowspan="2">znaju</td></tr>
<tr><td>as</td><td>oznaĉajet nastojaŝĉeje vremja glagola</td></tr>
<tr><td>kie</td><td>gdje</td><td>gdje</td></tr>
<tr><td>mi</td><td>ja</td><td>ja</td></tr>
<tr><td>las</td><td>ostavljatj</td><td rowspan="2">ostavil</td></tr>
<tr><td>is</td><td>oznaĉajet proŝedŝeje vremja</td></tr>
<tr><td>mi</td><td>ja</td><td rowspan="3">(moj) moju</td></tr>
<tr><td>a</td><td>oznaĉajet prilagatelnoje</td></tr>
<tr><td>n</td><td>oznaĉajet vinitelnij padeĵ</td></tr>
<tr><td>baston</td><td>palka</td><td rowspan="3">palku</td></tr>
<tr><td>o</td><td>oznaĉajet suŝĉestvitelnoje</td></tr>
<tr><td>n</td><td>oznaĉajet vinitelnij padeĵ</td></tr>
<tr><td>ĉu</td><td>li</td><td>li</td></tr>
<tr><td>vi</td><td>vi, ti</td><td>vi</td></tr>
<tr><td>ĝi</td><td>ono</td><td rowspan="2">(jego) jejo</td></tr>
<tr><td>n</td><td>oznaĉajet vinitelnij padeĵ</td></tr>
<tr><td>ne</td><td>nje</td><td>nje</td></tr>
<tr><td>vid</td><td>vidjetj</td><td rowspan="2">vidjel (i)</td></tr>
<tr><td>is</td><td>oznaĉajet proŝedŝeje vremja</td></tr>
</table>

En tia maniero la ruso klare komprenos, kion mi de li deziras. Se li volos respondi al mi, mi montras al li la vortaron rusa-internacian, en kies komenco estas presite :

/ 주어: la ruso, mi, li, mi / 동사: komprenos, deziras, volos respondi, montros / de li deziras '그로부터 ~을 원하다', 차례에 주의 / en kies-절은 vortaron을 꾸미는 관계절 / estas presite의 주어는 그 이하에 나오는 문장, 그래서 보어가 부사 presite로 되어 있음 /

그러한 방식으로 그 러시아인은 제가 그에게 뭘 원하는지를 분명히 알게 될 것입니다. 그리고 만약 그가 제게 답을 하기를 원한다면, 저는 그에게 러시아어-국제어 단어장을 보여줄 것입니다. 그 단어장 첫부분에는 다음과 같은 말이 쓰여 있습니다.

Se vi deziras esprimi ion en la lingvo internacia, uzu tiun ĉi vortaron, serĉante la vortojn en la vortaro mem kaj la finiĝojn por la gramatikaj formoj en la gramatika aldono, en la paragrafo de la responda parto de parolo.

/ 주어: vi, (vi) / 동사: deziras, uzu / uzu 이하는 이 문장 전체의 주절 / Se-절은 전체 문장의 종속절 / serĉante 이하는 부사 분사구문, 의미상 주어는 vi / finiĝo=finaĵo / aldono 부록 / responda 해당하는 / parto de parolo 품사 /

만약 당신이 국제어로 무엇을 표현하고자 한다면, 이 단어장을 이용하세요. 단어는 이 단어장에서 찾으시고, 문법어미들은 '문법 부록'에서 해당하는 품사 부분에서 찾으세요.

Ĉar en tiu aldono, kiel oni vidas en la lernolibro, la plena gramatiko de ĉiu parto de parolo okupas ne pli ol kelke da linioj, tial la trovado de la finiĝo por la esprimo de responda gramatika formo okupos ne pli da tempo, ol la trovado de vorto en la vortaro.

/ Ĉar ~ da linioj 절은 종속절, 주절은 tial la trovado 이하의 절 / 주어: la plena gramatiko, la trovado / 동사: okupas, okupos / 목적어: ne pli ol kelke da linioj, ne pli da tempo / 전치사 da 다음이라 목적어일지라도 주격으로 쓰임 / parto de parolo 품사 / ne pli ol ~보다 덜 / 앞에 Ĉar가 쓰였기 때문에 여기에서 tial은 꼭 안 써도 됨 / 마지막에 쓰인 pli ~ ol ~은 "ol la trovado de vorto en la vortaro okupos tempon"을 줄인 것 / 〈da〉 다음에는 관사, 한정사, 구체적 수량 표현 등이 올 수 없음 [(x) multe da la (tiuj, ĉiuj) homoj, (x) multe da homo (homo=unu homo)] /

교재에서 보시다시피 부록에 들어 있는 품사에 관한 문법 설명은 몇 줄밖에 되지 않습니다. 그래서 해당하는 문법 형태를 표현하기 위해 사용할 어미를 찾는 데에는 단어장에서 단어를 찾는 것보다 더 많은 시간이 필요하지는 않습니다.

Mi turnas la atenton de la leganto al la klarigita punkto, kiu ŝajne estas tre simpla, sed havas grandegan praktikan signifon. Estas superflue diri, ke en alia lingvo vi kun persono, ne posedanta tiun ĉi lingvon, ne havas la eblon kompreniĝadi eĉ per la helpo de la plej bona vortaro,

/ 주어: Mi, diri / 동사: turnas, Estas superflue / 목적어: la atenton, / Estas superflue diri, ke ~라는 것은 말할 필요도 없다 / ke-절은 동사 diri의 목적어절, 이 목적어절 안에서의 주어: vi, 동사: ne havas, 목적어: la eblon / ne posedanta tiun ĉi lingvon은 persono를 꾸미는 형용사 분사구문, 의미상 주어는 persono / ne havas la eblon -i '-할 가능성이 없다' /

저는 여러분이 제가 위에서 설명한 것을 좀 주목해 주시기를 바랍니다. 그것은 아주 간단해 보이지만 사실 그 실용적 의미는 엄청납니다. 다른 언어에서는 아무리 좋은 단어장의 도움을 받는다 할지라도 그 언어를 모르는 사람하고 서로 이해할 수 있는 가능성은 없습니다. 그것은 두말할 필요도 없는 것입니다.

ĉar, por povi fari uzon el la vortaro de ia el la ekzistantaj lingvoj, oni devas antaŭe pli aŭ malpli scii tiun ĉi lingvon.

/ 주어: oni / 동사: devas … scii / 목적어: lingvon / ĉar 다음에 oni로 연결됨 / por … lingvoj 절은 전체 문장의 부사어 역할을 하는 전치사구 / fari uzon 사용하다 / el은 '단어장으로부터 뭔가를 찾아내서 사용한다'라는 의미를 강하게 함, de를 써도 됨 / ia el la ~중의 그 어느 것 / pli aŭ malpli 어느 정도 /

왜냐하면 현존하는 언어들에서는 그 단어장을 이용할 수 있으려면 먼저 그 언어를 어느 정도 알고 있어야 하기 때문입니다.

Por povi trovi en la vortaro la donitan vorton, oni devas scii ĝian fundamentan formon, dum en la interligita parolado ĉiu vorto ordinare estas uzita en ia gramatika ŝanĝo, kiu ofte estas neniom simila je la fundamenta formo, en kunigo kun diversaj prefiksoj, sufiksoj k. t. p.;

/ Por povi … vorton은 전체 문장의 부사어 역할을 하는 전치사구 / 전체 문장의 주어: oni, ĉiu vorto / 동사: devas scii, estas uzita / 목적어: la donitan vorton, fundamentan formon / 'povi trovi~'처럼 동사원형이 연달아 쓰일 때도 있음, povi는 Por 때문에, 그리고 trovi는 povi 때문에 각각 원형으로 쓰임 / donitan 주어진 / dum 이하는 종속절, ~한 반면, 이 종속절에서 주어: ĉiu vorto, 동사: estas / ŝanĝo는 ŝanĝiĝo로 써도 됨 / simila 다음에는 kun, al 등의 전치사도 쓸 수 있음 / en kunigo 이하는 부사어 전치사구 /

그 어떤 단어를 단어장에서 찾을 수 있으려면 우리는 그 기본형을 알아야 합니다. 그러나 연속된 대화에서 모든 단어는 문법적으로 변화된 모습으로 쓰이고 있으며, 그 변화된 모습은 접두사나 접미사 등과 합쳐져 기본형과는 전혀 다른 모습

일 때가 많습니다.

tial, se vi antaŭe ne konas la lingvon, vi preskaŭ neniun vorton trovos en la vortaro, kaj eĉ tiuj vortoj, kiujn vi trovos, donos al vi nenian komprenon pri la signifo de la frazo.

/ se-절은 전체 문장의 종속절 / 여기서 주어는 vi, 동사는 konas / 목적어: la lingvon / 전체 문장의 주어: vi, tiuj vortoj / 동사: trovos, donos / 목적어: neniun vorton, nenian komprenon / koni와 scii의 차이점에 주의, koni: 주로 경험을 통해서 앎, 사람을 앎; scii: 지식적으로 앎, 자세히 앎 / kiujn vi trovos는 앞의 vortoj를 꾸미는 관계절 /

그래서 만약 당신이 그 언어를 미리 알고 있지 않다면 당신은 단어장에서 아무 단어도 찾을 수 없을 것입니다. 그리고 혹시 어떤 단어를 찾는다 해도 그것이 그 문장을 이해하는 데에 아무런 도움이 되지 못할 것입니다.

Tiel ekzemple, se mi la supre donitan frazon skribus germane (Ich weiss nicht wo ich meinen Stock gelassen habe; haben sie ihn nicht gesehen), tiam persono, ne scianta la lingvon germanan, trovos en la vortaro la jenon : « Mi — blanka — ne — kie — mi — pensi — bastono aŭ etaĝo — kvieta — havo — havi — ŝi — ? — ne — ? — ».

/ se-절은 전체 문장의 종속절 / 여기서 주어는 mi, 동사는 skribus, 목적어는 donitan frazon / tiam 이하가 주절, 여

기서 주어는 persono, 동사는 trovos, 목적어는 la jenon / ne … germananan은 앞의 persono를 꾸미는 형용사 분사구문, 이 분사구문의 의미상 주어는 persono /

그래서 예를 들어, 위에서 말한 그 문장을 독일어로 쓴다면 ("Ich weiss nicht wo ich meinen Stock gelassen habe; haben sie ihn nicht gesehen")가 될 텐데요, 그때 독일어를 모르는 사람은 단어장에서 다음과 같은 것을 발견하게 될 것입니다: « 나 — 흰 — 아니 — 어디에 — 나 — 생각하다 — 지팡이 혹은 층계 — 조용한 — 가지고 있음 — 가지고 있다 — 그녀 — ? — 아니 — ? — ».

Mi ne parolas jam pri tio, ke la vortaro de ĉiu el la ekzistantaj lingvoj estas treege vasta kaj serĉi en ĝi 2-3 vortojn unu post alia jam lacigas, dum la vortaro internacia, dank' al la dismembra konstruo de la lingvo, estas tre malgranda kaj oportuna;

/ 주어: Mi, la vortaro / 동사: parolas, estas / jam ne 마음속으로 뭔가를 하려고 생각했다가 그만둘 때 / ke-절은 앞의 tio를 설명하는 종속절, 이 절에서 주어는 la vortaro, serĉi, 동사는 estas, lacigas / lacigas 뒤에 목적어 nin이 (혹은 vin이) 생략 되었음, "우리를 (혹은 당신을) 피곤하게 한다" / (보기) "sed ne parolante jam pri la malbonsoneco," ; "Mi jam ne vizitos vin." ; "Mi ne plu vizitos vin." /

현존하는 여러 언어의 단어장은 모두 아주 방대해서 그 안에서 두세 개의 단어만 찾으려 해도 아주 피곤한 일이 되겠지만, 이 국제어 단어장은 그 언어의 분리화 구조 (첨가어적인 구조) 덕분에 아주 작고 편리합니다. 이것은 더 이상 말할 필요도 없습니다.

mi ne parolas jam ankaŭ pri tio, ke en ĉiu lingvo ĉiu vorto havas en la vortaro multe da signifoj, el kiuj oni devas divenprove elekti la ĝustan.

/ 주어: mi, ĉiu vorto, oni / 동사: parolas, havas, devas elekti / 목적어: multe da signifoj, la ĝustan / ke-절은 앞의 tio를 설명하는 절 / multe da와 multaj의 차이: '한 종류', '여러 종류' (?), PIV에선 multe da 대신 multo da를 쓰길 권장함 / diven-prov-e 추측으로, divene로 써도 됨 /

다른 모든 언어에서는 단어장에 나오는 모든 단어는 여러 가지 뜻을 가지고 있고, 그 가운데에서 우리는 가장 옳은 것을 열심히 추측해서 선택해야 한다는 것은 더 말할 필요도 없는 것입니다.

Kaj se vi eĉ imagos al vi lingvon kun la plej ideala simpligita gramatiko, kun konstanta difinita signifo por ĉiu vorto,

/ 주어: vi / 동사: imagos / 목적어: lingvon / ideala는 gramatiko에 바로 붙는 형용사, ideale simpligita라고 해도 괜찮을 듯 / difini 자세하게 정의하다, 한정하다 /

그리고 만약 언제나 일정한 뜻을 가진 단어들로만 이루어지

고, 또 가장 이상적이고도 간단한 문법을 가진 언어를 당신이 가정한다고 해도,

— en ĉiu okazo, por ke la adresito per helpo de la vortaro komprenu vian skribon, estus necese, ke li antaŭe ne sole ellernu la gramatikon, sed ke li ankaŭ akiru en ĝi sufiĉan spertecon, por facile helpi al si, distingi vorton radikan de vorto gramatike ŝanĝita, devena aŭ kunmetita k. t. p.,

/ 주어: ke li antaŭe-절, 아주 길다 / 동사: estus necese / por ke 절은 전체 문장의 부사절, "~하기 위해서", 여기서 주어는 la adresito, 동사는 komprenu / adresi '-에게 말을 걸다' / por ke 다음에는 동사의 명령법이 쓰이고 그 뜻은 '~하도록' / ellernu와 akiru가 명령법으로 쓰인 것은 '3인칭 원망법'(願望法, 명령법)인데, 그 주어는 li, '그가 ~하도록' / 뒤의 por facile 이하는 ke-주어절 안의 부사절 / helpi al si distingi 스스로를 도와서 –을 구분하다 / devena 파생된(derivita); kunmetita 합성된 /

— 어쨌든 그 상대방이 단어장의 도움을 받아서 당신의 글을 이해하려면 그 사람이 이미 그 문법을 다 배워서 알고 있을 뿐만 아니라 그것을 충분히 잘 활용할 줄 알아야 할 겁니다. 왜냐하면 그래야만 그 사람은 각 단어의 기본형과 문법적 변화형이나 파생어, 합성어 등을 쉽게 구분할 수 있을 것이기 때문입니다.

— t. e. la utilo de la lingvo denove dependus de la

nombro da adeptoj, kaj ĉe manko de la lastaj ĝi prezentus nulon.

/ 주어: la utilo / 동사: dependus / 여기 쓰인 da는 de로 쓰는 것이 더 좋을 듯함, "Granda nombro da"와 비교해 보면 이 경우 "la nombro de la adeptoj"로 쓰는 것이 좋겠다는 걸 알 수 있음 / la lastaj는 adeptoj를 뜻함 /

〈PIV〉 **da 다음에는 한정된 명사를 쓸 수 없음, 즉, 1) 관사 la를 쓸 수 없음 2) ĉiuj, tuta 등을 쓸 수 없음 3) 지시, 소유, 수량 등의 한정사를 쓸 수 없음 / (보기) kvaronjaro estas parto de la jaro – kvaronjaro estas peco da tempo / nur kelkaj el ĉiuj voĉdonantoj - kelke da voĉdonantoj / iom de tiu ĉi kuko - iom da kuko ; rento de mil dolaroj - mil dolaroj da rento ; la nombro de niaj partianoj - multe da partianoj / **da 다음에는 정확한 수량을 표시하는 명사를 쓸 수 없음 / parto de jaro - deko da jaroj ; duono de monato - kelke da monatoj /

— 그리고 이것은 다시금 어느 언어의 유용성은 그 사용자의 수에 달려 있다는 것을 말하는 것입니다. 그리고 그 사용자가 많지 않다면 그것은 아무것도 아니라는 말이 됩니다.

Ĉar, sidante ekzemple en vagono kaj dezirante demandi vian najbaron, « kiel longe ni atendos en N. », vi ja ne proponos al li antaŭe ellerni la gramatikon de la lingvo!

/ sidante와 dezirante가 이끄는 분사구문은 전체 문장의 부

사어 역할을 함, 이 구문의 의미상 주어는 vi / 전체 문장의 주어: vi / 동사: proponos / 목적어: ellerni / la gramatikon은 목적어(동사 부정법 ellerni)의 목적어 / proponi '제안하다', 여기서는 '요구하다'나 '기대하다' 쪽에 가까움 /

왜냐하면 예를 들어 기차간에서 옆사람에게 "N역에서 얼마나 기다려야 할까요?"라고 물으려고 할 때, 당신은 그 사람이 먼저 그 말의 문법을 다 배우도록 요구할 수는 없는 것입니다.

Sed en la lingvo internacia vi povas esti tuj komprenita de membro de ĉia nacio, se li ne sole ne posedas tiun ĉi lingvon, sed eĉ neniam aŭdis pri ĝi.

/ 주어: vi / 동사: povas esti / komprenita de로 수동문으로 쓰였으나 번역할 때에는 능동으로 번역하는 것이 좋겠음 / se-절은 조건의 종속절 / 여기의 se는 eĉ se / 뒤에 sed eĉ가 나오기 때문에 eĉ를 안 쓴 것 같음 /

그러나 이 국제어를 사용하면 그 어느 나라 사람이라도 당신을 잘 이해할 수 있을 것입니다. 비록 그 사람이 이 말을 모른다 할지라도 또는 이 말에 대해 전혀 들어본 적이 없을지라도 말입니다.

Ĉiun libron, verkitan en la lingvo internacia, libere povas, kun vortaro en la mano, legi ĉiu, sen ia antaŭpreparigo kaj eĉ sen bezono antaŭe tralegi ian antaŭparolon, klarigantan la uzadon de la vortaro; kaj homo klera, kiel oni vidos malsupre, eĉ la vortaron devas uzi tre malmulte.

/ 주어: ĉiu, homo / 동사: povas legi, devas uzi / 목적어: Ĉiun libron, vortaron / verkitan은 앞의 libron을 꾸미는 형용사 분사구문 / sen-전치사구가 두 번 나옴 / tralegi는 앞의 bezono를 꾸미는 동사 불변화법(부정법) / tralegi 다 읽다 / klarigantan은 antaŭparolon을 꾸미는 형용사 분사 구문 / kiel … malsupre는 삽입절 /

이 국제어로 쓰인 책은 단어장만 가지고 있다면 모든 사람들이 다 자유롭게 읽을 수 있습니다. 그리고 미리 그 어떤 준비를 할 필요도 없으며, 심지어 그 단어장 사용법에 대한 안내문을 다 읽지 않아도 됩니다. 그리고 아래에서 보시다시피 어느 정도의 지식인이라면 이 단어장을 그리 많이 사용할 필요도 없습니다.

Se vi deziras skribi, ekzemple, al iu hispano Madridon, sed nek vi scias lian lingvon, nek li vian, kaj vi dubas, ĉu li scias la lingvon internacian aŭ ĉu li eĉ aŭdis pri ĝi, — vi povas tamen kuraĝe skribi al li, kun la plena certeco, ke li vin komprenos!

/ Se … pri ĝi는 가정의 종속절, Se=Eĉ se / 크게 하나의 문장 / 전체 문장의 주절은 –vi povas … komprenos! / Se-종속절의 주어: vi, vi, li, vi / 동사: deziras, scias, dubas / 목적어: skribi, lian lingvon, vian, ĉu-절 / ekzemple … Madridon은 삽입구 / Madridon은 좀 이상함, en Madrido

를 줄여서 쓴 것으로 보임 / 전체 주절의 주어는 vi, 동사는 povas skribi / tamen은 문장의 첫머리에 잘 쓰이지 않음 / kun la plena certeco 확신을 가지고 /

예를 들어 만약 당신이 마드리드에 사는 어느 스페인 사람에게 글을 써서 보여 주고 싶은데, 당신은 그의 스페인어를 모르고 그 사람도 당신의 말을 모르고, 또 당신은 그가 국제어를 알고 있을지, 또는 그것에 대해 들어나 보았을지도 잘 모른다 할지라도, -그러나 당신은 용기를 내어 그에게 글을 쓸 수 있습니다. 그것도 그가 당신을 이해할 수 있으리라는 확신을 가지고 말입니다!

Ĉar, dank' al la dismembra konstruo de la lingvo internacia, la tuta vortaro, kiu estas necesa por la ordinara vivo, okupas, kiel oni vidas el la almetita ekzemplero, ne pli ol malgrandan folieton, eniras oportune en la plej malgrandan koverton kaj povas esti ricevita por kelke da centimoj en kia ajn lingvo,

/ 이 전체는 조건의 종속절, 주절은 이 다음에 나옴 / dank' al … internacia는 부사구 / 주어: la tuta vortaro / 동사 3개: okupas, eniras, povas esti / okupas의 목적어: malgrandan folieton / kiel … ekzemplero는 삽입절 / malgrandan koverton이 목적격으로 되어 있는 것은 이동의 방향 / por~ (돈) 얼마로 /

그리고 이 국제어의 분리화 구조(첨가어적 구조) 덕분에 일상 생활용으로는 충분한 그 단어장은, 여기 첨가된 부록에서 보듯이, 그저 조그만 종이 한 장밖에 되지 않고, 또 그것은 작은 봉투에 아주 편하게 들어가게 되어 있기 때문에, 그리고 또한 그 단어장은 어느 언어로 된 것이든 그저 몇 센트에 살 수가 있기 때문에,

— tial vi bezonas nur skribi leteron en la lingvo internacia, enmeti en la leteron hispanan ekzempleron de la vortareto, — kaj la adresito vin jam komprenos, ĉar tiu ĉi vortareto ne sole prezentas oportunan plenan ŝlosilon por la letero, sed ĝi mem jam klarigas sian difinon kaj manieron de uzado.

/ 주어: vi, la adresito, vortareto / 동사: bezonas, komprenos, prezentas, klarigas / bezonas의 목적어가 두 개: skribi, enmeti / la leteron이 목적격이 된 것은 이동의 방향 / enmeti의 목적어는 hispanan ekzempleron / difino "어떤 것의 특성이나 역할 등에 대한 자세한 설명", "정의"(定義) /

— 그래서 당신은 그저 이 국제어로 편지를 쓰고 그 안에 스페인어로 된 작은 단어장 한 장을 넣어서 건네주면 되는 겁니다. —그러면 그 상대방은 당신을 이해하게 될 것입니다. 왜냐하면 이 작은 단어장은 그 편지를 읽기 위한 간편하고도 충분한 열쇠일 뿐만 아니라 동시에 그 자체가 그것이 무엇인지 잘 말해 주고 있고, 또 그 사용법도 잘 설명되어 있기 때문입니다.

Dank' al la plej vasta reciproka kunigebleco de la

vortoj, oni povas per helpo de tiu ĉi malgranda vortaro esprimi ĉion, kio estas necesa en la ordinara vivo; sed, kompreneble, vortoj renkontataj malofte, vortoj teĥnikaj (kaj ankaŭ vortoj « fremdaj », supozeble konataj al ĉiuj, ekzemple « tabako », « teatro », « fabriko » k. t. p.) en ĝi ne estas troveblaj;

/ Dank' al 구는 부사구 / 주어: oni, vortoj / 동사: povas … esprimi, ne estas / kunigebleco는 앞에서 dismembriĝo 라고 했던 것과 같은 의미 / kio-절은 ĉion을 꾸미는 관계절 / supozeble 아마도 /

이렇게 아주 광범위하게 단어들을 서로 조합할 수 있기 때문에 우리는 이 조그만 단어장의 도움으로 보통의 일상생활에 필요한 모든 것을 표현할 수 있습니다. 그러나 물론 자주 쓰지 않는 단어나 아주 전문적인 용어들은 (그리고 예를 들면 〈tabako〉, 〈teatro〉, 〈fabriko〉처럼 모든 사람들이 잘 알고 있는, 소위 '외래어'라고 불리는 단어들 역시) 거기에 포함되어 있지 않습니다.

tial se vi bezonas nepre uzi tiajn vortojn kaj anstataŭigi ilin per aliaj vortoj aŭ tutaj esprimoj estas neeble, tiam vi devos jam uzi vortaron plenan, kiun vi tamen ne bezonas transsendi al la adresato : vi povas nur apud la diritaj vortoj skribi en krampoj ilian tradukon en la lingvon de la adresato.

/ se vi bezonas … 절은 조건의 종속절 / 주절은 tiam vi

이하의 절 / 주절의 주어: vi / 동사: devos / kiun-절은 vortaron을 꾸미는 관계절 / vi 이하는 또 하나의 새로운 절, 여기 주어는 vi, 동사는 povas … skribi / en krampoj 괄호로써, parenteze /

그래서 만약 당신이 그러한 단어들을 꼭 써야만 한다든지, 또는 그 단어들을 다른 단어나 표현들로 대체하기가 불가능할 때에는 큰 사전을 써야 할 것입니다. 그러나 그 큰 사전을 그 상대방에게 전달할 필요는 없고 다만 해당 단어 옆에 괄호 안에 상대방의 언어로 그 번역을 써 주면 될 것입니다.

b) Sekve, dank' al la supre montrita konstruo de la lingvo, mi povas kompreniĝadi per ĝi kun kiu mi volas. La sola maloportuneco (ĝis la komuna enkonduko de la lingvo) estos nur tio, ke mi bezonos ĉiufoje atendi, ĝis mia interparolanto analizos miajn pensojn.

/ 주어: mi, La sola maloportuneco, mi / 동사: povas, estos, bezonos / dank' al … lingvo는 삽입구 / kun kiu = kun tiu, kun kiu mi volas kompreniĝi, 여기서 주격 kiu가 쓰인 것에 주의, 이런 용법은 좀 특이함 / ĝis는 전치사와 접속사 두 용법으로 쓰임, 여기 앞에선 전치사, 뒤에선 접속사 / ke~절은 앞의 tio를 설명하는 절 /

b) 따라서 위에서 말씀드린 이 언어의 구조 덕분으로 저는 제가 원하는 사람하고 의사소통을 할 수 있습니다. 다만 오직 한 가지 불편한 점은 (이 언어가 완전히 국제어로 받아들여지기 전까지는) 저의 생각을 상대방이 잘 분석할 수 있을

때까지 제가 좀 기다려야 한다는 점입니다.

Por forigi kiom eble ankaŭ tiun ĉi maloportunecon (almenaŭ ĉe komunikiĝado kun homoj kleraj), mi agis en la sekvanta maniero : la vortaron mi kreis ne arbitre, sed kiom eble el vortoj konataj al la tuta klera mondo.

/ 주어: mi, mi / 동사: agis, kreis / Por … kleraj)는 전체 문장의 부사구, maniero 다음에 쓸 수도 있음, 그러나 maniero를 설명하는 말이 뒤에 길게 따라 나오므로 이렇게 도치시켰음 / kiom eble는 '가능한 한, 어떻게든' / kiom eble el vortoj 앞에 mi kreis la vortaron을 넣어 생각하면 됨 /

어떻게든 이 불편함을 조금이라도 없애기 위해 (어느 정도의 지식을 갖춘 사람들과의 대화를 위해서만이라도) 저는 다음과 같은 방법을 택하였습니다 : 단어들을 제 마음대로 만들어 내지 않고, 가능한 한 전 세계 모든 지식층 사이에 이미 잘 알려진 어휘들로부터 선택을 하여 만들었습니다.

Tiel ekzemple la vortojn, kiuj estas egale uzataj en ĉiuj civilizitaj lingvoj (la tiel nomatajn « fremdajn » kaj « teĥnikajn »), mi lasis tute sen ia ŝanĝo;

/ 주어: mi / 동사: lasis / 목적어: la vortojn / kiuj-절은 vortojn을 꾸미는 관계절. 여기서 주어는 kiuj (=vortoj), 동사는 estas uzataj / tiel nomata '소위, 이른바' / lasi는 아주 여러 가지 뜻이 있는 동사, 깊이 공부할 필요가 있음, 여기서는 '내버려두다'의 뜻 / sen ia ŝanĝo= senŝanĝe /

(보충 설명) Lasi : 남겨 두다 ~i infanon hejme, 그대로 내버려 두다 ~u min! ekkriis Marta, 건드리지 않고 내버려 두다 ~u min sola, -가 -하도록 허가하다(내버려 두다) ~u min dormeti, -를 -에(로) 이끌다 ŝteliston neniu ~as en sian domon, 어떤 일이 발생하도록 내버려 두다 vi volas ~i, ke viaj talentoj en vi aerdisiĝu! / ** li ne ~is esplori sin ; ŝi ~is sin peli de la ondoj, kien ili volis ; li ne ~is sin konsoli / ** lasi는 허용성이 강하고, igi는 강제성이 강함. Mi lasis/igis lin foriri. /

그래서 예를 들어 모든 '문명화 된 언어'에서 같은 모습으로 사용되는 단어들은 (소위 '외래어'나 '전문용어' 들) 아무 변화 없이 그대로 두었습니다.

el la vortoj, kiuj en malsamaj lingvoj sonas malegale, mi prenis aŭ tiujn, kiuj estas komunaj al du tri plej ĉefaj Eŭropaj lingvoj, aŭ tiujn, kiuj apartenas nur al unu lingvo, sed estas popularaj ankaŭ ĉe la aliaj popoloj;

/ 주어: mi / 동사: prenis / 목적어: tiujn, tiujn / aŭ가 두 번 나옴 / el la vortoj … malegale는 전체 문장의 부사구 / 첫째 kiuj-절은 vortoj를 꾸미는 관계절 / 둘째와 셋째의 kiuj-절은 tiujn을 꾸미는 관계절 / aparteni al '~에 속하다' / populara '유명한, 인기있는, 잘 알려진, 일반적인' /

여러 언어에서 다르게 나타나는 단어들은 다음과 같은 방법으로 단어를 선택했습니다. 우선 유럽의 두세 개 주요 언어에서 공통적으로 쓰이는 단어는 (이 국제어에) 선택했으며, 또 어느 한 언어에만 있더라도 다른 여러 나라 사람들에게 잘 알려진 단어들 역시 선택을 했습니다.

en tiuj okazoj, kiam la donita vorto en ĉiu lingvo sonas alie, mi penis trovi vorton, kiu havus eble nur signifon proksimuman aŭ uzon pli maloftan, sed estus konata al la plej ĉefaj nacioj

/ 'en tiuj okazoj'가 뒤의 kiam-절을 받는 선행사인지, 아니면 이 앞에 나온 말을 받아 쓰인 말 (즉, '그러한 경우에') 인지 좀 헷갈림, 왜냐하면 en la okazoj라고 쓰지 않고 en tiuj okazoj라고 썼기 때문 / 만약 후자의 경우라면, kiam-절은 관계절이 아니고 "~할 때에"라는 부사절이 됨 / 주어: mi / 동사: penis / 목적어: trovi / vorton은 trovi의 목적어 / kiu-절은 vorton을 꾸미는 관계절 / 이 관계절 안의 주어: kiu, 동사: havus, estus / kiu-절 번역에 주의 / 이렇게 생각해 보면 좋겠음: kiu estus konata al la plej ĉefaj nacioj, kvankam kiu (혹은 ĝi) havus eble nur signifon proksimuman aŭ uzon pli maloftan / 여기서 자멘호프가 중요하게 생각한 것은 '여러 주요 민족에게 잘 알려진 형태' 라는 것이다 /

어떤 단어가 모든 언어에서 다르게 쓰인다면 (다른 소리가 난다면) 저는 그 여러 소리들 (단어들) 중에서 특히 주요 민족들에게 잘 알려진 소리를 (단어를) 선택하려고 애썼습니다. 비록 그것이 뜻도 분명히 똑같은 뜻이 아니고 또 그렇게 자주 쓰이지도 않는 단어일지라도 말입니다.

(ekzemple la vorto « proksima » en ĉiu lingvo sonas alie; sed se ni prenos la latinan « plej proksima » (proximus), tiam ni vidos, ke ĝi, en diversaj ŝanĝoj, estas uzata en ĉiuj plej ĉefaj lingvoj; sekve se mi la vorton « proksima » nomos proksim, mi estos pli aŭ malpli komprenata de ĉiu klera homo);

/ 주어: la vorto, ni, mi / 동사: sonas, vidos, estos / 목적어: ke-절 / sonas alie 다르게 소리난다, 다른 형태를 취하고 있다 / 여기서 괄호 « » 안에 쓰인 말은 "~뜻"을 의미하는 말임 / sed se 이하는 sed 이하 절의 조건절, 이 절의 주어는 tiam 다음의 ni, 동사는 vidos, 목적어는 ke-절 / ke-절의 주어는 ĝi, 동사는 estas uzata / en diversaj ŝanĝoj 여러 변화된 형태로 / se mi 이하는 조건절이며 주절은 그 뒤에 나오는 mi 이하의 절 / proksim은 어근만을 표시한 것임, proksim' (또는 proksim-)이라고 하는 게 더 좋음 / 자멘호는 이 글에서 kler-를 '지식인 층'이라는 뜻으로 자주 쓰고 있음 /

(예를 들어 '가까운'이라는 뜻의 말은 모든 언어에서 다른 형태로 쓰이고 있습니다만, 그러나 라틴어 'proximus'('가장 가까운'의 뜻)는 이미 여러 주요 언어들에서 비슷하게 (여러 변화된 형태로) 많이 쓰이고 있기 때문에, 제가 '가까운'이라는 뜻으로 'proksim-'을 썼을 때 모든 지식인들은 이것을 (저를) 어느 정도 이해하게 될 것입니다.)

en la ceteraj okazoj mi prenadis ordinare el la lingvo latina, kiel lingvo duone-internacia. (Mi flankiĝadis de tiuj ĉi reguloj nur tie, kie tion ĉi postulis apartaj cirkonstancoj, kiel ekzemple la evito de homonimoj, la simpleco de la ortografio k. t. p.).

/ 주어: mi, Mi / 동사: prenadis, flankiĝadis / 자멘호프는 접미사 '-ad-'를 자주 씀 / kiel 이하는 lingvo latina와 관계되는데, 이것은 ĉar ĝi funkcias kiel …로 생각하면 될 것임 / flankiĝi de ~로부터 벗어나다 / tie, kie ~인 곳에서, 이걸 tiam, kiam으로 써도 됨 / tion ĉi는 Mi flankiĝadis de tiuj ĉi reguloj를 뜻함 / 여기서 주어는 cirkonstancoj, 동사는 postulis, 목적어는 tion ĉi / kiel ekzemple는 삽입구 / homonimo 동음이의어, sinonimo 동의어 /

그리고 그 외의 경우에는 저는 일반적으로 라틴어에서 단어들을 취했습니다. 왜냐하면 라틴어가 어느 정도 국제성이 있기 때문이지요. (그러나 동음이의어를 피한다거나 또는 단어를 (철자를) 좀 간단히 하려고 할 경우 등, 특별한 경우에 저는 이 원칙들에서 벗어난 경우도 있습니다.)

Tiamaniere ĉe korespondado kun meze-klera Eŭropano, kiu tute ne lernis la lingvon internacian, mi povas esti certa, ke li ne sole min komprenos, sed eĉ sen bezono tro multe serĉadi en la vortaro, kiun li uzos nur ĉe vortoj dubaj.

/ 주어: mi / 동사: povas esti / ke-절은 certa를 설명해 주는 종속절 / ne sole, sed eĉ -일 뿐만 아니라 - 조차 / 이 sed eĉ 뒤에 (li) min komprenas가 생략되었음 / kiun-절

은 vortaro를 꾸미는 관계절 /

이런 식으로 하면 어느 정도의 지식을 갖춘 유럽인과의 편지 왕래 (의사소통)에서 (비록 그 사람이 이 국제어를 전혀 배우지 않았다 할지라도) 저는 분명히 그 사람이 저를 이해할 수 있을 것이라 확신합니다. 그것도 사전을 그리 많이 찾아보지 않고도 말입니다. 아마 단어의 의미가 좀 의심스러울 때 사전을 간혹 찾아보기도 하겠지요.

[이하는 Fundamenta Krestomatio에는 빠진 부분]

Fininte kun la esenco de mia lingvo mi citas kelkajn specimenojn de internacia parolo, por ke la leganto povu provi ĉion supre diritan. (각주)

/ 주어: mi / 동사: citas / 목적어: kelkajn specimenojn / 여기서 kun을 쓴 것에 주목, 문법적으로는 kun 대신 뒤의 말을 목적어로 할 수도 있겠으나, 그렇게 하지 않은 이유는, 지금 끝내는 것이 la esenco de mia lingvo 그 자체가 아니라, 그에 관한 설명이기 때문 / citi '인용하다' / internacia parolo 자멘호프는 여기서는 lingvo 대신 parolo를 쓰고 있다 / por ke-절에서는 동사의 명령법을 사용함, '~하도록' / provi는 '시도하다, 시험해 보다' /

이제 이 국제어의 핵심적인 문제에 대한 설명을 마치면서 저는 독자 여러분께서 위에서 제가 언급한 모든 것을 시험해 보실 수 있도록 이 국제어의 몇 가지 견본을 여기 함께 싣습니다.

[Piednoto]

En korespondo kun personoj, kiuj jam posedas la intenacian lingvon, same kiel en verkoj intencitaj nur por tiaj personoj, la signetoj inter la vortpartoj povas esti forlasitaj.

/ 주어: la signetoj / 동사: povas esti / En … personoj는 전체 문장의 부사구 / kiuj-절은 personoj를 꾸미는 관계절 / same kiel-구는 앞의 En korespondo 와 같은 의미의 부사구 / same kiel '~와 마찬가지로' / intencitaj '의도된', 여기서는 '쓰인'의 뜻 / vortpartoj는 에스페란토의 각각 독립된 요소, 즉, 어근이나 어미, 접사 등을 말함, 문법적으로는 '형태' 혹은 '형태소'(morfemo)라고도 함 /

(각주)

이 국제어를 이미 배운 사람들과의 소통에서나 혹은 그런 사람들을 위해 쓰인 작품에서는 단어 요소들(형태들) 사이에 쓰인 조그만 부호는 없애도 좋겠습니다.

Patr,o Ni,a.
Patr,o ni,a, kiu est,as en la ĉiel,o, sankt,a est,u Vi,a nom,o, ven,u reĝ,ec,o
Vi,a, est,u vol,o Vi,a, kiel en la ĉiel,o, tiel ankaŭ sur la ter,o. Pan,o,n ni,a,n
ĉiu,tag,a,n don,u al ni hodiaŭ, kaj pardon,u al ni ŝuld,o,j,n ni,a,j,n, kiel ni
ankaŭ pardon,as al ni,a,j ŝuld,ant,o,j ; ne konduk,u ni,n

en tent,o,n ; sed
liber,ig,u ni,n de la mal,ver,a, ĉar Vi,a est,as la reg,ad,o, la fort,o, kaj la glor,o etern,e. Amen!
/ Patro nia는 부름말 / kiu-절은 patro를 꾸미는 관계절 / 빨간색 부분은 3인칭 원망법(願望法, 명령법), 파란색 부분은 2인칭 원망법 / ĉar Via… 에서 Via는 '당신의 것' / **여기서 자멘호프는 형태소들 사이에 쓰는 작은 부호로 쉼표(,)를 썼음. /

주기도문 (우리 아버지)

하늘에 계신 우리 아버지, 당신의 이름이 거룩해지기를 바라며, 당신의 왕권이 오기를 바라며,
당신의 뜻이 하늘에서와 같이 땅 위에서도 이루어지기를 바랍니다. 매일의 양식을 오늘 저희에게 주시고, 저희가 저희에게 빚진 (죄 지은) 자를 용서하여 준 것 같이
저희의 빚을 (죄를) 용서하여 주십시오. 저희를 유혹에 빠지지 않게 하여 주시고
악에서 자유롭게 하여 주십시오. 왜냐하면 통치와 권능과 영광이 영원히 당신의 것이기 때문입니다. 아멘.
El la Bibli,o.

Je la komenc,o Di,o kre,is la ter,o,n kaj la ĉiel,o,n. Kaj la ter,o est,is sen,form,a kaj dezert,a, kaj mal,lum,o est,is super la profund,aĵ,o, kaj la anim,o de Di,o si,n port,is super la akv,o. Kaj Di,o dir,is: est,u lum,o ; kaj far,iĝ,is lumo. Kaj Di,o vid,is la lum,o,n ke ĝi est,as bon,a, kaj nom,is Di,o la lum,o,n tag,o, kaj la mal,lum,o,n Li nom,is nokt,o. Kaj est,is vesper,o, kaj est,is maten,o — unu tag,o.

/ 주어: Dio, la tero, mallumo, … / sin porti는 '자신을 지탱하다, 옮기다' / vidis -on ke ~ -이 ~하다고 보다(생각하다) / nomi 이름 짓다, 부르다, voki와 다름, voki는 누구의 주의를 끌기 위해 소리 내어 부르는 것이고, nomi는 이름을 지어 주는 것 /

성경에서

태초에 하나님이 땅과 하늘을 창조하셨다. 그리고 땅은 형체가 없었고 황량하였으며, 어둠이 깊음 위에 있었다. 그리고 하나님의 영은 물 위에 떠 있었다. 하나님이 빛이 있으라고 말씀하시자 빛이 만들어졌다. 그리고 하나님은 그 빛이 좋다고 하시고는 그 빛을 낮이라 부르시고 또 그 어둠은 밤이라 부르셨다. 저녁이 되었고 아침이 되었다. - 하루.

Kaj Di,o dir,is: est,u firm,aĵ,o inter la akv,o, kaj ĝi apart,ig,u akv,o,n de akv,o. Kaj Di,o kre,is la firm,aĵ,o,n kaj apart,ig,is la akv,o,n kiu est,as sub la firm,aĵ,o de la akvo kiu estas super la firmaĵo ; kaj far,iĝ,is tiel. Kaj Di,o nom,is la firm,aĵ,o,n ĉiel,o. Kaj est,is vesper,o, kaj est,is maten,o — la du,a tag,o.

/ 주어: Dio, ĝi, vespero, mateno / firmaĵo를 기독교 성경에서는 궁창(하늘)이라 번역함, 본래의 의미는 '딱딱하고 굳은 것, 확실한 것' / apartigi ion de io '무엇으로부터 무엇을 갈라 놓다' / 빨간색 부분은 제가 본 영어 번역본에 빠진

부분 /

그리고 하나님이 물 사이에 궁창이 있어 물과 물을 나누라고 말씀하셨다. 그리고 하나님은 그 궁창을 만드시고 그 궁창 아래의 물을 궁창 위의 물로부터 나누셨다. 그리고 그렇게 되었다. 하나님은 그 궁창을 하늘이라 부르셨다. 저녁이 되었고 아침이 되었다. - 둘째 날.

Kaj Di,o dir,is: kolekt,u si,n la akv,o de sub la ĉiel,o unu lok,o,n, kaj montr,u si,n sek,aĵ,o ; kaj far,iĝ,is tiel. Kaj Di,o nom,is la sek,aĵ,o,n ter,o, kaj la kolekt,o,j,n de la akv,o Li nom,is mar,o,j.

/ 주어: Dio, la akvo, sekaĵo / kolektu sin 자신을 모아라, 3인칭 원망법 / unu lokon=en unu loko / montru sin도 마찬가지 / 영어 번역본에는 kolekt,oj,n으로 나옴 (실수) /

그리고 하나님은 하늘 아래에 있는 물이 한 곳으로 모이라고 말씀하시고, 또 마른 것(땅)이 드러나라 하셨으며, 그렇게 되었다. 그리고 하나님은 그 마른 것을 땅이라 부르시고, 물이 모인 것들을 바다(바다들)라 부르셨다.

Leter,o.

Kar,a amik,o!

Mi prezent,as al mi kia,n vizaĝ,o,n vi far,os post la ricev,o de mi,a leter,o. Vi rigard,os la sub,skrib,o,n kaj ek,kri,os: "ĉu li perd,is la saĝ,o,n? Je kia lingv,o li skrib,is? Kio,n signif,as la foli,et,o, kiu,n li aldon,is al si,a leter,o?" Trankvil,iĝ,u, mi,a kar,a! Mi,a saĝ,o, kiel mi almenaŭ kred,as, est,as tut,e en ordo.

/ 주어: Mi, Vi / 동사: prezentas, rigardos / 목적어: kian-종속절, la subskribon / saĝo 지혜, 여기선 '정신'으로 번역하는 게 좋겠음 / kiun-절은 folieto를 꾸미는 관계절 / kiel-절은 삽입절 / esti en ordo는 질서정연하다, 이상없다 /

편지.

친구여!

나의 이 편지를 받고 그대가 어떤 얼굴을 할지 나는 상상할 수 있어요. 그대는 나의 서명을 보고는 "이 사람이 정신을 잃었나? 도대체 무슨 언어로 글을 쓴 거야? 이 편지 끝에 따로 붙인 이 종이는 또 뭔가?"라고 소리치겠지요. 친구여, 걱정 말아요. 나의 정신은 전혀 이상이 없어요. 난 그렇게 믿어요.

Mi leg,is antaŭ kelk,a,j tag,o,j libr,et,o,n sub la nom,o "Lingv,o inter,naci,a". La aŭtor,o kred,ig,as, ke per tiu lingv,o oni pov,as est,i kompren,at,a de la tut,a mond,o, se eĉ la adres,it,o ne sol,e ne sci,as la lingv,o,n, sed eĉ ankaŭ ne aŭd,is pri ĝi ; oni dev,as sol,e al,don,i al la leter,o mal,grand,a,n foli,et,o,n nom,at,a,n "vort,ar,o".

/ 주어: Mi, La aŭtoro, oni / 동사: legis, kredigas, devas / 목적어: libreton, ke-절, malgrandan folieton / kredigas 믿게 한다, 즉, 주장한다는 뜻 / esti komprenata

수동으로 되어 있으나 능동으로 번역하는 게 좋겠음 / se eĉ=eĉ se 비록 ~라 할지라도 / sole 오로지 / sola는 주로 '혼자서'라는 뜻, Mi sola vizitis ŝin. 나 혼자서 그녀를 찾아 갔다. /

나는 며칠 전 "국제어"라는 이름의 소책자를 읽었는데, 그 저자는 이 언어로 이 세상 모든 사람과 소통할 수 있다고 주장합니다. 그리고 상대방이 이 언어를 모르거나 또는 전혀 들어본 적도 없다 할지라도 가능하다고 말합니다. 다만 한 장의 조그만 "단어장"만 편지 끝에 붙여 주면 된다고 말합니다.

Dezir,ant,e vid,i, ĉu tio est,as ver,a, mi skrib,as al vi en tiu lingv,o, kaj mi eĉ unu vort,o,n ne al,met,as en ali,a lingv,o, tiel kiel se ni tut,e ne kompren,us unu la lingv,o,n de la ali,a. Respond,u al mi, ĉu vi efektiv,e kompren,is kio,n mi skrib,is.

/ 주어: mi, mi, (Vi), vi / 동사: skribas, ne almetas, Respondu, komprenis / Dezirante … vera는 부사 분사 구문, 의미상 주어는 mi / almeti는 '추가하다, 가까이 놓다' / tiel kiel se에서 우선 kiel se를 먼저 봐야 함, '마치 ~처럼', 영어의 as if, 그래서 뒤에 가정법이 쓰임, kvazaŭ를 써도 됨 / 그다음 tiel을 함께 생각하면 전체적으로 "마치 ~처럼 그렇게"의 뜻 / unu la lingvon de la alia는 처음 보는 표현, 'la lingvon de la alia'는 '상대방의 언어를', komprenus의 목적어 / 이것을 ne komprenus la lingvon unu de la alia로 바꾸어 생각해 보면 좀 쉬워짐 /

그게 사실인지 알아보려고 나는 그대에게 그 언어로 편지를 씁니다. 그리고 다른 언어로는 한마디도 추가하지 않습니다. 마치 우리가 서로의 언어는 전혀 모르는 듯이 말이지요. 만약 그대가 정말로 내가 쓴 편지를 이해한다면 나에게 답장을 보내 주세요.

Se la afer,o propon,it,a de la aŭtor,o est,as efektiv,e bon,a, oni dev,as per ĉiu,j fort,o,j li,n help,i. Kiam mi hav,os vi,a,n respond,o,n, mi send,os al vi la libr,et,o,n ; montr,u ĝi,n al ĉiu,j loĝ,ant,o,j de vi,a urb,et,o, send,u ĝin ĉiu,n vilaĝ,o,n ĉirkaŭ la urb,et,o, ĉiu,n urb,o,n kaj urb,et,o,n, kie vi nur hav,as amik,o,j,n aŭ kon,at,o,j,n.

/ 주어: oni, mi, (Vi) / 동사: devas, havos, sendos, montru, sendu / Se-절은 전체 문장의 종속절 / per ĉiu,j fort,o,j 모든 힘을 다해 / Kiam ~할 때, ~한다면, 주절 (mi … libreton)의 종속절 / montru부터는 2인칭 원망법 / ĉiun vilaĝon=al ĉiu vilaĝo, 이런 목적격 용법은 좋지 않음, 영어의 4형식 문장과 같음 / ĉiu,n urb,o,n kaj urb,et,o,n=al ĉiu urb,o kaj urb,et,o /

만약 그 저자가 제안한 이 일이 정말로 좋은 것이라면, 우리는 모든 힘을 다해 그를 도와야 할 거예요. 그대의 답장을 받게 된다면, 나는 그대에게 그 소책자를 보내주겠습니다. 그대는 그대가 사는 소도시의 모든 사람들에게 그것을 보여 주시고, 또 그대의 소도시 근처의 모든 마을에도 보내 주시고, 그대의 친구나 아는 사람이 있는 모든 도시와 소도시에도 그것을 보내주시기 바랍니다.

Est,as neces,e ke grand,eg,a nombr,o da person,o,j don,u si,a,n voĉ,o,n — tian post la plej mal,long,a temp,o est,os decid,it,a afer,o, kiu pov,as port,i grand,eg,a,n util,o,n al la hom,a societ,o.

/ 주어: ke-절, 보어가 부사 necese로 되었음 / grandega nombro da ~ 아주 많은 수의 ~ / doni voĉon (por) 찬성표를 던지다, doni voĉon (kontraŭ) 반대표를 던지다 / kiu-절은 afero를 꾸미는 관계절 / porti는 alporti로 할 수도 있음 / ** 영어 번역본에는 위의 tian이 tiam으로 되어 있음. (실수) /

아주 많은 사람들이 찬성표를 던질 필요가 있습니다. -그렇게 되면 인류 사회에 큰 유익을 가져다 줄 일이 아주 빠른 시일 내에 곧 결정이 될 것입니다.

Mi'a pens'o.

Sur la kamp'o, for de l'mond'o,
Antaŭ nokt'o de somer'o
Amik'in'o en la rond'o
Kant'as kant'o'n pri l'esper'o
Kaj pri viv'o detru'it'a
Ŝi rakont'as kompat'ant'e, —
Mi'a vund'o re'frap'it'a
Mi'n dolor'as re'sang'ant'e

/ for de ~로부터 멀리(서) / rondo 원, 동아리, 모임 / kompati 동정하다, 연민하다, simpatio 동감, 호감;

simpatia amiko 죽이 맞는 친구 / frapi 손으로 찰싹 때리다 / dolori 아프게 하다, 아프다 (주관적 느낌); Tio doloris min. Miaj okuloj doloras. Li dolorigis ŝian koron. /

나의 생각.

저 멀리 들판 위에서,
여름 밤이 오기 전
(내가 아는) 한 소녀가
희망의 노래를 부르고 있네
그리고 부서져버린 인생에 대해
안타까워하며 이야기하네 —
나의 상처는 다시 터지고
나는 다시 피흘리며 고통하네

"Ĉu vi dorm'as? Ho, sinjor'o,
Kial tia sen'mov'ec'o?
Ha, kred'ebl'e re'memor'o
El la kar'a infan'ec'o?"
Kio'n dir'i? Ne plor'ant'a
Pov'is est'i parol'ad'o
Kun fraŭl'in'o ripoz'ant'a
Post somer'a promen'ad'o!

/ ha! = ho! / -eble로 이루어진 부사들: kredeble, espereble, kompreneble, videble, supozeble, eble, 등 / Kion diri, Kiel diri, Kion fari, Kiel fari 등 /

"그대여 잠을 자고 있나요?

왜 그렇게 기척이 없지요?
오호, 추억하고 있군요
어릴 적 아름다운 시절을."
뭐라고 할까요? 나는 울지
않을 수도 있었지요
여름날 산책 후에 쉬고 있는
그 소녀와의 대화에서!

Mi'a pens'o kaj turment'o,
Kaj dolor'o'j kaj esper'o'j!
Kiom de mi en silent'o
Al vi ir'is jam ofer'o'j!
Kio'n hav'is mi plej kar'a'n —
La jun'ec'o'n — mi plor'ant'a
Met'is mem sur la altar'o'n
De la dev'o ordon'ant'a!

/ Kiom de mi ~ 나로부터 ~이 얼마나 … / Kion=Tion, kion / plej karan은 Tion, kion을 꾸밈 / La junecon은 Tion, kion과 동격 / mi ploranta 울고 있는 나는=나는 울면서 /

나의 생각과 번민이여
그리고 고통과 희망이여
내게서 소리없이 얼마나 많은
희생이 그대에게로 갔던가!
내가 가진 가장 귀한 것 —
나의 젊은 시절 — 울면서 나는

바쳤네 내게 명령하는 그
의무의 제단 위에!

Fajr'o'n sent'as mi intern'e,
Viv'i ankaŭ mi dezir'as, —
Io pel'as mi'n etern'e,
Se mi al gaj'ul'o'j ir'as . . .
Se ne plaĉ'as al la sort'o
Mi'a pen'o kaj labor'o —
Ven'u tuj al mi la mort'o,
En esper'o — sen dolor'o!

/ peli 내쫓다, 내몰다 / gajuloj 즐거워하는 사람들, 인생을 마음대로 즐기는 사람들 / Mia peno kaj laboro가 주어, 동사는 ne plaĉas /

내 속에 타오르는 불이 있습니다,
나도 살고 싶어요, —
무엇인가 나를 계속 몰아갑니다
세상의 즐거움으로 나아갈 수도 없어요…
만약 운명이 거부한다면
나의 모든 고통과 노력을 —
아, 죽음이여 오라
바라건대 — 고통 없이!

El Heine'.

En sonĝ'o princ'in'o'n mi vid'is
Kun vang'o'j mal'sek'a'j de plor'o, —

Sub arb'o, sub verd'a ni sid'is
Ten'ant'e si'n kor'o ĉe kor'o.

/ malsekaj de ploro 눈물에 젖은, pro를 써도 됨 / Sub arbo sub verda=Sub verda arbo, 운율을 맞추기 위해서 / 여기 쓰인 sin은 nin을 잘못 쓴 것임, Krestomatio에선 nin으로 나옴 /

하이네의 시에서.

꿈에서 공주를 보았네
두 뺨이 눈물에 젖은 공주를 —
푸른 나무 아래 우리는 앉았네
서로 마음과 마음을 나누며.

"De l'patr'o de l' vi'a la kron'o
Por mi ĝi ne est'as hav'ind'a;
For, for li'a sceptr'o kaj tron'o —
Vi'n mem mi dezir'as, am'ind'a!"

/ De l'patro de l' via la krono=Via (la) krono, kiun vi ricevas de via patro / For, for 저 멀리 가거라 /

"아버지에게서 받는 그대의 그 왕관
내게는 아무 소용이 없어요;
저 멀리 가거라 임금의 홀와 왕좌여 —
사랑하는 그대여 난 그대만을 원하네"

— "Ne ebl'e!" ŝi al mi re'dir'as:
"En tomb'o mi est'as ten'at'a,

Mi nur en la nokt'o el'ir'as
Al vi, mi'a sol'e am'at'a!"

/ Rediri 다시 말하다, 대답하다 / esti tenata 갇혀 있다, 잡혀 있다, 간직되어 있다 / mia sole amata 하나뿐인 내 사랑 /

— "안 돼요!" 그녀는 다시 말하네
"난 무덤에 갇혔어요,
밤이 되어야만 나갈 수 있어요
그대에게, 하나뿐인 내 사랑 그대여!"

Ho, mi'a kor'.

Ho, mi'a kor', ne bat'u mal'trankvil'e.
El mi'a brust'o nun ne salt'u for!
Jam ten'i mi'n ne pov'as mi facil'e
Ho, mi'a kor'!

/ salti 제자리에서 아래위로 뛰다, salti for el ~로부터 뛰쳐나가다 / teni 잡고 있다, 어떤 상태를 유지하다 /

오, 나의 심장이여.

오 나의 심장이여, 불안에 떨지 말아라.
내 가슴에서 뛰쳐나가지 말아 다오!
이제 더 이상 나도 날 진정시키지
못하겠구나, 오, 나의 심장이여!

Ho, mi'a kor'! Post long'a labor'ad'o

Ĉu mi ne venk'os en decid'a hor'!
Sufiĉ'e! trankvil'iĝ'u de l'bat'ad'o
Ho, mi'a kor'!

오, 나의 심장이여! 오랜 노력의 시간 끝에
이제 드디어 승리의 시간이 왔는가!
이제 됐다! 그만 떨고 진정하여라
오, 나의 심장이여!

III

Mi finis la analizon de la ĉefaj ecoj de mia lingvo; mi montris, kiajn oportunecojn ĝi prezentas al sia ellerninto; mi pruvis, ke ĝia sukceso ne estas en ia ajn dependo de la rilato de la socio al ĝi, ke ĝi vere havas la rajton nomiĝi internacia lingvo, eĉ se neniu en la mondo dezirus aŭdi pri ĝi;

/ 주어: Mi, mi, mi / 동사: finis, montris, pruvis / pruvis의 목적어절로 ke가 두 번 나옴, 다음 쪽에 한 번 더 나옴 / dependi de ~에 의존하다, 달려 있다 / de la socio al ĝi에서 al이 쓰인 것은 앞에 나온 rilato와의 연결 때문, ĝi는 에스페란토, 이것을 la rilato inter la socio kaj ĝi라 해도 좋겠음 / havas la rajton -i -할 자격이(권리가) 있다 / eĉ se=se eĉ ~라 할지라도 /

(보충 설명) oportuna 쓰기에 편리한, 본래의 용도에 적합한, 사물이 주체가 됨 / komforta 사람을 편하게 하는, 주로 사물이 주체가 됨, / Ĝi estas oportuna (o), Mi estas oportuna (x), Ĝi estas komforta (o), Mi estas komforta (?) Mi sentas min komforte (o) / Mi trovis oportunan seĝon ; Mi trovis komfortan seĝon /

III

저는 이제 제가 창안한 언어의 주요 특성들에 대해 다 설명을 드렸습니다. 저는 이 언어를 다 배운 사람들이 어떤 유익(편리함)을 얻을 수 있을 것인가에 대해 설명을 드렸고, 또 이 언어의 성공은 절대 이 사회와의 관계성에 의존하지 않는다는 것을 증명했습니다. 그리고 이 세상 사람들 아무도 이 언어에 대해 듣고 싶어하지 않는다 할지라도 이것은 국제어라 불릴 자격이 있다는 것도 증명하였습니다.

ke ĝi vere donas al ĉiu sia ellerninto la eblecon interkompreniĝi kun ano de kiu ajn nacio, se tiu ano nur scias legi kaj skribi. Sed mia lingvo havas ankoraŭ alian celon:

/ 주어: ĝi, mia lingvo / 동사: donas, havas / ĉiu sia ellerninto는 ĉiu el siaj ellernintoj로 해도 됨 / se 이하는 전체 문장의 조건을 나타내는 종속절, 여기서 주어는 tiu ano, 동사는 scias, 목적어는 legi, skribi / kiu ajn nacio를 iu ajn nacio로 해도 됨, PIV는 이럴 경우 iu를 쓰는 게 좋다고 함 / 여기 쓰인 kiu와 뒤에 나오는 tiu는 서로 문법적 관련이 없음 /

(보충 설명) kiu ajn venos, ne enlasu! ; donu al mi iun ajn libron / 즉, kiu ajn은 종속절에 쓰이는 것이 좋음 /

그리고 또 이 언어는 모든 학습자로 하여금 이 세상 그 어느 누구와도 함께 의사소통을 할 수 있게 해 준다는 것도 증명하였습니다. 다만 그 사람이 읽고 쓸 줄만 안다면 말입니다. 그러나 저의 이 언어에는 또 하나의 다른 목표도 있습니다.

ne kontentiĝante je internacieco, ĝi devas ankoraŭ fariĝi tutmonda, t. e. atingi tion, ke la plejparto de la mondo scianta legi kaj skribi povu libere paroli ĝin.

/ 주어: ĝi / 동사: devas / 앞에 나오는 ne 이하는 전체 문장의 부사 분사구문, 여기서 의미상 주어는 ĝi / kontentiĝi je ~에 만족하다 / ke-절은 tio를 설명하는 절 / scianta legi kaj skribi는 mondo를 꾸미는 형용사 분사구문 / 명령법 povu가 쓰인 것은 이것이 하나의 바람이기 때문 / paroli는 자동사로도 쓰이고 타동사로도 쓰임 /

(그 목표는) 국제성에만 만족하지 않고, (이것은) 또 세계성도 있어야 한다는 것입니다. 즉, 이 세상의 읽고 쓸 줄 아는 대부분의 사람들이 아주 자유롭게 이 언어로 말할 수 있는 단계에까지 도달해야 한다는 것입니다.

Kalkuli je subteno de la socio por atingi tiun celon - signifus starigi la konstruaĵon sur plej ŝancelebla fundamento, ĉar la grandega plimulto de la socio ne ŝatas subteni ion ajn kaj volas, ke oni donu al ĝi ĉion preta.

/ 주어: Kalkuli 이하의 절 / 동사: signifus / 목적어: starigi / plej 앞에 관사 la가 없으면 "절대최상급"이 되며

비교의 대상 없이 "아주, 가장"의 뜻이 됨 ĉio sia estas ~ ĉarma Z / ĉar 이하에서 주어는 la grandega plimulto de la socio / 동사: ŝatas, volas / 목적어: subteni, ke-절 / donu al ĝi에서 ĝi는 grandega plimulto de la socio / ĉion preta에서 preta를 쓴 것은 ĉion, kio estas preta의 뜻, 이것은 ĉion pretan으로 써도 됨 /

(보충 설명) kalkuli (타동사) 계산하다, 간주하다, (자동사, 전치사 동반) 믿다, 믿고 맡기다, 고려하다 / mi ~as pri vi por helpi tiun novicon ; li estas tia malamiko, kun kiu ni devas ~i /

이 목표를 달성하기 위해 그저 사회적인 지지만을 기대하고 있는 것은 마치 가장 불안한 기초 위에 건물을 세우는 것과도 같습니다. 왜냐하면 대부분의 사람들은 뭔가를 기꺼이 지지하기보다는 무엇이든 이미 완전히 준비된 것이 자기에게 주어지기만을 바라기 때문입니다.

Tial mi penis trovi rimedojn por atingi la celon sen la subteno de la socio. Unu el tiuj rimedoj, kiun mi prezentos pli detale, formas ion similan al tutmonda voĉdono.

/ 주어: mi, Unu el tiuj rimedoj / 동사: penis, formas / 목적어: trovi, ion / kiun-절은 삽입절 / formas ion은 estas io와 비슷한 뜻, prezentas ion과도 비슷함 /

(보충 설명) rimedo 수단 / metodo 방법 / maniero 방식 / ĉiuj ~oj estis vane uzitaj, por revivigi Klaron Z; ~o de instruado ; tio okazis en stranga ~o /

그래서 저는 사회적 지지 없이도 이 목표를 달성할 수 있는 수단을 찾아내려고 노력했습니다. 그런 수단 가운데 하나가, 제가 곧 자세히 말씀 드리겠습니다만, 세계투표와 비슷한 것입니다.

Se ĉiu el la legantoj bone pripensus ĉion, kio estas prezentita pli supre, ĉiu devus veni al la konkludo, ke la scio de internacia lingvo estas por li senkondiĉe profita kaj pli ol pagas la malgrandan penon de ĝia ellerno ;

/ 주어: ĉiu / 동사: devus veni / Se-절은 전체 문장의 종속절, 여기서 주어는 ĉiu, 동사는 pripensus, 목적어는 ĉion / kio-절은 ĉion을 꾸미는 관계절 / pli supre '위에서', ĉi supre로 해도 됨 / ke-절은 konkludo를 설명하는 종속절 / pli ol pagas…는 pli ol tio, ke li pagas…로 이해하면 됨, '~하는 것 이상이다' / 이것은 다시 pli profita ol tio, ke li pagas…로 보면 됨 / pli ol pagi로 해도 됨 /

(보충 설명) pripensi=konsideri 고려하다, 숙고하다 / konsideri에는 '간주하다'의 뜻도 포함됨, mi ~as lin kiel amikon /

만약 독자 여러분께서 위에서 제가 말씀 드린 모든 것을 잘 고려하신다면, 틀림없이 다음과 같은 결론에 도달하실 것입니다. 즉, 국제어를 배우는 것은 무조건 유익한 일이며, 또 이것을 배우기 위해 기울이는 그 조그만 노력은 아무것도 아니라는 것을 말입니다.

sekve, mi povus atendi, ke jam tuj de la komenco la lingvo estas akceptita de tutaj amasoj da homoj.

/ 주어: mi / 동사: povus atendi / 목적어: ke-절 / ke-절은 수동문이지만 번역은 능동으로 바꾸어 하는 것이 좋겠음 / amaso da '수많은', granda amaso da를 쓰지 않고 tutaj amasoj da를 쓴 것은, 여러 amaso가 각 나라에 개별적으로 존재하는 것을 생각한 것 같음 / 전체적으로 가정법 동사를 쓴 것을 보아, 자멘호프는 이러한 상태를 그저 가정할 뿐이지 실제 그렇다고 생각하는 것은 아님을 알 수 있음 /

따라서 저는 이 언어가 발표되자마자 바로 여기저기서 많은 무리의 사람들이 이 언어를 배우려 할 것이라 기대할 수도 있습니다.

Sed, dezirante pli volonte esti preta por tro malfavoraj cirkonstancoj ol esti entuziasmigata de tro rozkoloraj esperoj,

/ 전체가 부사 분사구문 / 의미상 주어: mi (다음 쪽에 나옴) / pli volonte '더 적극적으로' / esti는 앞의 dezirante의 목적어 / preta por ~을 위해 준비되다 / 앞의 tro는 tre로 써도 되겠으나, 앞뒤 문맥을 봤을 때 강조의 뜻을 더하면서 동시에 뒤에 나오는 tro와 호흡을 맞추기 위함인 것 같음, 뒤에서는 tre보다는 tro가 더 좋음 / ol esti ~이기(하기)보다는 / ol 이하는 수동태 /

그러나 너무 장밋빛 희망에만 도취되어 있기보다는 아주 심한 악조건에 (열악한 환경에) 더 적극적으로 대처하기 위해서,

mi supozas, ke da tiaj homoj en la unuaj tempoj troviĝos treege malmulte, ke sufiĉan profiton por si trovos en mia lingvo tre malmultaj, kaj ke por principo neniu oferos eĉ horon ;

/ 주어: mi / 동사: supozas / 목적어: 3개의 ke-절, 다음 쪽에 1개가 더 나옴 / ke-절에서 주어: malmulte da tiaj homoj, tre malmultaj (homoj), neniu / da tiaj homoj가 앞에 먼저 나온 것에 주목 / 동사: troviĝos, trovos, oferos / por principo 원칙을 위해서는 / horon=unu horon /

저는 다음과 같은 것을 미리 짐작합니다. 즉, 초기에는 그러한 사람들은 아주 적을 것이며, 또 이 언어로 충분히 득을 보는 사람도 아주 적을 것이고, 원칙을 위해서는 한 시간이라도 희생하려고 하는 사람은 아무도 없을 것이라는 것을 말입니다.

ke grandega plimulto de miaj legantoj aŭ tute lasos la aferon sen atento, aŭ, dubante ĉu ilia laboro sin pagos komplete, ili ne kuraĝos eklerni mian lingvon pro timo, ke eble iu nomus ilin revuloj (nomo, kiun nuntempe la plejparto de homoj hontas pli ol ion alian).

/ 여기의 ke-절은 앞에서 이어지는 4번째의 목적어절 / 주어: grandega plimulto de miaj legantoj, ili / 동사: lasos, kuraĝos / 목적어: la aferon, eklerni / aŭ-구가 두 번 나옴

/ 둘째 aŭ에 나오는 ili ne…에서는 ili가 중복적으로 나온 것임, 문법적으로는 주어 ili가 쓰일 필요가 없음, aŭ tute lasos … aŭ ne kuraĝos …의 구조, 그러나 문장이 워낙 길다 보니, 이렇게 해주는 것이 더 분명함 / sin pagi -의 값을 하다, -의 가치가 있다 / pro timo, ke ~일까 두려워서 (~라는 두려움으로) / pli ol ion alian=pli multe ol ili hontas ion alian /

또 독자들 가운데 대부분은 이 일에 대해 신경도 쓰지 않을 것입니다. 아니면 이게 과연 노력을 기울일 만한 가치가 있는 일인지 의심하며 또 사람들이 자기를 몽상가라고 하지는 않을지 두려워하면서 (요즘은 대부분의 사람들이 이 몽상가라는 말을 그 어느 말보다 더 부끄러워합니다) 저의 이 언어를 배울 용기를 내지 못할 것입니다.

Sed kio estas necesa por igi tiun grandegan amason da indiferentuloj kaj maldecidemuloj komenci la lernadon de internacia lingvo?

/ 주어: kio / 동사: estas / igi iun fari ion 누구로 하여금 무엇을 하게 하다 / amaso da ~ '수많은 ~', amaso de ~ '~의 집단' /

〈PIV〉

/ da 다음에는 한정된 명사를 쓸 수 없음, 즉, 1) 관사 la를 쓸 수 없음 2) ĉiuj, tuta 등을 쓸 수 없음 3) 지시, 소유, 수량 등의 한정사를 쓸 수 없음 / (보기) kvaronjaro estas parto de la jaro - kvaronjaro estas peco da tempo / nur kelkaj el ĉiuj voĉdonantoj - kelke da voĉdonantoj / iom de tiu ĉi kuko - iom da kuko ; rento de mil dolaroj - mil dolaroj da rento ; la nombro de niaj partianoj - multe da partianoj / da 다음에는 정확한 수량을 표시하는 명사를 쓸 수 없음 / parto de jaro - deko da jaroj ; duono de monato - kelke da monatoj) /

그러나 그 수많은 냉담자들과 회의론자들로 하여금 국제어를 배우게 하려면 무엇이 필요할까요?

Se ni, tiel dirante, enrigardos en la animon de ĉiu el tiuj indiferentuloj, ni ekscios la sekvanton : en principo neniu havas ion kontraŭ la enkonduko de internacia lingvo, kontraŭe, ĉiu estus tre ĝoja je tio ;

/ 주어: ni, ni, neniu, ĉiu / 동사: enrigardos, ekscios, havas, estus / Se-절은 조건의 종속절 / tiel dirante는 자주 쓰지 않음, '말하자면', '가정해 보건대' (?) / sekvanto는 원칙적으로 '따르는 사람'을 뜻함, sekvantajn, sekvajn, sekvaĵojn 등으로 쓰는 게 문법적으로 더 옳다 / estus tre ĝoja에서 가정법 어미를 쓴 것을 보면, 이것 역시 자멘호프의 바람인 것을 알 수 있다, 번역에 주의 /

만약 (가정해 보건대) 그 냉담자들 개개인의 정신을 들여다본다면 우리는 다음과 같은 것을 알 수 있을 것입니다 : 원칙적으로는 아무도 국제어의 도입을 반대하지 않는다. 오히려 모든 사람이 그것을 아주 기뻐할지 모른다.

sed li dezirus, ke sen eĉ la plej malgranda peno aŭ

ofero de lia flanko, oni unu belan matenon trovu, ke la plejparto de la mondo scianta legi kaj skribi posedas tiun ĉi lingvon ;

/ 주어: li / 동사: dezirus / 목적어: 첫째 ke-절 / 첫째 ke-절에서 주어: oni, 동사: trovu, 목적어: 둘째 ke-절 / 가정법 dezirus가 쓰인 것에 주의, '바라고 있을지도 모른다' / unu belan matenon=en unu bela mateno / 원망법 trovu가 쓰인 것에 주의, '발견할 수 있게 되기를' / 둘째 ke-절에서 주어: plejparto de la mondo, 동사: posedas, 목적어: tiun ĉi lingvon / scianta legi kaj skribi는 mondo를 꾸미는 형용사 분사구문 /

그러나 그는 아마도 그 자신은 아무런 노력과 희생도 기울이지 않고 그저 하루아침에 읽을 줄 알고 쓸 줄 아는 세상 사람들 대부분이 이 언어를 잘 할 수 있게 되기를 바라고 있을지도 모른다.

tiam, nature, eĉ la plej indiferenta persono rapidus lerni tiun ĉi lingvon, ĉar tiam estus jam treege malsaĝe ŝpari la etan laboron por lerni lingvon, kiu posedas la supre nomitajn ecojn kaj kiun krom tio la plejparto de la klera mondo jam posedas.

/ 주어: persono / 동사: rapidus lerni / 목적어: tiun ĉi lingvon / ĉar-절에서 주어: ŝpari, 동사: estus, 보어: malsaĝe / etan laboron은 ŝpari의 목적어 / kiu-절과 kiun-절은 모두 lingvon을 꾸미는 관계절 / 이때 lingvon

앞에 관사 la를 쓰는 것이 더 좋을 것 같음 / nomitajn은 diritajn, klarigitajn의 뜻 / krom tio의 tio는 바로 앞의 문장 (kiu … ecojn), '그뿐 아니라, 게다가' / posedas는 어떤 언어를 잘 하는 상태를 뜻한다 /

그때에는 당연히 그 가장 냉담했던 사람이라도 이 언어를 배우려고 달려갈 것입니다. 왜냐하면 그때는 그 언어를 배우기 위한 조그만 노력을 아끼는 것이 이미 아주 어리석은 일이 될 것이기 때문입니다. 게다가 그 언어는 위에서 말씀 드린 그런 특성들을 가지고 있고, 또 (그뿐 아니라) 대부분의 지식층 사람들이 벌써 그 언어를 잘 쓰고 있을 것이기 때문입니다.

Por doni al la socio, sen eĉ plej malgranda pioniragado de kiu ajn flanko, ĉion en preta stato ; por ke, sen eĉ plej malgranda peno aŭ ofero de iu, oni unu belan matenon trovu, ke konsiderinda parto de la klera mondo jam ellernis aŭ publike promesis ellerni la lingvon internacian, mi agas en sekvanta maniero :

/ 전체 문장의 주어: 끝에 나오는 mi, 동사: agas / Por … stato와 por ke … internacian은 전체 문장에서 2개의 부사어 역할을 함, "~ 하기 위해, 그리고 ~ 하도록 (하기 위해)" / sen… flanko와 sen … de iu는 각각 삽입구 / Por doni … 에서 의미상 주어는 mi / por ke …에서 주어는 oni, 동사는 trovu, 목적어는 ke-절 / ke-절에서 주어는 konsiderinda parto de la klera mondo, 동사는 ellernis, promesis / unu belan matenon=en unu bela mateno /

어느 누구에게도 일말의 선구자적인 행동을 요구하지 않으면서 또 이 사회에 모든 것을 완전히 준비된 상태로 내어놓기 위해, 그리고 또 아무에게도 그 어떤 조그만 노력이나 희생도 요구하지 않지만, 이 세상 지식층의 상당수 사람들이 벌써 이 국제어를 다 배웠거나 아니면 배울 것을 공개적으로 약속하는 것이 하루아침에 가능하도록 하기 위해, 저는 다음과 같은 방식을 취합니다.

Tiu ĉi broŝuro estas dissendata tra la tuta mondo. Ne postulante ellernon de la lingvo, nek ion alian, kio kostas laboron, tempon aŭ monon, mi petas ĉiun leganton preni por unu minuto plumon, plenigi unu el la sube aldonitaj blanketoj kaj sendi ĝin al mi. La enhavo de la blanketo estas sekvanta :

/ 전체 문장의 주어는 mi, 동사는 petas, 목적어는 leganton, 목적격 보어는 preni, plenigi, sendi / Ne … monon은 부사 분사구문 / nek ion alian이 목적격으로 된 것은 postuli의 목적어이기 때문 / kio-절은 ion alian을 꾸미는 관계절 / por unu minuto 잠시만 / plenigi '빈칸을 채우다', 여기서는 실제로는 주소를 쓰고 서명을 하는 것 / blanketo 서명지, 서명을 하도록 남겨 둔 공백 /

이 소책자는 전 세계로 보내집니다. 저는 여러분께 이 언어를 배우도록 요구하지도 않습니다. 그리고 노력이나 시간이나 돈이 드는 그 어떤 것도 요구하지 않습니다. 다만 모든 독자 여러분께서 잠시 펜을 들고 이 책 뒤에 붙어 있는 서명지에 서명을 하신 후에 그것을 제게 보내 주시기만을 바랄 뿐입니다. 그 내용은 다음과 같습니다.

"Mi, subskribita, promesas ellerni la proponitan de d-ro Esperanto lingvon internacian, se estos montrita, ke dek milionoj personoj donis publike tian saman promeson".

/ 주어: Mi / 동사: promesas / 목적어: ellerni / subskribita 이것을 subskribinta라 해도 됨, 자멘호프는 여기서 누군가가 서명을 하였지만, "누군가의 이름이 서명이 된 것"을 생각하는 것 같음 / la proponitan de d-ro Esperanto lingvon internacian은 ellerni의 목적어, 수식어가 앞에 나왔음 / se-절은 전체 문장의 종속절, 여기서 주어: ke-절, 동사: estos / se estos montrita, ke ~라고 드러나면 / 명사 형태의 milonoj가 쓰이고 있음에 주목, milionaj도 가능하고 milionoj da도 가능함 /

"저는 만약 천만 명의 사람들이 공개적으로 같은 약속을 할 경우 Esperanto 박사가 제안한 이 국제어를 배우기를 약속하며 서명합니다."

Sekvos subskribo kaj sigelo, kaj sur la alia flanko de la blanketo — legeble skribita plena nomo kaj preciza adreso. [Piednoto : Personoj kiuj ne posedas propran sigelilon, povas anstataŭi ĝin per sigelo de iu alia persono, kiu en tiu okazo garantias la aŭtentecon de la subskribo.]

/ 주어: subskribo kaj sigelo / 동사: Sekvos / blanketo —

다음에 동사 sekvos가 한 번 더 있다고 생각하면 됨 / 그 이하에서 주어는 legeble skribita plena nomo kaj preciza adreso / 당시에는 사람들마다 자신의 sigelo(봉인)를 가지고 있었던 모양임 / aŭtenteco=aŭtentikeco 인증 /

이어서 서명과 봉인을 하시면 됩니다. 그리고 그 뒷면에는 성명과 자세한 주소를 분명한 글씨로 써 주시기 바랍니다. [각주 : 자신의 봉인이 없는 분들은 자신의 서명이 확실하다는 것을 보증해 줄 다른 사람의 봉인으로 대신해도 좋습니다.]

Tiu, kiu havas principe ion kontraŭ lingvo internacia, alsendu la diritan blanketon kun trastrekita teksto kaj kun surskribo "kontraŭ".

/ 주어: Tiu / 동사: alsendu / 목적어: blanketon / kiu-절은 Tiu를 꾸미는 관계절 / kontraŭ lingvo internacia는 ion에 걸리는 구, 'ion, kio estas kontraŭ …' / trastreki 횡서하다, 지우다 / substreki 밑줄 치다, 강조하다 / surskribi ~위에 쓰다, 덧쓰다 / subskribi 서명하다 /

원칙적으로 국제어에 대해 반대하는 분들은 그 서명지에 쓰인 문장에 횡선을 긋고 그 위에 "반대"라고 쓰신 후에 보내주시기 바랍니다.

De alia parto tiuj, kiuj ekdezirus lerni la lingvon en ĉiu okazo, sendepende de la nombro de l' alsenditaj promesoj, trastreku la duan parton de la teksto kaj anstataŭu ĝin per surskribo : "senkondiĉe".

/ 주어: tiuj / 동사: trastreku, anstataŭu / 목적어: la duan parton, ĝin / De alia parto 다른 한편, 반면에, Aliflanke 라 해도 좋겠음, 여기서 자멘호프가 왜 de를 썼는지 좀 이상함 / sendepende de ~에 관계없이 / nombro de 여기서는 da가 아닌 de가 쓰이고 있음, '~의 수' / 3인칭 원망법(願望法, 명령법): ~하기를 바란다 /

반면에 (다른 한편) 그 약속을 보낸 사람들의 수와 상관 없이 어떤 경우에든지 바로 이 언어를 배우고자 하는 사람들은 그 문장의 둘째 부분을 지우시고 대신 그 위에 "무조건"이라고 써 주시기를 바랍니다.

La subskribo de la dirita promeso ne postulas eĉ plej malgrandan oferon aŭ penon kaj, en okazo de malsukceso de la afero, devigas al nenio ; ĝi devigas nur ellerni la lingvon en la okazo, ke dek milionoj aliaj kleraj personoj ĝin ellernos;

/ 주어: La subskribo / 동사: postulas / 목적어: eĉ plej malgrandan oferon aŭ penon / plej 앞에 관사 la가 쓰이지 않았음, 써도 괜찮음, 일반적으로 관사가 없으면 'tre'의 뜻 / en okazo de ; en la okazo, ke ~의 경우에는 / devigas 의무화 시킨다 ; devigi ion, devigi iun fari ion, 여기서는 devigas 다음에 onin이 생략되었음 / 명사형 milionoj가 쓰이고 있음에 주목, milionaj로 써도 됨 /

말씀 드린 그 서명은 그 어떤 희생이나 수고도 요구하지 않습니다. 이 일이 실패할 경우에는 당연히 아무 것도 요구하지 않습니다. 그러나 만약 천만 명의 지식층이 그것을 배운다고 하면 그때에는 그 언어를 배울 것을 요구할 뿐입니다.

sed tiam ĝi kompreneble ne estos jam ofero de la flanko de la subskribinto, sed afero, kiun li eĉ sen ia promeso estus rapidinta ekpreni. Sed samtempe, subskribinte la karteton, ĉiu, nenion oferante persone, rapidigos la plenumon de la tradicia idealo de l' homaro.

/ 주어: ĝi, ĉiu / 동사: estos, rapidigos / de la flanko de ~의 입장에서(의) / kiun-절은 afero를 꾸미는 관계절, 여기서 주어: li, 동사: estus rapidinta, 목적어: ekpreni / rapidi -i 서둘러 -하다 / sen ia promeso 그 어떤 약속도 없이, 그 약속을 하지 않았더라도 / samtempe 동시에, 한편, 또한 / nenion oferante persone 개인적으로 아무 희생도 치르지 않으면서 / rapidigi 촉진하다 / tradicia 전통적인, 오랜 /

그러나 그때에는 이미 그것이 그 서명자의 입장에서는 더 이상 희생이 아닐 것이고, 오히려 그런 약속이 없었더라도 빨리 하려고 했을 그런 일이 될 것입니다. 그러나 또한 그 작은 카드(서명지)에 서명을 한 모든 사람은 개인적으로는 아무 희생도 치르지 않으면서 온 인류의 오랜 이상의 실현을 촉진하게 될 것입니다.

Kiam la nombro de l' alsenditaj subskriboj atingos dek milionojn, tiam ĉiuj nomoj kaj adresoj estos publikigitaj en aparta libro, kaj sekvantan matenon post la apero de la libro oni trovos, ke dek milionoj aŭ pli da homoj estas devigintaj sin unu antaŭ la alia ellerni la lingvon internacian, — kaj la problemo estos solvita.

/ 주어: ĉiuj nomoj kaj adresoj, oni, la problemo / 동사: estos, trovos, estos / Kiam-절은 전체 문장의 종속절 / 주절은 tiam 이후, 여기서 꼭 tiam을 안 써도 됨, 일종의 강조 / sekvantan matenon 그 이튿날, 동시에 / devigi sin -i 의무적으로 -을 하다, 스스로 -을 하다 / unu antaŭ la alia 서로 앞다투어, unu post la alia와 비교하면 재미있는 표현임을 알 수 있다 /

도착한 서명이 천만에 이를 경우 그때에는 모든 이름과 주소가 한 권의 책으로 공표가 될 것입니다. 그리고 그 책의 출현과 동시에 천만 명의, 혹은 그 이상의 사람들이 서로 앞다투어 이 국제어를 배우게 될 것입니다. 그리고 이 문제는 해결이 될 것입니다.

Oni povas kolekti subskribojn por ĉia afero, sed oni trovos ne multajn deziremulojn doni sian subskribon, kvankam la afero estu treege supera kaj komune utila ;

/ 주어: Oni, oni, la afero / 동사: povas kolekti, trovos, estu / 목적어: subskribojn (관사 la가 쓰이지 않았음에 유의), multajn deziremulojn / por ĉia afero 모든 일을 위해서 / doni 이하는 앞의 deziremulojn을 꾸미는 동사 부정법 / kvankam-절에서 동사 원망법을 쓴 것에 주목, 직설법

estas를 쓸 수도 있음, 그러나 자멘호프의 심리상태를 짐작할 수 있음 /

서명을 모으는 일은 여러 가지 많이 있을 수 있습니다. 그러나 자신의 서명을 선뜻 주려고 하는 사람이 그렇게 많지는 않을 것입니다. 비록 그 일이 아무리 훌륭하고 모두에게 유익한 일이라 할지라도 말입니다.

sed se tiu subskribo, helpante la plenumon de granda idealo, postulas de la subskribinto absolute nenian materian aŭ moralan oferon, absolute neniajn klopodojn, tiam ni havas plenan rajton esperi, ke neniu rifuzos sian subskribon.

/ 주어: ni / 동사: havas / sed se 이하는 전체 문장의 종속절, 여기서 주어: tiu subskribo, 동사: postulas, 목적어: nenian materian aŭ moralan oferon, absolute neniajn klopodojn / helpante-구는 부사 분사구문, 의미상 주어는 tiu subskribo / tiam은 안 써도 됨, 강조 / havi rajton -i -할 권리가 있다 / ke-절은 esperi의 목적어 / postuli 다음에 전치사 de를 많이 쓰나, al을 쓰기도 함 /

(보충 설명) rifuĝi ~에서 피난처를 찾다, 피난처를 찾아서 어디론가 달아나다, kiu kutimas ĉion juĝi, nenie povas ~i[Z] / fuĝi 위험을 피하여 도망치다, ~i de danĝero /

그러나 만약 그 서명이 크나큰 이상의 실현을 도우면서도 서명자에게는 그 어떤 물질적 정신적 희생도 요구하지 않고 또 그 어떤 노력도 요구하지 않는다면, 그렇다면 우리는 그 누구도 자신의 서명을 거절하지 않을 것이라 기대할 수 있지 않을까요?

Ĉar en tia okazo la rifuzo estus jam ne profitemo, sed krimo, ne malzorgema rilato al la komuna afero, sed pripensita kontraŭbatalo de ĝi;

/ 주어: la rifuzo / 동사: estus / jam ne 더 이상 ~이 아니다 / malzorgema rilato al ~에 대한 부주의 / pripensita 고의적인 / de 대신 al이나 kontraŭ를 써도 좋겠음 / ĝi는 la komuna afero / malzorgi(=neglekti)를 자주 써도 좋겠음, mal˜i sian sanon, profesion, devon, siajn aferojn, amikojn /

왜냐하면 그럴 경우에는 그 거절은 더 이상 이기심이 아니라 죄가 될 것이기 때문입니다. 공동의 관심사에 대한 부주의 정도가 아니라 아주 고의적인 저항이 될 것이기 때문입니다.

rifuzo en tiaj okazoj povas esti klarigata nur per timemo de iu aristokrato de sango, scienco aŭ mono, ke lia nomo ne ektroviĝu vice de la nomo de persono staranta pli malsupre ol li.

/ 주어: rifuzo / 동사: povas esti / povas esti klarigata nur per ~로밖에는 해석할 수 없다 / timemo는 뒤의 ke-절과 연결됨, ~을 두려워함 / aristokrato 귀족이나 특권층 사람 / sango, scienco aŭ mono, 혈통이나 학문 또는 금전 / ektroviĝu가 원망법으로 쓰인 것에 주목, 발견되지 말기를 바라는 마음을 느낄 수 있음 / vice de ~사이에, ~와 함께,

inter로 써도 됨 / staranta-구는 persono를 꾸미는 형용사 분사구문 / nomoj de personoj starantaj로 복수로 해도 좋겠음 / timi : 두려워하다, 망설이다, 꺼리다, 경외하다 /

그런 경우의 거절은 혈통이나 학문 또는 경제적으로 특권층에 속하는 사람이 단순히 자신의 이름이 자기보다 못한 사람들의 이름과 함께 쓰이는 것을 꺼리는 것으로밖에는 해석할 수가 없을 것입니다.

Sed mi permesas al mi esperi, ke oni trovos malmultajn homojn, kiuj pro tia malplena vaneco decidus malrapidigi komunan homaran aferon.

/ 주어: mi / 동사: permesas / 목적어: esperi / mi permesas al mi ~i 나는 (감히) ~한다 / ke-절은 esperi의 목적어절 / ke-절에서 주어: oni, 동사: trovos / kiuj-절은 homojn을 꾸미는 관계절 / malplena vaneco 공허한 허영심, vanteco / vane : 헛되이, 아무 결실도 없이, el malplena telero ~e ĉerpas kulero[Z], Mi serĉis ĝin vane. Mi atendis lin vane. /

그러나 저는 그런 공허한 허영심으로 전인류의 공동의 일을 지연시키려는 그런 사람은 많지 않을 것이라 희망합니다.

Ne estas ia dubo, ke neniu povas havi ion kontraŭ enkonduko de internacia lingvo ĝenerale ; sed se iu ne aprobas la internacian lingvon en tiu aspekto, en kiu ĝi estas proponita de mi, li alsendu anstataŭ la supredirita promeso proteston,

/ 주어: ia dubo, li / 동사: estas, alsendu / Ne estas ia dubo, ke ~라는 데에는 의심의 여지가 없다 / havi ion kontraŭ ~에 대해 반대하다 / sed 이후의 주절은 li alsendu-절, 여기서 주어: li, 동사: alsendu, 목적어: proteston / sed se-절은 뒤의 li alsendu… 절의 종속절 / 이 종속절의 주어: iu, 동사: aprobas, 목적어: internacian lingvon / en tiu aspekto는 앞의 la internacian lingvon을 꾸미는 전치사구로 볼 수도 있고, 또는 esti en tiu aspekto (목적격 보어)의 준말이라 볼 수도 있겠음, 뜻은 마찬가지, aspekto 대신 formo를 써도 좋겠음 /

국제어의 도입에 대해서는 일반적으로 그 어느 누구도 반대하지는 않을 것이라 믿습니다. 그러나 만약 어느 분이라도 제가 지금 제안하는 이런 모습의 국제어에는 찬동하지 않으신다면 위에 말한 그 약속 대신 이의(항의)를 제기해 주시기 바랍니다.

sed doni ĝenerale ian voĉon en tiu ĉi afero estas la devo de ĉiu klera homo, de ĉiu aĝo, sekso kaj rango, des pli ke tiu ĉi voĉdono postulas nur kelkajn minutojn por plenigi la pretan blanketon, kaj kelkajn kopekojn da poŝtpagoj.

/ 주어: doni / 동사: estas / des pli, ke 더군다나 ~하다 / 수량의 전치사 da가 쓰였음에 주의 / poŝtpagoj 굳이 복수로 하지 않아도 됨, sendkosto / des pli=tiom pli, ~ pli bone![Z] /

그러나 어쨌든 이 일에 투표를 하는 것은 연령, 성별, 지위 고하를 막론하고 모든 지식층의 의무일 것입니다. 더군다나 이 투표가 그저 잠깐 몇 분의 시간을 내어 그 준비된 쪽지에 서명만 하고 또 몇 푼의 우편요금만을 요구하는 상황에서는 말이지요.

Sen iu senkulpiĝo antaŭ la socio restos en estonteco tiuj personoj, kies nomoj troviĝos nek en la fako de la promesintoj, nek en la fako de la rifuzintoj.

/ 주어: tiuj personoj / 동사: restos / senkulpiĝo 용서 받음, 변명이 받아들여짐 ; senkulpigi 용서해 주다, senkulpigi sin 변명하다 / kies-절은 tiuj personoj를 꾸미는 관계절, 이 관계절의 주어: nomoj, 동사: troviĝos / kulpa : 일반적으로 "비난 받을 만한" 정도의 뜻으로 많이 쓰임; peki 종교적, 도덕적, 학문적으로 잘못을 저지르다, 적당함에서 벗어나다; krimo 법적, 사회적 (범)죄 /

자신의 이름이 약속인의 명단에도 없고 거절인의 명단에도 없는 그런 사람들은 장차 이 사회에서 용서를 받을 수 없을 것입니다.

Neniu esperu senkulpiĝi per tio, ke li „ne aŭdis pri la proponita voĉdono", ĉar oni prenos ĉiujn mezurojn por ke ĉiuj sciu pri la voĉdono.

/ 주어: Neniu / 동사: esperu / 목적어: senkulpiĝi / per tio, ke ~(함으)로써 / 여기 쓰인 mezuro(측정, 측량)는 metodo(방법)의 의미 / 일반적으로 por ke의 por 앞이나

뒤에 쉼표를 사용함, 그리고 뒤에 나오는 동사는 원망법으로 함, '~하도록' /

아무도 "그 투표에 대해 들어 보지 못했다"라며 변명하지 못할 것입니다. 왜냐하면 우리는 이 투표에 대해 모든 사람들이 다 알 수 있도록 (가능한 한) 모든 방법을 다 취할 것이기 때문입니다.

Mi petas la redakciojn de ĉiuj gazetoj kaj ĵurnaloj redoni la enhavon de mia alvoko ; ĉiun apartan personon mi petas sciigi mian proponon al amikoj kaj konatuloj.

/ 주어: Mi, mi / 동사: petas, petas / 목적어: la redakciojn, ĉiun apartan personon / 목적격보어: redoni, sciigi / redoni '다시 주다', 여기선 '전파하다'의 의미 / konatulo 대신 konato를 써도 됨 /

(보충 설명) 1. 〈형용사 어근+o〉의 세 가지 의미: 1) 특성(-ec-) 2) 사람(-ul-) 3) 사물(-aĵ-) (보기: belo 아름다움, 아름다운 사람, 아름다운 것) / 2. 〈분사+o〉의 한 가지 의미: 1) 사람 (보기: leganto 독자, konato 지인, amato 애인, amataĵo 좋아하는 것) /

저는 모든 잡지사와 신문사에 부탁을 드립니다. 저의 이 호소를 널리 좀 전파해 주십시오. 그리고 또 모든 개개인에게 부탁을 드립니다. 모든 친구와 지인들에게 저의 이 제안을 좀 널리 알려 주십시오.

Jen ĉio, kion mi konsideris necesa diri pri mia afero. Mi estas malproksime de tio, ke mi rigardu la proponitan de mi lingvon kiel ion perfektan, pli alta kaj pli bona ol kiu nenio plu povas esti ;

/ 주어: ĉio, Mi / 동사: estas / 첫째 절은 동사가 없음 / kion-절은 ĉio를 꾸미는 관계절, 여기 주어: mi, 동사: konsideris, 목적어: diri, 목적격보어: necesa / 주어가 동사 부정법일 때 그 주격보어는 부사로 한다. (Nun viziti ŝin estas malbone.) 그러나 자멘호프는 목적어가 동사 부정법일 때에는 그 목적격보어는 부사가 아닌 형용사로 주로 쓰고 있음. (Mi opinias bona nun viziti ŝin.) 이 문제는 깊이 생각해 볼 필요가 있는 문제임 (그 낱말이 전체 문장의 부사어가 아니라 목적어의 보어라는 것을 분명히 해 주기 위함인 듯) / estas malproksime de ~로부터 멀리 있다, 절대 ~가 아니다 / ke-절은 tio를 설명하는 종속절, 여기 동사의 원망법이 쓰인 것에 주목 / la proponitan de mi lingvon에서 수식어가 앞에 나왔음, 'la lingvon proponitan de mi' / rigardi ion kiel ion 무엇을 무엇처럼 여기다 / kiu는 ion perfektan을 선행사로 하는 관계대명사, 'ion perfektan, ol kiu nenio plu povas esti pli alta kaj pli bona' / 본래 선행사가 io이면 관계사는 kio가 되어야 하나, 여기서는 ion perfektan으로 구체화 된 것이기 때문에 관계사가 kiu가 된 것임 /

이제 이 일에 대해 말씀 드려야 할 것은 다 말씀 드렸습니다. 저는 제가 제안하는 이 언어가 마치 이것보다 더 수준 높고 더 훌륭한 것은 그 어느것도 있을 수 없을 것처럼 그렇게 완벽한 것이라고는 생각하지 않습니다.

sed mi penis, kiel eble, kontentigi ĉiujn postulojn, kiujn oni povas meti al la lingvo internacia, kaj nur post kiam mi estas sukcesinta solvi ĉiujn de mi starigitajn problemojn (pro la spaco de la broŝuro mi pritraktis tie ĉi nur la plej esencajn),

/ 주어: mi / 동사: penis / 목적어: kontentigi / kiel eble 가능한 한, kiel eble plej -e 가능한 한 가장 -게 / kiujn-절은 postulojn을 꾸미는 관계절 / meti al ~에 놓다, ~에 대해 요구하다 / ĉiujn de mi starigitajn problemojn에서도 수식어가 앞에 나왔음, 'ĉiujn problemojn starigitajn de mi' /

그러나 저는 가능한 한 국제어로서 필요한 모든 조건을 만족시키려고 애를 썼습니다. 그리고 제가 제기한 그 모든 문제점들을 다 해결한 후에서야 비로소 (여기서는 지면 관계상 가장 핵심적인 것들만을 언급했습니다),

kaj post multjara pripensado de la afero, mi decidiĝis aperi kun ĝi antaŭ la publiko. Sed mi estas homo, kaj mi povis erari, povis fari iun nepardoneblan maltrafon, povis lasi nealigita al la lingvo ion, kio estus por ĝi tre utila.

/ 주어: mi / 동사: decidiĝis aperi / decidiĝis 뒤의 aperi를 "Mi iris renkonti lin 나는 그를 만나러 갔다"처럼 목적

을 뜻하는 부정법으로 해석함, decides aperi보다 좀 다른 느낌, 많은 고민을 한 느낌이 있음, 겸손한 표현이기도 함 / trafi 적중하다, maltrafo 착오, 실패, 실수 / povis lasi nealigita al la lingvo ion = povis lasi ion ne-al-ig-it-a al la lingvo 그 언어에 뭔가를 제대로 갖다 붙이지 못한 상태로 두었을 수도 있다=뭔가를 빠뜨렸을 수도 있다 / kio-절은 ion을 꾸미는 관계절 / 이 관계절 때문에 앞의 절의 문장성분 차례를 그렇게 한 것 같음 [이런 차례가 글말이 아니라 입말에서 쓰인다면 무척 혼란스러울 것 같음] /

그리고 또한 이 일에 대해 여러 해 동안 많은 고민을 한 끝에 드디어 대중 앞에 이것을 공표하기로 작정을 하게 된 것입니다. 그러나 저도 사람입니다. 그래서 어떤 것은 틀렸을 수도 있을 것이고, 그 어떤 변명할 수 없는 착오도 범했을 수 있습니다. 또한 아주 유익한 그 무엇인가를 빠뜨렸을 수도 있습니다.

Tial, antaŭ ol eldoni plenajn vortarojn kaj komenci eldonon de gazetoj, libroj k. t. p., mi prezentas mian verkon por unu jaro al prijuĝo de la publiko kaj min turnas al la tuta klera mondo kun peto eldiri al mi sian opinion pri la proponita de mi lingvo.

/ 주어: mi / 동사: prezentas, turnas / 목적어: mian verkon, min / antaŭ ol ~하기 전에, 뒤에 동사 부정법이나 절이 올 수 있음 / por unu jaro 일 년 동안 / prijuĝo 검증, 판단 / sin turni al=turniĝi al ~(에게)로 향하다 / eldiri는 앞의 peto를 꾸미는 부정법 / pri la proponita de mi lingvo 역시 문장성분의 차례에 주의 /

그래서 완전한 단어장을 내놓거나 잡지, 책 등의 출판을 시작하기 전에 저는 1년간 저의 작품을 대중의 검증에 내놓는 바입니다. 그리고 세계의 모든 지식층에게 청하건대 제가 제안한 이 언어에 대해 솔직한 의견을 말씀해 주시기를 바라는 바입니다.

Ĉiu informu min skribe pri tio, kion li konsideras necesa ŝanĝi, plibonigi, aldoni k. t. p.

/ 주어: Ĉiu / 동사: informu, 3인칭 원망법 / 목적어: min / scribe 글로써, 편지로써 / konsideri ŝanĝi ion necesa 무엇을 바꿀 필요가 있다고 판단하다, konsideri의 목적어는 ŝanĝi, ion은 ŝanĝi의 목적어, necesa는 목적격 보어(형용사로 쓰인 것에 유의) / kion-절은 tio를 꾸미는 관계절 /

혹시 무엇을 바꾸거나 개선하거나 또는 추가할 필요가 있다고 생각하는 것이 있다면 제게 편지로 알려 주시기를 모든 분께 부탁 드립니다.

El la alsenditaj al mi rimarkoj mi danke uzos ĉiujn tiujn, kiuj montriĝos vere kaj sendube utilaj, ne detruante la fundamentajn ecojn de la lingvo, t. e. la facilecon de ĝia ellerno kaj ĝian nepran taŭgecon por internaciaj rilatoj sendepende de la nombro de l' adeptoj.

/ 주어: mi / 동사: uzos / 목적어: ĉiujn tiujn / kiuj-절은 tiujn을 꾸미는 관계절 / montriĝi utilaj 유용하다고 판단되

다 / ne detruante는 부사 분사구문, ne detruantaj라 해도 됨 / t.e. 이하는 la fundamentajn ecojn de la lingvo를 풀어 설명하는 내용 / de ĝia ellerno에서 ĝi는 지금 제안하고 있는 이 언어 / sendepende de ~와 관계없이 /

(보충 설명) adepto 연금술사, 신봉자, 추종자, E. estas lingvo havanta jam multajn ~ojn en diversaj landoj[Z] / adopti 양자로 받아들이다, (자기 것으로) 받아들이다, Aŭgusto ~is Tiberion; ~i opinion, metodon, konduton, lingvon, kostumon, modon, vivaranĝon. / adapti ~에 적합하게 만들다, ~에 적응시키다, ~에 맞추다, oni devas ~i sian parolon al la cirkonstancoj /

제게 보내주신 지적들 가운데 정말 유익하고 또 이 언어의 근본적인 특성을 해치지 않는 것들은 모두 감사하게 잘 받아들이도록 하겠습니다. 이 언어의 근본적인 특성이란 다름 아닌 학습의 용이성과 또 사용자의 많고 적음에 상관없이 이 언어가 국제어가 되기에 결정적으로 필요한 것들을 말합니다.

Post tiuj eblaj ŝanĝoj, kiuj en tia okazo estos publikigitaj en speciala broŝuro, por la lingvo estos fiksita definitiva, konstanta formo.

/ 주어: formo / 동사: estos fiksita / Post … broŝuro는 전체 문장의 부사절 / Post ~한 후에, 접속사 / eblaj 가능성이 있는, 혹시 있을지도 모를 / kiuj-절은 ŝanĝoj를 꾸미는 관계절, 여기서 주어: kiuj, 동사: estos publikigitaj / en tia okazo 그런 경우에는, 전치사구로 된 부사어 / por 이하는

주절인데, 여기서 주어: formo / por la lingvo estos fiksita definitiva, konstanta formo -> definitiva, konstanta formo (por la lingvo) estos fiksita (por la lingvo) /

(보충 설명) definitiva 확정적인, 더 이상 변경 불가능한, ~an respondon mi sendos post 10 tagoj[Z] / difini 정의를 내리다, 한정하다 / difinita ~라고 정의된, ellabori ~itajn regulojn[Z] /

만약 수정할 것이 있다면 그런 경우에는 특별히 소책자를 발행하여 모두 공표할 것입니다. 그 후에 이 언어의 온전하고도 항구적인 형태가 확정이 될 것입니다.

Se tiuj korektoj aperus nesufiĉaj al iu, tiu ne devas forgesi, ke la lingvo ankaŭ en estonteco ne estos fermata por ĉiuspecaj plibonigoj, nur kun tiu diferenco, ke tiam la rajto ŝanĝi ne plu apartenos al mi, sed al aŭtoritata, komune akceptita akademio de tiu ĉi lingvo.

/ 주어: tiu / 동사: devas forgesi / 목적어: 앞의 ke-절 / nesufiĉaj 주격 보어 / nur kun tiu diferenco, ke 다만 ~라는 점이 다를 뿐입니다 / la rajto ŝanĝi 수정하는 권한 / aparteni al ~에게 속하다 /

만약 그런 수정이 충분하지 않다고 생각되시면, 이 언어는 앞으로도 모든 종류의 개선에 대해 항상 열려 있게 될 것이라는 걸 잊지 말아 주십시오. 다만 그때에는 그 수정의 권한이 제게 있는 것이 아니라, 공적으로 선출된 권위 있는, 이 언어의 학술원에 있게 될 것이라는 것이 다를 뿐입니다.

Estas malfacile krei internacian lingvon kaj enkonduki ĝin en la uzadon, jen kial al tio ĉi oni nun devas direkti la ĉefan atenton ;

/ 주어: krei kaj enkonduki / 동사: Estas / 보어: malfacile / konduki -을 -로 이끌다, 종종 목적어를 생략하기도 함, ~i iun al la fenestro, al la stacidomo, al la altaro^{Z}, la vojo ~as al la dezerto^{Z} / jen 이하의 문장을 잘 이해해야 함, 자멘호프의 문장 가운데에는 이처럼 우리가 보통 말하듯이 글을 쓴 경우가 종종 있음 / tio ĉi는 앞에서 말한 수정의 문제 전체 / jen 여기에 / kial 왜? 이것은 내포의 문문을 이끄는 종속접속사로 보아야 함, 의문사가 아님 (영어에선 이 경우 관계부사로 봄), jen estas la kialo(kaŭzo), kial …로 이해하면 쉬움 / direkti -을 -로 끌고 가다, 목적어를 생략하는 일 없음 /

국제어를 창안하고 또 그것을 실용화 시킨다는 것은 참 어려운 일입니다. 바로 여기에 왜 이것(수정의 문제)에 우리가 지금 최대의 관심을 기울여야 하는지 그 이유가 있는 것입니다.

sed kiam foje la lingvo jam estos enradikiĝinta kaj enkondukita en komunan uzon,

/ 주어: la lingvo / 동사: estos / komunan uzon 목적격이 쓰인 것은 enkonduki 때문 / 전체가 kiam-종속절, 주절은 뒤에 나옴 /

그러나 언젠가 이 언어가 뿌리를 내리고 공동의 언어로 사용이 될 때에는,

tiam la konstanta aŭtoritata akademio povos en okazo de neceso facile, iom post iom kaj nerimarkeble enkondukadi ĉiuspecajn necesajn plibonigojn, kvankam ĝi eĉ iutempe estus devigata ŝanĝi la lingvon ĝis nerekonebleco.

/ 주어: la konstanta aŭtoritata akademio / 동사: povos enkondukadi / 목적어: plibonigojn / en okazo … nerimarkeble는 부사구 / kvankam-절은 부사어 종속절, 여기서 주어는 ĝi, 동사는 estus devigata / ŝanĝi (la lingvon)는 보어 역할(여기서는 피동문의 주어의 보어)을 하는 부정법, Oni devigus ĝin(=la akademion) ŝanĝi la lingvon…은 이 피동문을 능동문으로 바꾼 것, 여기서 ŝanĝi는 목적격 보어 / ĝis nerekonebleco 몰라볼 정도로까지 / re-koni 알아보다, 의식(인식)하다, Ĉu vi rekonas min? 저 아시겠어요 (알아보시겠어요)? /

그때에는 권위 있는 상설 학술원이, 필요한 경우 쉽게, 또 조금씩 눈에 띄지 않게 모든 종류의 필요한 개선책들을 도입하게 될 것입니다. 그리고 어느 때에는 아주 몰라볼 정도로 이 언어를 많이 고쳐야 할지도 모르지요.

Tial mi permesas al mi peti tiujn legantojn, kiuj pro iu kaŭzo estus malkontentaj je mia lingvo, sendadi al mi protestojn anstataŭ la promesoj nur en okazo, se ili havus por tio seriozajn kaŭzojn, se ili trovus en la lingvo malutilajn flankojn, kiuj estonte ne estus ŝanĝeblaj.

/ 주어: mi / 동사: permesas / 목적어: peti (peti의 목적어는 tiujn legantojn) / permesi al si –i '–하려고 하다', 좀 겸손한 표현 / sendadi는 앞의 목적어 tiujn legantojn의 목적격보어, 자멘호프는 접미사 -ad-를 좀 자주 쓰는 편 / nur en okazo, se ~한 경우에만 / se가 두 번 나옴 / por tio의 tio는 항의를 보내는 일 그 자체 / kiuj-절은 flankojn을 꾸미는 관계절 /

그래서 저는 어떤 이유에서든 저의 이 언어에 대해 불만이 있는 분들께 다음과 같이 청하려고 합니다. 여러분은 그 불만사항이 심각한 이유가 있다거나 또는 추후 수정이 불가능하고 지금 당장 고쳐야 할 어떤 유해한 점들이 있을 경우에만 제게 그 약속 대신 항의를 보내 주시기 바랍니다.

La verkon, kiu kostis al mi multe da tempo kaj sano, mi transdonas nun al la favora atento de la socio. Mi esperas, ke ĉiu, al kiu la komunaj homaraj aferoj estas karaj, etendos al mi la manon de helpo kaj subtenos la proponitan de mi aferon, tiom kiom li estos kapabla.

/ 주어: mi, Mi / 동사: transdonas, esperas / 목적어: La verkon, ke-절 / kiu-절은 La verkon을 꾸미는 관계절 / kostis al mi ~ 내가 ~을 지불하여야 했다 / kara 귀한, 비싼 / subteni 지지하다, 지원하다 / tiom kiom ~한 만큼, 가운데에 쉼표를 써도 됨 / estos kapabla=povos /

(보충 설명) kapabla –을 할 수 있는 (능동), Li estis kapabla manĝi la pomon. Ĉu vi estas kapabla (je tio,

tion fari)? / ebla -가 될 수 있는, 가능한 (수동), La pomo estis manĝebla. La lasta ebla vojo estas persvadi lin. Ĝi ne estas ebla. Ne eble. Ĉu ĝi estas ebla (al vi, por vi)? /

제가 수많은 시간을 들이고 또 건강까지 해쳐가며 이루어 낸 이 작품을 이제 세상의 호의적인 관심을 기대하며 내어놓는 바입니다. 이 인류 공동의 일을 귀하게 여기시는 분이라면 각자 할 수 있는 대로 제게 도움의 손길을 내밀어 주시고 또 제가 제안하는 이 일을 지지해 주시기를 저는 바라 마지않습니다.

La cirkonstancoj montros al ĉiu, per kio li povas esti utila al la afero; mi nur permesas al mi altiri la atenton de l' amikoj de lingvo internacia al tio, ke la plej grava punkto, al kiu niaj okuloj devas esti direktitaj, — estas la sukceso de la voĉdono.

/ 주어: La cirkonstancoj, mi / 동사: montros, permesas / 목적어: per kio-절, altiri / altiri atenton al ~에 주의를 환기 시키다 / ke-절은 tio를 설명하는 종속절 / al kiu-절은 punkto를 꾸미는 관계절 /

그런 분들은 각자가 처한 환경에 따라 무엇으로 이 일에 도움을 줄 수 있을지 알게 될 것입니다. 다만 제가 (이 시점에서) 에스페란토 친구 여러분의 주의를 환기 시키고자 하는 것은, 우리의 시선이 집중되어야 할 가장 중요한 점은 바로 그 투표가 성공적이 되어야 한다는 것입니다.

Faru ĉiu, kion li povas, kaj en la plej mallonga tempo

ni posedos tion, pri kio la homoj jam de longe revas — la lingvon tuthomaran.

/ 주어: ĉiu, ni / 동사: faru, posedos / 목적어: kion-절, tion / Faru ĉiu, kion = Ĉiu faru tion, kion / pri kio-절은 tion을 꾸미는 관계절 / de longe 오래 전부터 / revi (타동사) ~을 꿈꾸다, 간절히 바라다 /

각자 할 수 있는 일을 해 주십시오. 그러면 빠른 시일 내에 우리는 오래 전부터 온 인류가 꿈꿔 왔던 그것을 손에 넣을 수 있을 것입니다. 바로 전인류의 언어, 국제어 말입니다.

☞ La aŭtoro petas la leganton bonvole plenigi kaj sendi al li unu el la sube aldonitaj blanketoj, kaj disdoni la aliajn kun la sama celo al amikoj kaj konatuloj.

/ 주어: La aŭtoro / 동사: petas / 목적어: leganton / 목적격보어: plenigi kaj sendi, disdoni / bonvole 호의를 가지고 / unu el la··· 는 plenigi와 sendi의 목적어 / la aliajn 남은 서명지들을 /

☞ 저자는 독자 여러분께서 호의를 베풀어 이 아래에 첨부된 서명지 한 장에 서명을 하시고 그것을 저자에게 보내 주시기를 당부합니다. 그리고 또한 그 나머지 서명지들도 친지들에게 나누어 주셔서 그렇게 똑같이 해 주시기를 부탁 드립니다.

〈Promes'o〉

Mi, sub'skrib'it'a, promes'as el'lern'i la

propon'it'a'n de d-ro Esperanto lingv'o'n inter'naci'a'n, se est'os montr'it'a, ke dek milion'o'j person'o'j don'is publik'e tia'n sama'n promes'o'n.

Sub'skrib'o:

Nom'o:

Adres'o:

/ 여기 쓰인 “sub’skrib’it’a”는 “subskribinta”라고 해도 됨. / 자멘호프는 subskribi된 이름(서명) 그 자체를 우선적으로 생각해서 이렇게 표현한 것 같음. / “dek milionoj personoj” 는 “dek milionoj da personoj”라고 해도 됨 / 참조 : 〈tiu ĉi urbo havas milionon da loĝantoj[Z]〉 /

〈약속〉

저는 천만 명이 공개적으로 동일한 약속을 할 경우 에스페란토 박사께서 제안한 국제어를 배울 것을 약속하며 서명합니다.

이름 :

주소 :

서명 :

PLENA LERNOLIBRO DE INTERNACIA LINGVO

(1948, Vilho Setälä)

PLENA GRAMATIKO DE ESPERANTO (1973, Ludovikito)

Noto de la eldoninto. (1948, Vilho Setälä)

La supre prezentata traduko de la UNUA LIBRO DE ESPERANTO sekvas la Zamenhofan tradukon en ĉio, krom la ĉapitro III, kiu ne estis trovebla en traduko kaj estas special tradukita por ĉi tiu eldono. – En la lokoj, kie Zamenhof en sia traduko esence ŝanĝis la originalan tekston, ni donas la tradukon de la originala vortformo inter klinaj strekoj /…/. Tamen ni ne aldonis la ekzemplojn, kiuj aperas en la gramatiko esperante kaj ruse, ĉar la rusa teksto estas komprenebla per la esperanta ekzemplo mem. – En unu loko estas du vortoj, netroveblaj en la rusa originalo, sed aldonitaj de Zamenhof en la traduko, signitaj per +…+.

출판자의 주석 (1948, Vilho Setälä)

위에 소개한 〈에스페란토 제1서〉의 번역본은 모두 자멘호프의 번역을 그대로 따랐습니다. 다만 제3장만은 자멘호프의 번역본에 들어 있지 않아서, 이 출판을 위해 특별히 번역된 것임을 밝힙니다. – 자멘호프가 자신의 번역에서 그 원문을 근본적으로 바꾼 부분은 우리가(번역자들?) 그 원문을 /…/

표시 안에 번역해서 넣어 두었습니다. 그러나 문법 설명에서 에스페란토와 러시아어로 된 예문들은 따로 추가하지 않았습니다. 왜냐하면 러시아어 본문은 에스페란토 예문 그 자체로 이해가 가능하기 때문입니다. - 한 군데에서 러시아어 원문에는 없는 두 개의 단어가 나오는데, 그것은 자멘호프가 번역을 할 때 +…+라는 표시로 해 두었습니다.

(이 번역본에는 제2장의 본보기 예문들이 전혀 들어 있지 않음.)

교 재

A. Alfabeto 글자

Aa, Bb, Cc, Ĉĉ, Dd, Ee, Ff, Gg, Ĝĝ, Hh, Ĥĥ, Ii, Jj, Ĵĵ, Kk, Ll, Mm, Nn, Oo, Pp, Rr, Ss, Ŝŝ, Tt, Uu, Ŭŭ, Vv, Zz.

Rimarko. Presejoj, kiuj ne posedas la literojn ĉ, ĝ, ĥ, ĵ, ŝ, ŭ, povas anstataŭ ili uzi ch, gh, hh, jh, sh, u.

주의: 활자 ĉ, ĝ, ĥ, ĵ, ŝ, ŭ가 없는 인쇄소에서는 그 대신 ch, gh, hh, jh, sh, u를 쓸 수 있다. (Rimarko는 원문에는 없으나 FK에는 있음)

B. Partoj de parolo 품사

1) Artikolo nedifinita ne ekzistas; ekzistas nur artikolo difinita (la), egala por ĉiuj seksoj, kazoj kaj nombroj.

(Rimarko) La uzado de la artikolo estas tia sama, kiel en la aliaj lingvoj. La personoj, por kiuj la uzado de la artikolo prezentas malfacilaĵon, povas en la unua tempo tute ĝin ne uzi.

/ tia sama를 tiel sama로 써도 됨 /

1) 부정관사는 존재하지 않고 정관사 'la'만 존재한다. 모든 성, 격, 수에 똑같다.

(주의) 관사의 용법은 다른 말에 있어서와 같다. 관사를 사용

함에 있어 어려움이 있는 사람들은 시작 단계에 있어서는 전혀 쓰지 않아도 좋다. (Rimarko는 원문에는 없으나 FK에는 있음)

2) La substantivoj havas la finiĝon o. Por la formado de la multenombro oni aldonas la finiĝon j. Kazoj ekzistas nur du : nominativo kaj akuzativo; la lasta estas ricevata el la nominativo per la aldono de la finiĝo n. La ceteraj kazoj estas esprimataj per helpo de prepozicioj (la genitivo per de, la dativo per al, la ablativox per per aŭ aliaj prepozicioj laŭ la senco). (x instrumentalo per kun)

/ kazoj ekzistas nur du = ekzistas (estas?) nur du kazoj / la lasta 후자 /

2) 명사는 어미 '-o'를 가진다. 복수를 만들 때에는 '-o' 뒤에 어미 '-j'를 덧붙인다. 격은 2종류만 있으며, 그것은 주격과 목적격이다. 목적격은 주격에다 어미 '-n'를 덧붙임으로써 만든다. 이 두 격 이외의 다른 격들은 전치사의 도움으로 나타낸다 (소유격은 'de'로, 여격은 'al'로, 탈격은 'per ' 또는 그 의미에 따라 다른 전치사로). (각주: 도구격은 'kun'으로)

3) La adjektivo finiĝas per a. Kazoj kaj nombroj kiel ĉe la substantivo. La komparativo estas farata per la vorto pli, la superlativo per plej ; ĉe la komparativo oni uzas la konjunkcion ol. / la vorto 'ĉjem' estas tradukata per 'ol' /

/ konjunkcion이 〈Fundamenta Korestomatio de la lingvo Esperanto〉에선 prepozicion으로 나옴 (잘못) /

3) 형용사는 (어미) '-a'로 끝난다. 격과 수는 명사에서와 한가지이다. 비교급은 'pli' 라는 낱말로 만들어지고, 최상급은 'plej'로 만들어진다. 비교급에 있어 접속사는 'ol'을 쓴다.

4) La numeraloj fundamentaj (ne estas deklinaciataj) estas : unu, du, tri, kvar, kvin, ses, sep, ok, naŭ, dek, cent, mil. La dekoj kaj centoj estas formataj per simpla kunigo de la numeraloj. Por la signado de numeraloj ordaj oni aldonas la finiĝon de la adjektivo; por la multoblaj — la sufikson obl, por la nombronaj — on, por la kolektaj — op, por la disdividaj — la vorton po. Krom tio povas esti uzataj numeraloj substantivaj kaj adverbaj.

4) 기본수사(어미변화 하지 않음)는 unu, du, tri, kvar, kvin, ses, sep, ok, naŭ, dek, cent, mil 이다. 몇십, 몇백 같은 말들은 수사의 단순한 집합으로 만들어진다. 서수를 나타내기 위해 형용사 어미를 덧붙인다. 배수를 나타내기 위해서는 접미사 '-obl-'을, 분수를 나타내기 위해서는 '-on-'을, 집합수를 나타내기 위해서는 '-op-'를 덧붙이며, 배분을 나타내기 위해서는 'po'라는 낱말을 쓴다. 그 밖에도 명사형 수사와 부사형 수사가 쓰일 수 있다.

5) Pronomoj personaj : mi, vi, li, ŝi, ĝi (pri objekto aŭ besto), si, ni, vi, ili, oni / senpersona multenombro / ;

la pronomoj posedaj estas formataj per la aldono de la finiĝo adjektiva. La deklinacio estas kiel ĉe la substantivoj.

/ 'senpersona'라는 말은 좀 이상함, 'oni'는 한국어로 주로 "일반칭, 세칭"이라고 번역함, 주로 단수 취급, ~ estas maljustaj koncerne ilin; ~ devas ĉiam esti preta[Z] / pronomoj posedaj 소유대명사, 대명사의 소유격, 대명사의 형용사형, posesivo /

5) 인칭대명사: mi, vi, li, ŝi, ĝi(물건과 짐승에 대해), si, ni, vi, ili, oni. 소유대명사는 형용사 어미를 덧붙임으로써 만든다. 어미변화는 명사에서와 같다.

6) La verbo ne estas ŝanĝata laŭ personoj nek nombroj. Formoj de la verbo : la tempo estanta akceptas la finiĝon -as ; la tempo estinta -is ; la tempo estonta -os ; la modo kondiĉa -us ; la modo ordona -u ; la modo sendifina -i.

6) 동사는 인칭이나 수에 따라 변화하지 않는다. 동사의 형태: 현재 시제는 어미가 '-as', 과거 시제는 '-is', 미래 시제는 '-os', 가정법(조건법) 어미는 '-us', 원망법(명령법)은 '-u', 불변화법(부정법)은 '-i'이다.

Participoj (kun senco adjektiva aŭ adverba) : aktiva estanta -ant ; aktiva estinta -int ; aktiva estonta -ont ; pasiva estanta -at ; pasiva estinta -it ; pasiva estonta -ot. Ĉiuj formoj de la pasivo estas formataj per helpo de responda formo de la verbo esti kaj participo pasiva / de estanta tempo / de la bezonata verbo; la prepozicio ĉe la pasivo estas de.

분사(형용사 또는 부사적으로 쓰임): 능동 현재는 '-ant', 능동 과거는 '-int', 능동 미래는 '-ont', 수동 현재는 '-at', 수동 과거는 '-it', 수동 미래는 '-ot' 이다. 수동태의 모든 형태는 'esti' 동사의 상응하는 형태와 필요한 동사의 수동 분사의 도움으로 만들어진다. 수동태에 있어 전치사는 'de' 이다.

*분사 설명에 있어, 자멘호프가 쓴 "현재, 과거, 미래"라는 용어는 "진행 (imperfektivo), 완료 (perfektivo), 예정 (predikto)"의 뜻이다. (주해자 주)

7) La adverboj finiĝas per e ; gradoj de komparado kiel ĉe la adjektivoj.

7) 부사는 '-e'로 끝난다. 비교급은 형용사에서와 한가지이다.

8) Ĉiuj prepozicioj postulas la nominativon.

8) 모든 전치사는 주격을 요구한다.

C. Reguloj Ĝeneralaj 일반 문법

1) Ĉiu vorto estas legata, kiel ĝi estas skribita.

1) 모든 낱말은 그것이 쓰인 대로 읽힌다.

2) La akcento estas ĉiam sur la antaŭlasta silabo.

(보충 설명) akĉento 민족, 지방, 계층에 따라 습관적으로 내는 비표준 발음, havi sudan, kamparan, usonan akĉenton /

2) 악센트는 항상 끝에서 둘째 음절에 있다.

3) Vortoj kunmetitaj estas formataj per simpla kunigo de la vortoj (la ĉefa +vorto staras+ en la fino) / ,kiuj estas skribataj kune sed apartigataj per streketo / ; la gramatikaj finiĝoj estas rigardataj ankaŭ kiel memstaraj vortoj.

3) 합성어는 낱말들의 단순한 집합으로 만들어진다 (주요한 낱말이 끝에 온다). 문법어미들도 독립적인 낱말로 간주된다.

4) Ĉe alia nea vorto la vorto ne estas forlasata.

4) 다른 부정어가 있을 때 'ne'는 쓰이지 않는다.

5) Por montri direkton, la vortoj ricevas la finiĝon de la akuzativo. / Por respondi al la demand 'kien' la vortoj akceptas la finiĝon de la akuzativo (Ekzemple tie, tien; Varsovi,o,n). /

5) 방향을 나타내기 위해 낱말은 목적격 어미를 취한다.

6) Ĉiu prepozicio havas difinitan kaj konstantan signifon; sed se ni devas uzi ian prepozicion kaj la rekta senco ne montras al ni, kian nome prepozicion ni devas preni, tiam ni uzas la prepozicion je, kiu

memstaran signifon ne havas. / (Ĝoji je tio; ridi je tio; enuo je la patrujo ktp. La klareco ne suferas de tio, ĉar en ĉiuj lingvoj en tiuj okazoj estas uzata kiu ajn prepozicio, se nur la kutimo donis al ĝi la sankcion; sed en la internacia lingvo la sankcio per ĉiuj similaj okazoj estas donita al unu prepozicio je). / Anstataŭ la prepozicio je oni povas ankaŭ uzi la akuzativon sen prepozicio.

6) 모든 전치사는 한정된 그리고 변하지 않는 의미를 지니고 있다. 그러나 우리가 어떤 전치사를 쓰기는 써야겠지만 그 직접적인 뜻으로 보아 어떤 전치사를 써야 좋을지 잘 모를 때에는 전치사 'je'를 쓴다. 이 전치사 'je'는 독립적인 뜻이 없다. 전치사 'je' 대신 전치사를 쓰지 않고 목적격을 쓸 수도 있다.

7) La tiel nomataj vortoj fremdaj / 'eksterlandaj' /, t. e. tiuj, kiujn la plimulto de la lingvoj prenis el unu / fremda / fonto, estas uzataj en la lingvo Esperanto / internacia / sen ŝanĝo, ricevante nur la ortografion de tiu ĉi lingvo; sed ĉe diversaj vortoj de unu radiko estas pli bone uzi senŝanĝe nur la vorton fundamentan kaj la ceterajn formi el tiu ĉi lasta laŭ la reguloj de la lingvo Esperanto.

7) 대부분의 언어들에 있어, 하나의 같은 어원에서 나온, 이른바 외래어라는 낱말들은, 에스페란토에 있어서, 표기법만 에스페란토에 맞게 고칠 뿐 그 밖에는 변화 없이 그대로 사

용된다. 그러나 하나의 뿌리로부터 파생한 여러 낱말들이 있을 경우, 그 기본어만 변화 없이 사용하고 그 밖의 파생어들은 에스페란토의 규칙에 따라 이 기본어에서 만들어내는 것이 좋다.

8) La fina vokalo / finiĝo / de la substantivo kaj de la artikolo povas esti forlasata kaj anstataŭigata de apostrofo.

8) 명사와 관사의 마지막 모음은 생략하고 생략부호(')로 대신할 수 있다.

☞ *la rajto de traduko de tiu ĉi broŝuro en ĉiujn aliajn lingvojn apartenas al ĉiuj.*

☞ 누구든지 이 소책자를 다른 언어로 번역할 권리가

있습니다.

ESPERANTO 에스페란토

Unua Libro, Dua Libro 제1서, 제2서

2023

ZAMENHOFA INSTITUTO 자멘호프학당

자멘호프학당에서 발간한 Pdf자료집

『제2서』

Dro ESPERANTO.

DUA LIBRO

de l' lingvo

INTERNACIA

KAJERO № 1.

Kosto 25 kopekoj.

VARSOVIO.

1888.

D-ro Esperanto

Dua Libro

de l' lingvo Internacia

(Kajero No 1)

Kosto 25 Kopekoj

Varsovio 1888

Klarigita kaj tradukita de
d-ro BAK Giwan

2022

Zaozhuang Universitato

1888.01.30.

Dua Libro 출판 허가

(율리우스력 1.18)

Antaŭparolo

Elirante ankoraŭ unu fojon antaŭ la estimata publiko, mi sentas la devon antaŭ ĉio danki la legantan publikon por la viva kunsento, kiun ĝi montris por mia afero. La multaj promesoj, kiujn mi ricevas, kaj el kiuj tre granda parto estas subskribita "senkondiĉe", la leteroj kun kuraĝigoj aŭ konsiloj — ĉio tio ĉi montras al mi, ke mia profunda kredo je l' homaro min ne trompis.

/ 주어: mi, ĉio tio ĉi (=La multaj promesoj + la leteroj) / 동사: sentas, montras / 목적어: la legantan publikon, ke-절 / kiun-절은 kunsento를 꾸미는 관계절 / ĝi는 leganta publiko / kiujn-절과 el kiuj-절은 promesoj를 꾸미는 관계절 / la leteroj는 앞의 La multaj promesoj와 동격 / ĉio tio ĉi 이 모든 것, "ĉio ĉi"라 해도 됨 / kredi 다음에는 목적격, 또는 al, pri, je 등의 전치사를 쓸 수 있음 /

머리말

존경하는 독자 여러분 앞에 다시 한 번 더 나서면서 저는 무엇보다 먼저 그동안 저의 이 일을 위하여 보여 주신 여러분의 실제적인 공감과 찬동에 대해 여러분 모두에게 감사를 드려야만 하겠습니다. 저는 지금 여러분이 보내 주시는 많은 약속들을 받고 있는데, 그 약속들 대부분은 "무조건 찬동"이라고 표시된 것입니다. 그리고 또한 많이 보내 주시는 격려와 조언의 편지들 — 이 모든 것은 인류에 대한 저의 큰 믿음이 저를 속이지 아니하였음을 말해 주는 것입니다.

La bona genio de l' homaro vekiĝis: de ĉiuj flankoj al la laboro ĉiuhoma venas amasoj, kiuj ordinare estas tiel maldiligentaj por ĉia nova afero; junaj kaj maljunaj, viroj kaj virinoj — rapidas porti ilian ŝtonon por la granda, grava kaj utilega konstruo. Vivu l' homaro, vivu la frateco de l' popoloj, vivu eterne!

/ 주어: La bona genio, amasoj, junaj kaj maljunaj, viroj kaj virinoj / 동사: vekiĝis, venas, rapidas / 목적어: 없음 / kiuj-절은 앞의 amasoj를 꾸미는 관계절 / junaj kaj maljunaj 젊은이들과 노인들 / rapidas 다음에 동사원형을 쓰면 "-하기 위해 빨리 온다" 정도의 뜻 / Vivu l' homaro 에서 〈l'〉은 좀 어색함, 프랑스어에서는 단어 처음에 나오는 'h'가 묵음이다. 혹시 자멘호프도 그 영향을 받았나? /

인류의 선한 양심이 깨어났습니다. 사방에서 인류 공동의 일에 많은 사람들이 몰려오고 있습니다. 보통은 모든 새로운 일에 그렇게 열성적이지 않던 사람들이 말입니다. 남녀노소 모두가 이 위대하고도 중요하며 또한 유익한 일에 자신의 벽돌을 보태기 위해 달려오고 있습니다. 인류 만세, 인류의 형제애 만세, 영원히 만세!

En mia unua verko mi diris, ke mian laboron mi prezentas je l' tempo de unu jaro al la juĝo de l' tuta mondo; kian pasus la jaro, mi intencis eldoni libreton, en kiu estus analizitaj ĉiuj pensoj esprimitaj de l' publiko, kaj uzinte tiujn, kiuj efektive estus bonaj, mi donus al la lingvo la finan formon,

/ 주어: mi, mi, mi, mi / 동사: diris, prezentas, intencis, donus / 'kian' 제2서 부록에서부터 kiam으로 바뀌었음 / kian 이후로 모두 가정법의 동사를 쓰고 있는데, 이건 모두 불확실한 미래를 추측하는 것이기 때문 / mi intencis eldoni libreton은 주절이며 여기서는 과거형 동사를 쓰고 있음에 유의 /

저는 제1서에서 저의 이 일을 1년 동안 세상의 판단에 맡긴다고 말했습니다. 그리고 그 1년이 지난 후 소책자를 발간하여 그동안 대중들이 보내 준 모든 아이디어들을 분석하여 정말 좋은 생각들은 잘 활용하여서 이 에스페란토에 마지막 손질을 가하리라 생각했습니다.

kaj post tio ĉi oni jam povus komenci la eldonon de plenaj vortaroj, libroj, gazetoj kaj cetere, ĉar tian la lingvo jam estus trairinta la juĝon de l' tuta mondo, kaj ĉiuj plej gravaj malbonaĵoj, kiuj povus esti trovitaj en ĝi, ĉar en verko de unu homo, — estus jam pli aŭ malpli forigitaj.

/ 주어: oni, la lingvo, malbonaĵoj / 동사: povus komenci, estus trairinta, estus / 'kaj ceteraj' = 'k.c.' / tian = tiam / ĉar en verko de unu homo "왜냐하면 이건 한 사람의 작품이니까요", 이런 표현은 재미있는 표현이다,

굳이 완벽하게 표현하자면, “ĉar malbonaĵoj povas esti trovitaj en verko de unu homo” /

그리고 그 후에는 큰사전이나 책, 잡지 등등이 출판될 수 있을 것입니다. 왜냐하면 그때에는 에스페란토가 이미 세상의 검증을 통과하고, 또 드러난 모든 중요한 문제들은 (이것은 한 사람의 작품이니까요) 어느 정도 다 해결이 되어 있을 것이니까요.

Mi efektive intencis silenti en la daŭro de tuta jaro. Sed de l' tago, kian eliris mia libreto, mi komencis ricevi multon da leteroj kun demandoj kaj kun petoj rapidigi l' aferon. Respondi je ĉiu letero aparte estas por mi ne eble, kaj tial mi decidis respondi publike je ĉiuj demandoj kaj proponoj, ĉar tiel unu respondo povas servi por multaj demandantoj.

/ 주어: Mi, mi, Respondi, mi, unu respondo / 동사: intencis, komencis, estas, decidis, povas servi / rapidigi 빨리 추진하다 / aparte 각각, 따로따로, 일일이, 분리해서 / ne eble 주어가 불변화법(동사원형)일 경우 보어는 부사형으로 함 /

사실 저는 일년 동안은 조용히 있으려고 했습니다. 그러나 저의 책자가 나간 날부터 저는 질문과 또 일을 빨리 추진하라는 부탁을 엄청 많이 받기 시작했습니다. 모든 편지에 일일이 답변하기란 저로서는 불가능합니다. 그래서 저는 모든 질문과 제안에 공개적으로 답변하기로 작정을 했습니다. 왜냐하면 그렇게 함으로써 한 번의 답변으로 많은 질문에 답을 할 수 있기 때문입니다.

Ĉiuj respondoj faros unu libron, kiu prezentos daŭrigon de l' unua libro, kiun mi eldonis. Sed se mi volus la respondojn je ĉiuj demandoj eldoni kune, en unu libro, mi devus tro longe atendigi miajn korespondantojn, dum tiu libro estos preta kaj eldonita, — tiom pli, ke konstante al mi venas novaj demandoj;

/ 주어: Ĉiuj respondoj, mi, mi, tiu libro, novaj demandoj / 동사: faros, volus ~ eldoni, devus ~ atendigi, estos, venas / dum은 전치사로도 쓰이고 접속사(2가지 뜻: -하는 동안, -하는 반면)로도 쓰임, 여기서는 접속사 (뜻은 '-하는 동안') / 'tiom pli, ke'는 좀 이상하다. 'tiom pli, ĉar '로 하는 게 이해가 쉬울 듯 /

모든 답변을 다 하자면 제가 펴낸 제1서의 속편이 될 수 있을 정도로 한 권의 책이 될 것입니다. 그러나 만약 제가 그 모든 답변을 함께 묶어서 한 권의 책으로 출판하려고 한다면, 그 책이 다 준비가 되고 출판이 될 때까지 저는 모든 사람들을 너무 오래 기다리게 해야만 할 것입니다. — 게다가 새로운 질문들이 계속해서 오고 있기도 합니다.

tial mi decidis eldoni la libron kun la respondoj — per apartaj kajeroj, kiuj estos ellasataj en la daŭro de la tuta jaro 1888 periode, kun intertempoj de ĉirkaŭ du monatoj de unu kajero ĝis la venonta. En tiuj ĉi kajeroj ĉiuj demandoj estos responditaj; je l' fino de l' jaro 1888 eliros la lasta kajero, kaj la "Dua libro de l' lingvo internacia" estos finita.

/ 주어: mi, ĉiuj demandoj, lasta kajero, "Dua libro de l' lingvo internacia" / 동사: decidis, estos responditaj, estos finita / en la daŭro de – 기간 동안 / periode 주기적으로 / kun intertempoj de ĉirkaŭ du monatoj 약 두 달의 간격을 두고 /

그래서 저는 답변을 책으로 출판을 하기로 결정을 했습니다. — 1888년 일년 동안에 걸쳐서 몇 권의 책으로 나누어서 말입니다. 그리고 그 각권의 책들은 약 두 달의 간격을 두고 발행이 될 겁니다. 이 책들에서 저는 모든 질문에 답변을 하겠습니다. 그리고 1888년 말에는 마지막 책이 발행이 될 것이며, 국제어 "제2서"는 끝이 날 것입니다.

Ankoraŭ unu afero devigas min komenci la eldonon de l' kajeroj, pri kiuj mi parolis: malgraŭ l' intenco, kiun mi esprimis en mia unua verko, komenci la eldonon de libroj ne pli frue ol estos finita la juĝo de l' publiko je l' lingvo proponita de mi, —de ĉiuj flankoj venas postuloj, ke mi kiom eble pli rapide eldonu ian libron en la lingvo internacia, ke la publiko povu koniĝi tiun ĉi lingvon ĉiuflanke, ĝin ellerni pli rapide kaj uzi ĝin.

/ 주어: unu afero, postuloj / 동사: devigas, venas / devigi iun –i 누구로 하여금 –하게 하다 / komenci는 앞의

intenco를 수식하는 불변화사 / kiun mi-절은 intenco를 꾸미는 관계절 / ne pli frue ol “-하기 전에는 -하지 않는다” / juĝo … je ... -에 대한 판단(평가) / kiom eble pli 가능한 한 더 -하게 / koniĝi tiun ĉi lingvon 여기서 목적격이 쓰인 것은 전치사 ‘kun’을 생략했기 때문 /

제가 말씀 드린 이 책들을 발행하려고 작정하게 된 데에는 또 하나의 이유가 있습니다. 제가 제1서에서 말씀 드렸듯이, 이 국제어에 대한 대중의 평가가 끝나기 전에는 책을 출판하지 않겠다고 다짐을 했음에도 불구하고, -각 방면에서 가능한 한 더 빨리 국제어로 어떤 책을 출판을 하여 대중이 모든 방면에서 그 언어와 친숙하게 되고 또 그것을 더 빨리 배워서 사용할 수 있도록 해 달라는 요구가 빗발치고 있습니다.

La nombro de tiuj ĉi postuloj estas tiel granda, ke mi ne povas jam aŭdi ilin silente. Eldonante la "Duan libron de l' lingvo internacia", skribitan jam en tiu ĉi lingvo, mi donos al la dezirantoj sufiĉe da materialo por legi kaj la eblon tute bone ellerni la lingvon; esceptinte la tekston de l' libro, kiu jam per si mem prezentos materialon por legi, en la libro estos ankaŭ pecoj sistemaj, por lerni kaj ripeti.

/ 주어: La nombro, mi, mi, pecoj / 동사: estas, povas, donos / tiel ~ ke ~ 그렇게(너무나) ~해서 ~하다 / aŭdi ilin silente 가만히 듣고만 있다 / 여기 materialo는 집합명사 / esceptinte -을 제외하고, -외에도 / per si mem 그 자체로 /

그 빗발치는 요구가 너무나 커서 저는 가만히 듣고만 있을 수는 없게 되었습니다. 여기 국제어로 바로 쓰여 출판되는 “국제어 제2서”는 독자 여러분께 충분한 읽을 거리와 또한 그 언어를 잘 학습할 수 있는 기회를 제공해 드릴 것입니다. 읽을 거리로 제공되는 문장들 외에도 이 책에는 외워서 익힐 수 있는 체계적인 짧은 문장들도 포함되어 있습니다.

La tuta libro havos 5–6 kajerojn, en kiuj estos trovataj respondoj je ĉiuj demandoj, kiuj tuŝas la lingvon mem, ĝian konstruon, ĝian estontecon, kiel ĝin bone kaj fonde ellerni, kiel plej rapide kaj plej certe vastigi ĝian uzon en la mondo, — kaj cetere.

/ 주어: La tuta libro, la lasta kajero, la societo, ĝi, ĝi / 동사: havos, estos elirinta, konos, havos, povas / fonde는 funde의 실수인 듯 / ‘ĝi tian’, ‘kiel ĝi’ 에서 ĝi는 societo를 가리킴 / 끝부분에 쓰인 ĉian은 ĉia의 목적격과 ĉiam의 뜻, 둘 다로 해석될 여지가 있음, 아마 바로 이것 때문에 자멘호프가 곧 ‘-an’을 ‘-am’으로 고친 게 아닐까? /

그 책 전부는 아마 5–6권이 될 것입니다. 그리고 거기에는 국제어 자체에 대한 질문, 또는 그 구조나 미래에 대한 질문 뿐 아니라, 그것을 어떻게 철저히 잘 배울 수 있을 것인가, 그리고 어떻게 그것을 세상에 빨리 확실히 보급할 것인가 등등 모든 질문에 대한 답변이 들어갈 것입니다.

Kian la lasta kajero de l' libro estos elirinta, tian por la leganto nenio jam estos ne klara: la societo tian konos la tutan animon de l' lingvo, ĝi tian havos plenan vortaron kaj povos tute libere uzi la lingvon por ĉiaj celoj, kiel ĝi povas nun uzi ĉian riĉan kaj prilaboritan vivantan lingvon.

/ 주어: la lasta kajero, la societo, ĝi, ĝi / 동사: estos elirinta, konos, havos, povas / 'ĝi tian', 'kiel ĝi' 에서 ĝi 는 societo를 가리킴 / 끝부분에 쓰인 ĉian은 ĉia의 목적격과 ĉiam의 뜻, 둘 다로 해석될 여지가 있음, 아마 바로 이것 때문에 자멘호프가 곧 '-an'을 '-am'으로 고친 게 아닐까? /

마지막 권이 출판될 때에는 여러분의 모든 궁금증이 다 분명해질 것입니다. 그때에는 세상이 이 언어의 정신을 이해하게 될 것이고, 또 그때에는 큰사전도 있을 것이며, 그 어떤 목적을 위해서라도 이 언어를 자유롭게 사용하게 될 것입니다. 마치 오늘날 풍부하고도 세련된 모든 살아 있는 언어를 세상 사람들이 사용할 수 있듯이 말입니다.

La dependo de la lingvo de l' volo aŭ de l' talento de mia propra persono aŭ de ia alia aparta persono aŭ personaro — tute foriĝos. La lingvo tian estos tute preta en ĉiuj plej malgrandaj ĝiaj partoj. La persono de l' aŭtoro tian tute foriros de la sceno kaj estos forgesita.

/ 주어: La dependo, La lingvo, La persono / 동사: foriĝos, estos, foriros ~ estos forgesita / dependo -에 의지함, -에 달려 있음, -에 좌우되다 / en ĉiuj plej malgrandaj ĝiaj partoj 그 모든 세세한 부분(방면, 분야)에서 / persono 사람, 개인, 인칭 /

이 언어가 저 개인이나 또는 그 어떤 개별적인 사람이나 단체의 의지나 재능에 의해 좌우되지 않을 것입니다. 그때에는 그 언어가 모든 세세한 부분에서 완벽해질 것이며, 또 저자 개인은 무대에서 완전히 사라지고 잊혀질 것입니다.

Ĉu mi post tio ankoraŭ vivos, ĉu mi mortos, ĉu mi konservos la forton de mia korpo kaj animo, ĉu mi ĝin perdos, — l' afero tute ne dependos de tio, kiel la sorto de ia vivanta lingvo tute ne dependas de l' sorto de tiu ĉi aŭ tiu persono.

/ 주어: l' afero / 동사: dependos / Ĉu ~ ĉu ~ 는 '-든지 -든지', 이것은 전체 문장의 종속절 / 주절은 l' afero 이하의 절 / ne dependos de tio에서 tio는 앞에서 말한 것 모두 /

제가 그 후에도 살아 있든 죽든, 또는 제가 몸과 정신에 힘이 있든 없든, 그 일은 그것에 전혀 영향을 받지 않을 것입니다. 모든 살아 있는 언어의 운명이 이런 저런 개인의 운명에 전혀 영향을 받지 않는 것처럼 말입니다.

Multaj kredeble balancas senkrede la kapon, legante miajn vortojn. Kiel tio estas ebla, ili diras, ke en la tempo de unu jaro la lingvo estus tute kaj plene preta, tiel ke ĝi ne bezonus pli la laboron de l' aŭtoro?

/ 주어: Multaj, ili / 동사: balancas, diras / Kiel tio estas ebla… -라는 것이 어떻게 가능한가? 이 문장은 diras의 목적어 / ke-절은 앞의 tio를 설명하는 종속절 / tiel ke… -하도록 /

많은 사람들이 제 글을 읽고서는 믿지 못하고 고개를 가로저을 것입니다. 일 년 동안에 어떻게 언어가 그렇게 완벽해져서 더 이상 저자의 노력도 필요없을 정도가 된단 말인가 하고 그들은 말할 것입니다.

Ke tiel grandega afero, kiel la kreo kaj la enkonduko de lingvo tutmonda, en la tempo de unu jaro tiel maturiĝus kaj fortiĝus kaj ricevus tian klaran, neŝanceleblan ordon, ke ĝi ne bezonus pli kondukanton! Sed mi esperas, ke jam post la dua aŭ la tria kajero la leganto vidos, ke mi ne fantazias.

/ 주어: afero, ĝi, mi, mi / 동사: maturiĝus kaj fortiĝus kaj ricevus, bezonus, esperas, fantazias / 맨 앞의 Ke는 앞 문장의 ili diras, ke 의 ke와 같은 것, 주절이 생략되었음 / tiel ~ kiel ~ -처럼(듯이) 그렇게 / tiel ~ ke ~ 그렇게 -하여 -되다 / 여기의 tian은 tiam이 아님 /

또 세계어(국제어)의 창안과 도입 같은 그런 거대한 일이 일 년 동안에 그렇게 성숙되고 또 힘있게 되어서 더 이상 지도자가 필요없을 정도의 그런 확실하고도 변함없는 질서를 가질 수 있단 말인가 하고 그들은 말할 것입니다. 그러나 저는 그 책자가 2, 3권만 나오게 되면 독자들은 제가 틀리지 않았다는 것을 알게 될 것입니다.

La leganto ne pensu, ke en la libro, kiun mi intencas eldoni, li vidos iajn mirindaĵojn. Tiu, kiu kutimis estimi la aferojn ne laŭ ilia praktika signifo kaj efektiva indo, sed laŭ la mirindeco kaj nenatureco de ilia nasko, estos kredeble trompita en siaj esperoj, kian, legante mian libron, li renkontos en ĝi sole aferojn simplajn kaj naturajn.

/ 주어: La leganto, li, Tiu, li, rezulto / 동사: pensu, vidos, estos … trompita, renkontos / Tiu, kiu ~ -하는 사람은 / sole는 nur와 같다, sola는 '혼자서'라는 뜻임 (보기: Li sola plenumis ĝin. Ĝi apartenas sole al mi.) /

독자 여러분은 제가 출판하려고 하는 이 책에서 그 무슨 기적 같은 것을 보게 될 줄로 생각하지 마시기 바랍니다. 어떤 일의 실용적인 의미나 실제적인 가치보다는 그 탄생의 신비함이나 초자연성에 따라 모든 일을 평가하는 데 익숙한 분은 분명히 제 책을 읽고서는 실망하게 될 것입니다. 제 책에서는 오로지 간단하고도 자연스러운 것들만 보게 될 테니까요.

Sed la rezultatoj de tiuj ĉi simplaĵoj estos, kiel laŭ mia espero la leganto poste vidos kaj konfesos, ke post la fino de l' jaro

/ 주어: la rezultatoj / 동사: estos / kiel-절은 삽입절 / laŭ mia espero는 삽입절 안의 삽입구 / ke-절은 estos의 보어절이며 동시에 konfesos의 목적어절이기도 함 / 이 문장 다

음에 이어지는 a), b) 전체가 ke-절에 포함됨 /

그러나 이러한 간단함으로 인해 발생하는 결과는 (저는 독자 여러분이 나중에 보시고 과연 그렇다고 고백하실 것이라 기대합니다만) 다음과 같은 것일 겁니다. 올해가 지나고 나면,

a) la lingvo estos finita kaj preta tute kaj plene, tiom, ke ĝi tute ne bezonos pli la laboron de l' aŭtoro, kaj, kiel ĉiu el la vivantaj lingvoj, ĝi fariĝos tute sendependa de ia aparta persono.

/ 주어: la lingvo, ĝi, ĝi / 동사: estos finita, bezonos, fariĝos / tiom, ke –할 정도로 그만큼 / kiel-절은 삽입절 / kiel ĉiu el la vivantaj lingvoj 다음에 estas tute sendependa de ia aparta persono가 생략된 것임 /

a) 그 언어는 다 만들어져서 더 이상 저자의 노력이 필요없을 만큼 완벽하게 준비가 되어 있을 것이며, 또 다른 모든 자연어들처럼 그것은 그 어떤 개인의 영향으로부터 완전히 벗어나 있을 것이다.

b) la lingvo estos pli aŭ malpli senerara, ĉar ĝis tiu tempo ĝi jam estos trairinta la juĝon de l' tuta mondo, kaj ĉiuj malbonaĵoj, kiuj povus esti trovitaj en tiu ĉi laboro de unu persono, estos forigitaj per la konsiloj de l' tuta mondo kune.

/ 주어: la lingvo, ĝi, ĉiuj malbonaĵoj / 동사: estos … senerara, estos trairinta, estos forigitaj / pli aŭ malpli

어느 정도 / estos trairinta와 estos forigitaj는 미래완료 /

b) 그 언어는 어느 정도 완전무결한 상태가 되어 있을 것입니다. 왜냐하면 그때까지 이미 그것은 온 세상의 비평을 통과해 있을 것이고 또 저 한 사람 개인의 작품에서 발견된 모든 미비한 점들이 온 세상 모든 사람들의 조언으로 이미 다 해결되어 있을 것이기 때문입니다.

Legante la unuajn kajerojn de mia libro, multaj kredeble restos ne kontentaj, ĉar ili eble tie ne trovos respondojn je l' demandoj, kiujn ili sendis; kaj ĉar lia propra demando en la okuloj de ĉiu estas la plej grava, multaj kredeble ekkrios: "Kio li parolas sole pri aferoj tute sensignifaj, kaj pri l' aferoj efektive gravaj li ne parolas eĉ unu vorton!"

/ 주어: multaj, ili, demando, multaj / 동사: restos, trovos, estas, ekkrios / Legante-절은 분사구문, 의미상 주어는 multaj / restos ne kontentaj 만족하지 못할 것이다 / en la okuloj de ĉiu 모든 사람의 눈에는 / Kio는 Kion의 잘못(?) /

저의 책들 가운데 먼저 나온 것들을 읽고서는 많은 사람들이 분명히 만족스럽게 생각하지 않을 것입니다. 왜냐하면 거기서 자신들이 보냈던 질문에 대한 답을 발견하지 못할 것이기 때문입니다. 그리고 모든 사람의 눈에는 자기의 질문이 가장 중요한 것처럼 보이기 때문에 많은 사람들이 분명히 이렇게 외칠 것입니다: “도대체 그가 무슨 말을 하는가? 그는 전혀 쓸데없는 말만 하고 정말로 중요한 것에 대해서는 한마디도 하지 않는다!”

La leganto oferu al mi iom da atendemo, ĉar ĝis la fino de l' jaro ĉiuj estos kontentigitaj. Se en unu de l' unuaj kajeroj tiu aŭ alia demando estos jam ŝajne finita kaj liberigos la lokon por alia demando, tio tute ne devas pensigi, ke mi jam pli ne parolos pri ĝi. Ĉar pri multaj demandoj mi donos en la unuaj kajeroj sole mian personan juĝon, sed poste mi revenos al ili kaj donos la decidon finan, ricevitan per la juĝo de l' publiko.

/ 주어: La leganto, demando, tio, mi, mi, mi / 동사: oferu, estos…finita, devas, parolos, donos, revenos…kaj donos / oferi 제물로 바치다, 봉헌하다 / de l’ jaro 올해의 / Se = Eĉ se / liberigos la lokon por alia demando 다른 문제에 자리를 양보하다, 다른 문제로 넘어가다 / pensigi는 자주 쓰이지 않는 말, vin이 생략되었다고 볼 수도 있음 / ne devas pensigi, ke -라고 생각할 필요는 없다 / sole 오직 /

독자들께서는 조금만 기다려 주시기 바랍니다. 올해 말까지는 모든 분들이 만족해 하실 겁니다. 처음 몇 권의 책에서 이런 저런 문제가 이미 끝나 버리고 다른 문제로 넘어가 버린 것 같을지라도 그것으로 인해 제가 그 문제에 대해 더 이상 말을 하지 않을 거라고 생각하실 필요는 없습니다. 왜냐하면 많은 문제에 대해 처음에는 오로지 저의 개인적인 판단만을 말하겠지만, 나중에 그 문제로 다시 돌아와서 대중의 판단에 따른 최종적인 결정을 말해 드릴 것이기 때문입니다.

Pro la celoj de l' afero la libro ne estos unu sistema verko — ĝi estos simple mia interparolo kun l' amikoj de l' lingvo internacia. La kosto de ĉiu kajero estos 25 kopekoj. Kiu volas, ke mi sendu al li ĉiun venontan kajeron tuj, kian ĝi estos preta kaj eliros el la presejo, tiu sendu al mi la koston de l' venonta kajero tuj post la ricevo de l' antaŭiranta.

/ 주어: la libro, ĝi, La kosto, Kiu, tiu / 동사: estos, estos, estos, volas, sendu / Kiu volas-절은 뒤의 tiu를 꾸미는 관계절 / ke-절은 앞의 volas의 목적어절 / l' antaŭiranta 앞선 것 /

이 일의 목적상 그 책은 하나의 체계적인 작품이 되지는 못할 것입니다. 그것은 단지 국제어 친구들과 나누는 저의 대화에 불과할 것입니다. 이 책의 각권의 값은 25코페코가 될 겁니다. 혹시 이어서 발행될 책이 준비가 다 되어 인쇄가 끝나는 즉시 제가 보내 드리기를 원하시는 분들은 앞선 책을 받으신 후에 바로 그다음 책의 값을 제게 보내 주시기 바랍니다.

Antaŭe ol fini la antaŭparolon, mi permesas al mi ripeti ankoraŭ la peton, kiun mi jam esprimis en mia unua verko: ĉiu pene juĝu la aferon, proponitan de mi, kaj ĉiu montru al mi la erarojn, kiujn li trovis en ĝi, aŭ la plibonigojn, kiujn li povas proponi.

/ 주어: mi, ĉiu, ĉiu / 동사: permesas, juĝu, montru / Antaŭe: 요즘은 이 경우 전치사 Antaŭ를 씀, antaŭ ol ~ -하기 전(에) / permesi iun (=al iu) -i 누구에게 -을 하도록 하다 / pene는 애를 많이 쓰는 것을 의미함 /

머리말을 마치기 전에 저는 제1서에서 이미 드린 바 있는 부탁을 다시 한 번 더 드리고자 합니다. 여러분은 제가 제안하는 이 일을 꼭 신중하게 한번 검토해 봐 주시기를 바랍니다. 그리고 혹시 잘못된 점을 발견하시거나 또는 더 좋은 제안이 있으시면 제게 꼭 좀 알려 주시기를 바랍니다.

Se la leganto ne povis ankoraŭ tute bone ekkoni mian aferon el mia unua libreto, tiu ĉi mia dua libro povigos lin post kelka tempo ekkoni ĝin tute kaj ĉiuflanke. Ke mia afero venu al dezirinda celo, estas necese ne sole, ke la mondo diru sian juĝon pri tiu ĉi afero, sed ke mi sciu la juĝon de l' mondo kaj povu ĝin uzi por mia laboro.

/ 주어: tiu ĉi mia dua libro, 두 개의 ke-절 / 동사: povigos, estas necese / povigi 가능하게 하다 / 여기 쓰인 Ke는 Por ke와 같음, 뒤에 원망법 어미가 쓰임, 부사절 / estas necese의 주어는 뒤에 나오는 두 개의 ke-절 / 두 개의 ke-절에 모두 원망법 어미가 쓰인 것에 유의 /

혹시 저의 제1서를 읽으셨으나 그래도 저의 이 일을 아직 분명히 잘 모르겠다는 분이 계시다면, 이 제2서를 조금만 읽어 보시면 전반적으로 그리고 모든 방면에서 잘 이해하시게 될 것입니다. 저의 이 일이 바람직한 방향으로 나아가게 하기 위해서는 이 일에 대한 여러분의 비판이 꼭 필요합니다. 그리고 또한 그 비판을 제가 알고 이 일에 활용할 수 있어야만 합니다.

Dissendante mian unuan verkon al la redakcioj de l' gazetoj, mi petis ilin alsendi al mi tiun numeron de l' gazeto, en kiu estos kritiko de mia afero; sed bedaŭrinde tre malmultaj plenumis mian peton, kaj sciiĝi mem, kie, kian kaj kio estis parolata pri mia afero, estas por mi tute ne ebla.

/ 주어: mi, malmultaj, sciiĝi / 동사: petis, plenumis, estas…ne ebla / Dissendante 분사구문의 의미상 주어는 mi / alsendi는 그냥 sendi로 써도 됨 / sciiĝi가 주어로 쓰이고 있으니 그 보어는 ebla가 아닌 eble가 되어야 함, 자멘호프의 실수 / kie, kian kaj kio-절은 그 앞에 pri tio를 넣으면 이해가 쉬움 / kian=kiam /

여러 잡지사에 제1서를 보내면서 저는 저의 이 일에 대한 비평이 실린 (실리게 될) 잡지의 호수를 제게 좀 알려 달라고 부탁을 했습니다. 그러나 유감스럽게도 제 청을 들어준 곳은 많지 않았습니다. 그리고 이 일에 대한 기사가 어디, 언제, 무엇이 실렸는지 제 스스로 알아내는 것은 저로서는 불가능한 일입니다.

Tial mi petas la legantojn de l' gazetoj sendi al mi la numerojn, en kiuj ili legis ion pri l' afero, proponita de mi, kaj jam antaŭe mi esprimas al ili mian koran dankon. Mi petas ĝin ne por mi, sed pro l' afero.

/ 주어: mi, ili, mi, Mi / 동사: petas, legis, esprimas, petas / peti iun –i 누구에게 무엇을 해 달라고 부탁하다 / antaŭe 미리, 앞서서, antaŭdankon /

그래서 저는 제가 제안한 이 일에 대한 기사가 실린 잡지의 호수를 제게 좀 알려 주십사고 여러 잡지 구독자 여러분께 부탁을 드리는 바입니다. 그리고 그분들께 미리 진심으로 감사를 표하고자 합니다. 이것은 저를 위해서가 아니라 이 일을 위해서 부탁을 드리는 것입니다.

Fine, antaŭ la komenco de mia interparolo kun la amikoj de l' lingvo internacia, mi esprimas ankoraŭ unu fojon mian varmegan dankon al la publiko por la helpemo, kiun ĝi montris al mi; mi esperas, ke la kunsento de l' publiko ne malvarmiĝos, sed konstante kaj senĉese kreskos, kaj post tre mallonga tempo venos al celo la afero, je kiu laboras ĉiuj sferoj de l' homa societo.

/ 주어: mi, mi, kunsento, la afero / 동사: esprimas, esperas, malvarmiĝos…kreskos, venos / unu fojon 목적격이 쓰인 것은 전치사 je가 생략된 것임, unufoje라 할 수도 있음 / kunsento 공감, simpatio / post tre mallonga tempo 곧, tre baldaŭ, tuj(?) /

국제어 친구들과의 대화를 시작하기에 앞서 마지막으로

저는 다시 한 번 제게 보내 주신 여러분의 협조에 뜨거운 감사를 표하고자 합니다. 저는 여러분의 이 공감이 (공감과 협조가) 식지 아니하고 끊임없이 계속되길 바라며, 그리하여 인류가 모든 분야에서 애쓰고 있는 이 일이 곧 그 목적을 달성할 수 있게 되길 바라 마지않습니다.

I.

Antaŭ ĉio mi parolos kelkajn vortojn pri tiuj kritikoj, kiujn mi ĝis hodiaŭ aŭdis aŭ legis, en gazetoj aŭ en leteroj al mi, kvankam mi devas antaŭsciigi la leganton, ke tiu ĉi punkto estas en miaj okuloj tre grava kaj poste mi ankoraŭ parolos pri ĝi pli vaste.

/ 주어: mi, mi, tiu ĉi punkto, mi / 동사: parolos, devas, estas, parolos / en leteroj al mi 제게 보내주신 편지들 / 여기 쓰인 kvankam은 조금 이상함, 차라리 이것을 쓰지 않고 새로운 문장으로 시작하는 것이 이해가 쉬움 / tiu ĉi punkto 이 점, 위에서 꼭 말해야 되겠다고 한 그것 / en miaj okuloj 제가 보기에는 /

I.

우선 그동안 제가 잡지나 또는 제게 온 편지들에서 듣거나 읽은 비판들에 대해 몇 마디 드릴 말씀이 있습니다. 제가 보기에 이것은 아주 중요한 문제입니다. 그래서 나중에 이것에 대해 더 폭넓게 말씀을 드리겠다는 것을 독자 여러분께 미리 알려 드립니다.

Mi ne volus fari ian premon sur la juĝo de l' publiko,

kaj mi volus, ke la mondo kreu mem sian decidon en la afero, kiun mi proponis. Sed kelkaj kritikoj estis tiel skribitaj, ke mi ne povas tute silenti pri ili.

/ 주어: Mi, mi, mondo, kritikoj, mi / volus, volus, kreu, estis, povas / fari ian premon sur -에 압력을 가하다 / kreu 원망법이 쓰인 것에 유의 / tiel ~ ke ~ 너무나 -해서 -하다 /

저는 대중의 판단에 어떤 압력을 가할 생각은 추호도 없습니다. 저는 제가 제안한 것에 대해 세상 사람들이 스스로 결정을 내려 주기를 바랄 뿐입니다. 그러나 몇몇 비판들은 제가 침묵만 할 수 없을 정도의 그런 비판이었습니다.

a) Unuj parolis pri l' aŭtoro, anstataŭ paroli pri l' afero. Ili aŭ ŝutis komplimentojn al la aŭtoro, rigardigis, kiom da malfacila laboro kredeble la afero min kostis, kaj, laŭdante la aŭtoron, ili preskaŭ tute forgesis paroli pri l' utileco kaj la signifo de l' afero kaj decidigi la publikon labori por ĝi;

/ 주어: Unuj, Ili, la afero, ili / 동사: parolis, ŝutis… rigardigis, kostis, forgesis / aŭ가 좀 이상함, 뒤에 또 하나의 aŭ가 나와야 하는데, 그렇지 않음, 아마도 rigardis 앞에 쓸 것을 잊은 것 같음 / ŝutis komplimentojn 칭찬(찬사)을 퍼붓다 / rigardigi 바라보게 하다, (다른 사람들로 하여금) -을 주목하게 하다 / kosti 값이 나가다, -에게 -을 치르게 하다 / kredeble la afero kostis min kiom da malfacila laboro로 차례를 바꾸면 쉬움, 그러나 이 문장은 영어의 4 형식과 같은데, 에스페란토에선 좀 이상함, min을 al mi로 고치면 좋겠음, 물론 전치사 al 대신 목적격 min을 썼다고 말할 수도 있음 /

a) 어떤 사람들은 일에 대해서 말하기보다는 저자에 대해서 말을 했습니다. 그들은 저자에게 찬사를 퍼붓기도 하고 또는 그 일이 저로 하여금 얼마나 많은 어려움을 치르게 했을지에 대해서 말하며 저자를 칭찬하느라 그 일의 유용성과 의미에 대해 말하는 것을 완전히 잊어 버렸습니다. 그리고는 대중으로 하여금 그 일을 위해서 뭔가를 하도록 하는 것도 잊어 버렸습니다.

aliaj, ne trovante en mia verko la instruitan miksaĵon kaj la instruita-teorian filozofadon, kiujn ili kutimis renkonti en ĉia grava verko, timis, ke la pseŭdonima aŭtoro eble estas ne sufiĉe instruita aŭ ne sufiĉe merita, kaj ili timis esprimi decidan juĝon, pli multe penante malkovri, kiu estas la pseŭdonima aŭtoro.

/ 주어: aliaj, ili / 동사: timis, timis / aliaj 다른 사람들 / ne trovante ~ grava verko는 분사구문 / instruitan miksaĵon 유식한 것처럼 보이는 그 어떤 것을 / instruita-teorian filozofadon 학술적이며 이론적인 냄새를 풍기는 그 어떤 것을 / instruita는 '교육을 받은, 유식한' / timis '두려워했다', 앞에 쓰인 것은 '의심했다'로 해석하는 게 좋겠음 / decida juĝo 결정적인 판단 / pli multe penante는 분사구문 / kiu-절은 malkovri의 목적어절 /

그리고 다른 사람들은 저의 작품에 그 어떤 유식한 것처럼 보이는 것이나 또 학술적이며 이론적인 냄새를 풍기는 것이 없다는 것을 알고는 익명의 저자가 혹시 제대로 교육도 받지 못한 자격 없는 자가 아닌지 의심하고서 결정적인 판단을 내리기를 두려워했습니다. 그리고는 그 익명의 저자가 누구인지 밝혀내는 데에만 몰두했습니다.

Por igi la kritikistojn tute apartigi la aferon de la aŭtoro, mi publike diras mem, ke mi ne estas multege instruita lingvisto, ke mi estas tute senmerita kaj ne konata en la mondo. Mi scias, ke mia konfeso malvarmigos multajn por la afero, sed mi volas, ke oni juĝu ne l' aŭtoron, sed la verkon.

/ 주어: mi, Mi / 동사: diras, scias / apartigi -n de -o - 을 -로부터 분리시키다 / malvarmigi 차갑게 만들다, 실망시키다, 찬물을 끼얹다 /

비평가들이 이 일과 그 저자를 분리해 생각할 수 있도록 해드리기 위해 저는 공개적으로 말씀 드립니다. 저는 많이 배운 언어학자가 아닙니다. 그리고 또 세상에 그리 알려지지도 않은 자격 없는 사람입니다. 저는 저의 이 고백이 이 일에 대해서 많은 사람들을 실망시킬 수 있다는 사실을 잘 압니다. 그러나 저는 사람들이 저자가 아닌 작품을 평가해 주기를 바랄 뿐입니다.

Se la verko estas bona, prenu ĝin; se ĝi estas malbona — ĵetu ĝin. Per kia vojo mi venis al la kreo de mia lingvo kaj laŭ kiaj metodoj mi laboris, — mi ankoraŭ parolos, sed en unu de la venontaj kajeroj; ĉar laŭ mi tiu ĉi demando estas por la publiko sen signifo: por la mondo estas gravaj sole la rezultatoj.

/ 주어: (Vi), mi, tiu ĉi demando, rezultatoj / 동사: prenu, ĵetu, parolos, estas, estas / Per kia vojo 어떤 과정을 통해 / laŭ kiaj metodoj 어떤 방법으로 / sed en 사이에 mi parolos가 생략되었음 / rezultato는 어떤 결과물 /

만약 그 작품이 좋으면 취하십시오. 그러나 그것이 좋지 않으면 버리십시오. 제가 그 어떤 과정을 통해 이 언어를 만들 생각을 하게 되었는지, 그리고 그 어떤 방법으로 이 일을 해 왔는지는 다 말씀을 드리겠습니다. 그러나 앞으로 발간될 다른 책에서 말씀을 드리겠습니다. 왜냐하면 이 문제는 제가 볼 때 일반 대중에게는 전혀 의미가 없는 일이기 때문입니다. 세상을 위해서는 오직 그 결과물만이 중요할 뿐입니다.

b) Aliaj ekbrilis per senfinaj filozofadoj kaj skribis instruitajn artikulojn, tute ne pensinte kaj ne demandinte sin, ĉu ili parolas logike kaj afertuŝante. Anstataŭ provi praktike (kion fari estas tre facile), ĉu la lingvo, proponita de mi, taŭgas por internacia kompreniĝo, ĉu ĝi efektive al ĉiu donas la eblon esti komprenata de personoj alinaciaj, — ili parolis pri la fiziologio kaj historio de l' lingvoj vivaj;

/ 주어: Aliaj, ili / 동사: ekbrilis, parolis / artikulo는

artikolo로 바뀌었음 / tute ne pensinte ~ afertuŝante는 분사구문 / afertuŝi '일을 건드리다', 즉, 실제적, 사실에 부합한 말을 하다 / Anstataŭ provi ~ alinaciaj는 ili 이하 문장의 부사절 / provi의 목적어는 2개의 ĉu-절 / 괄호 안의 kion-절은 "그것을 하기는 쉬운 일입니다"의 뜻, tion을 써도 됨, 관계대명사 kio의 용법 가운데 하나 (앞 문장 전체가 선행사일 때) / esti는 앞의 eblon을 꾸미는 불변화법 / fiziologio 생리학 /

b) 다른 사람들은 끝없는 이론(철학)만 늘어놓으면서 유식하게 보이는 글들을 썼습니다. 그들은 자기가 과연 논리적이며 또한 사실에 부합한 말을 하고 있는지조차도 생각해 보지 않은 것 같았습니다. 제가 제안한 이 언어가 국제간의 의사소통에 적합한지 또 그것이 실제로 모든 민족 사이에 이해의 가능성을 가져다 줄 것인지, 그런 것들은 시험해 보지도 않고 (이 시험은 쉽게 할 수 있는 것입니다), 그들은 그저 자연어들의 생리학이나 역사만을 이야기했습니다.

anstataŭ provi per ilia propra orelo, ĉu mia lingvo estas bonsona aŭ ne, — ili teorie parolis pri leĝoj de bonsoneco; anstataŭ analizi, ĉu mi bone kreis la vortaron kaj ĉu oni ne povus fari ĝin ankoraŭ pli komprenebla kaj pli praktika, ili diris, ke la vortaro devas esti farita el radikoj Sanskritaj aŭ el vortoj, prenitaj mikse el ĉiuj lingvoj de l' mondo.

/ 주어: ili, ili / 동사: parolis, diris / provi ~ ĉu -인지 아닌지 시험해 보다 / analizi ~ ĉu -인지 아닌지 분석해 보다

/ ankoraŭ pli 좀 더 /

저의 이 언어가 정말 발음이 좋게 나는지 그렇지 않은지 자신의 귀로 직접 확인해 보는 대신 그들은 그저 이론적으로 좋은 발음의 법칙에 대해서만 말을 했습니다. 그리고 제가 단어들을 정말 제대로 잘 만들었는지 그리고 그것을 좀 더 이해가 쉽도록 또는 더 실용적이게 다듬을 수 있을지 없을지를 분석하는 대신 그들은 단어는 산스크리트어 어근에서 뽑아내야 한다거나 또는 세상에 있는 많은 말들을 섞어서 만들어 내야 한다고 말을 했습니다.

(La lingvo multe per tio ĉi perdus, fariĝinte tute ne komprenebla; sed kion ĝi gajnus, esceptinte la sennecesan instruitan eksteron? tion ĉi ili tute forgesis sin demandi.)

/ 주어: La lingvo, ĝi, ili / 동사: perdus, gajnus, forgeis / perdus의 목적어는 multe / esceptinte-구는 분사구문, escepte de나 krom을 써도 됨 / tion ĉi를 소문자로 쓴 걸 보면, 자멘호프는 (비록 가운데 물음표를 썼지만) 이 앞뒤의 문장 전체를 하나의 문장으로 인식하고 있는 것 같음 / demandi의 목적어가 2개의 목적격으로 표현되어 있음, 이것은 좋지 않은 표현임, tion ĉi를 pri tio ĉi 대신 쓴 걸로 이해하거나, sin demandi를 하나의 동사 sindemandi(자문하다)로 이해할 수도 있음 /

(이 일로 이 언어는 많은 것을 잃어버릴 것입니다. 그리고 전혀 이해할 수 없는 말이 되어 버릴 것입니다. 그리고 그저

외형적으로 좀 유식해 보인다는 것 외에 도대체 뭘 더 얻을 수 있단 말입니까? 바로 이 점을 (자문해 보는 것을) 그들은 완전히 잊어 버린 것 같습니다.)

c) Aliaj skribis kritikon pri mia afero, eĉ ne leginte bone mian malgrandan broŝuron kaj eĉ ne peninte kompreni la aferon. Tiel ekzemple la unuatempajn signetojn inter la partoj de l' vortoj ili tute ne komprenis, kaj skribante ekzemple "ensong, oprinc, in, o, nmivid, is" (anstataŭ: "en sonĝ,o princ,in,o,n mi vid,is"), ili rigardigis iliajn legantojn, "kiel malbonsona kaj nekomprenebla la lingvo estas"!

/ 주어: Aliaj, ili, ili / 동사: skribis, komprenis, rigardigis / Tiel ekzemple 예를 들자면 / rigardigi -로 하여금 -을 보게 하다, 여기선 "-에게 -라고 떠들어대다"의 뜻으로 이해할 수 있겠음 /

c) 또 다른 사람들은 저의 그 조그만 책자도 읽어보지 않고 또 이 일 자체를 전혀 이해하지 못하고 제 일에 대해서 비판을 했습니다. 예를 들자면 형태소들 사이에 임시적으로 쓰이는 그 조그만 기호를 전혀 이해하지 못하고, "en sonĝ,o princ,in,o,n mi vid,is" 대신 "ensong, oprinc, in, o, nmivid, is"라고 써 놓고는 "이 말이 얼마나 소리가 엉망이고 또 이해불가인가!"라고 독자들에게 떠들어 댔습니다.

La projekton de l' tutmonda voĉdono, kiu kun la efektiva kaj senkondiĉa signifo de l' lingvo tute ne estas kunligita, kaj kiu estas proponita sole por tio, ke la lingvo pli rapide el internacia fariĝu tutmonda, — ili prenis por la plej grava kaj fonda parto de l' afero

/ 주어: ili / 동사: prenis / 주절이 맨 뒤에 나옴 / La projekton ~ tutmonda는 뒤에 나오는 주절의 동사 prenis의 목적어 / efektiva 실제적인, 실체적인, 실질적인, 현실적인, 이론적이 아닌 / prenis -on por ~ -를 ~로 이해하다(간주, 취급하다) / 선행사 voĉdono를 꾸미는 kiu-관계절이 2개 나옴 / la lingvo pli rapide el internacia fariĝu tutmonda는 la lingvo pli rapide fariĝu tutmonda el internacia로 써도 됨 / fonda는 funda(근본적인)의 실수인 것 같음, 혹은 '기초적인'으로 볼 수도 있겠음(?), fond-는 동사, fund-는 명사가 어근임 /

그들은 '전세계적 투표'를 이 일의 가장 중요하고도 근본적인(기초적인) 부분으로 간주했습니다. 그러나 그것은 이 언어와는 아무 관계가 없습니다. 사실 이 언어는 실제적인 것이며 아무 조건도 달지 않은 것입니다. 그리고 또 이 말이 하루라도 빨리 국제적인 언어에서 전세계적인 언어가 되기를 목적으로 하여 제안된 것일 뿐입니다.

kaj komprenigis la legantojn, ke "ĉar dek milionoj adeptoj (!) nenian estos kolektitaj, tial la afero tute ne havas estontecon"! Kelkajn fojojn mi eĉ legis longajn artikulojn pri mia afero, kie estis videble, ke la aŭtoroj eĉ ne vidis mian verkon.

/ 주어: 앞에 나온 ili, mi, aŭtoroj / 동사: komprenigis, legis, ne vidis / kie-절은 artikulojn을 꾸미는 관계부사절, 이 관계부사절 안의 주어는 ke-절, 그래서 보어가 부사로 쓰임 / estis videble, ke ~임이 분명하였다 /

그리고는 독자들로 하여금 "천만 명의(!) 지지자는 절대 모일 수가 없으니 이 일은 전혀 미래가 없다(!)"라고 생각하게 만들었습니다. 몇 번은 저의 이 일에 대해 길게 쓴 글들을 읽었는데, 그 저자들은 저의 책을 읽어 보지도 않았음이 분명했습니다.

ĉ) Aliaj, anstataŭ paroli pri la utileco aŭ la senutileco de mia lingvo, donis sole sensencajn ŝercojn, kiuj de iliaj legantoj estis eble prenataj por kritiko, ĉar multaj legantoj propran juĝon ne havas, kaj la plej malsaĝaj ŝercoj je ia afero estas por ili sufiĉa vidigo, ke la afero estas "ridinda" kaj taŭgas por nenio.

/ 주어: Aliaj, legantoj, ŝercoj, la afero / 동사: donis, havas, estas, estas / anstataŭ paroli 말하는 대신 / estis eble prenataj por 아마도 -로 간주되었을 것이다 / vidigo 드러냄, 증명 /

ĉ) 다른 사람들은 이 국제어의 실용성이나 비실용성에 대해 말하기보다는 의미없는 농담만을 던졌을 뿐입니다. 그런데 그런 농담은 아마도 독자들에게는 비판으로 간주되었을 것입니다. 왜냐하면 대부분의 독자들은 스스로 그 무엇을 판단하지 않기 때문이며, 또한 그러한 아주 어리석은 농담이 그들

에게는 그 일이 아무짝에도 쓸모없는 우스꽝스러운 것이라는 걸 보여주기에 충분하기 때문입니다.

Mi ne deziras laŭdon, mi volas, ke oni min helpu forigi la erarojn, kiujn mi faris, kaj ju la kritikoj de mia lingvo estas pli severaj, des pli danke mi ilin alprenas, se ili nur havas la celon montri al mi la erarojn de mia afero, ke mi ilin bonigu, sed ne ridi sen senco aŭ insulti sen kaŭzo.

/ 주어: Mi, mi, mi / 동사: deziras, volas, alprenas / ju (…) pli ~ des pli ~하면 할수록 더 / montri, ridi, insulti는 모두 celon과 관계되는 불변화법 / ke mi=por ke mi, 뒤에 원망법 어미가 쓰임 / sen senco, sen kaŭzo는 sensence, senkaŭze로 써도 됨 /

저는 칭찬을 바라지 않습니다. 다만 제가 실수한 것들을 제거할 수 있도록 여러분이 도와 주시길 바랄 뿐입니다. 그리고 이 국제어에 대한 비판이 날카로우면 날카로울수록 저는 더더욱 감사히 그 비판을 받아들일 것입니다. 다만 그 비판이 제가 더 좋게 고칠 수 있도록 그 일에 대한 실수를 지적해 주시는 것이길 바랄 뿐입니다. 그러나 그저 아무 의미없는 웃음이나 또 아무 이유없는 비난을 목적으로 하는 비판은 사양하겠습니다.

Mi scias tre bone, ke la verko de unu homo ne povas esti senerara, se tiu homo eĉ estus la plej genia kaj multe pli instruita ol mi. Tial mi ne donis ankoraŭ al mia lingvo la finan formon; mi ne parolas: "jen la lingvo estas kreita kaj preta, tiel mi volas, tia ĝi estu kaj tia ĝi restu!"

/ 주어: Mi, mi, mi / 동사: scias, donis, parolas / se eĉ를 이렇게 둘 사이를 띄어도 괜찮음 / doni la finan formon 최종 완결판을 만들어내다 / tiel, tia, tia가 좀 재미있게 쓰였음, "그렇게 나는 원하니, 그런 모양이 되고, 그런 모양으로 지속되어라", 혹은 tiel, kiel mi volas로 생각할 수도 있음, 그리고 그 뒤에는 kaj를 덧붙여서 (즉, 앞과 완전히 두 개의 문장으로 분리함) kaj ĝi estu tia, kaj ĝi restu tia로 생각할 수도 있음, "내가 원하는 대로 그렇게 언어가 다 만들어졌다. 그러니 이제 그 모양 그대로 유지되길 바란다" / 여기의 estu, restu는 같은 말을 강조하기 위해 두 가지로 쓴 것으로 이해할 수 있음 / 혹은 앞 문장과 완전히 분리시켜, "내가 원한 대로 그렇게 되고, 또 그렇게 계속 지속되어라"로 이해할 수도 있겠음 /

저는 한 사람의 작품은 절대 완벽할 수가 없다는 것을 잘 알고 있습니다. 그 사람이 아무리 천재적이고 또 저보다 훨씬 더 많이 배운 사람이라 할지라도 말입니다. 그래서 저는 제가 만든 이 언어가 최종적인 완결판의 형태라고 말하지는 않습니다. 저는 "이제 언어가 완전히 다 만들어졌다. 내가 원하는 대로 되었으니, 이 모양 이대로 계속 지속되길 바란다"라고 말하지도 않습니다.

Ĉio bonigebla estos bonigata per la konsiloj de l' mondo. Mi ne volas esti kreinto de l' lingvo, mi volas nur esti iniciatoro. Tio ĉi estu ankaŭ respondo al tiuj amikoj de l' lingvo internacia, kiuj estas neatendemaj kaj volus jam vidi librojn kaj gazetojn en la lingvo internacia, plenajn vortarojn, vortarojn nacia-internaciajn kaj cetere.

/ 주어: Ĉio, Mi, mi, Tio ĉi / 동사: estos, volas, volas, estu / iniciatoro = iniciatinto / Tio ĉi estu ~이길 바랍니다 / kiuj-절은 선행사 amikoj를 꾸미는 관계절 /

개선할 수 있는 것은 여러분의 조언을 받아 모두 개선하겠습니다. 저는 한 언어의 창조자가 되려는 게 아닙니다. 그저 시작하는 사람이 되려고 할 뿐입니다. 하루라도 빨리 이 국제어로 된 책과 잡지들, 그리고 큰사전과 여러 언어별 사전 등을 보고 싶어 하는 국제어 친구들이 계시겠지만 바로 이것이 그 모든 분들께 드리는 저의 답변입니다.

Ne malfacile estus por mi kontentigi tiujn ĉi amikojn; sed ili ne forgesu, ke tio ĉi estus danĝera por la afero mem, kiu estas tiel grava, ke estus nepardoneble faradi laŭ la propra decido de unu homo. Mi ne povas diri, ke la lingvo estas preta, ĝis ĝi estos trairinta la juĝon de l' publiko. Unu jaro ne estas eterno, kaj tamen tiu ĉi jaro estas tre grava por l' afero.

/ 주어: kontentigi, ili, Mi, ĝi, Unu jaro, tiu ĉi jaro / 동사: estus, forgesu, povas, estos, estas, estas / kontentigi가 주어이므로 보어가 부사 malfacile로 되었음 /

nepardonebled도 마찬가지 / tiel grava, ke ~ 아주 중요하기 때문에 ~ / ĝis는 전치사로도 쓰이고 접속사로도 쓰임, 여기서는 접속사 /

저로서는 이 모든 친구 분들을 다 만족시켜 드리기가 무척 어렵습니다. 그러나 이렇게 여러분을 다 만족시켜 드리는 일은 아주 위험한 일입니다. 왜냐하면 이 일은 너무나도 중요하여서 한 사람의 결정으로 모든 일을 처리하는 것은 용납할 수 없기 때문입니다. 저는 이 언어가 대중의 판단을 다 통과하기 전까지는 이것이 완전히 다 준비되었다고 말할 수 없습니다. 일 년이란 영원은 아니지요. 그러나 이 일을 위해서는 이 일 년은 참으로 중요한 시간입니다.

Tiel ankaŭ mi ne povas fari iajn ŝanĝojn en la lingvo tuj post la ricevo de la konsiloj, se tiuj ĉi konsiloj eĉ estus la plej seneraraj kaj venus de la plej kompetentaj personoj. En la daŭro de la tuta jaro 1888 la lingvo restos tute sen ŝanĝo;

/ 주어: mi, konsiloj, la lingvo / 동사: povas, estus, restos / post는 전치사로도 쓰이고 접속사로도 쓰임, 여기서는 전치사 / se eĉ 사이에 다른 말이 올 수도 있음 /

그래서 저 역시 그 여러 조언들을 받는 즉시 바로 이 언어를 고칠 수가 없는 것입니다. 비록 그 조언이 확실히 틀림이 없고 또 가장 유능한 분들이 보낸 것이라 할지라도 말입니다. 1888년 일 년 동안은 이 언어는 수정되지 않고 그대로 있을 것입니다.

sed kian la jaro estos finita, tian ĉiuj necesaj ŝanĝoj, antaŭe analizitaj kaj provitaj, estos publikigitaj, la lingvo ricevos la finan formon, kaj tian komencos ĝia plena funkciado.

/ 주어: jaro, ŝanĝoj, la lingvo, funkciado / 동사: estos, estos, ricevos, komencos / la lingvo 앞에 kaj를 쓰는 것이 좋겠음 / 여기의 komencos는 komenciĝos로 쓰는 것이 옳음 / 이 komenci의 용법이 좀 까다로우나, 이것을 자동사로 쓰는 것은 좋은 용법이 아님 (*La kurso komencis hodiaŭ.) /

그러나 일 년이 다 지나고 나면 그때에는 미리 분석해 보고 또 시험해 본 모든 필요한 수정들이 다 발표가 될 것입니다. 그리고 이 언어는 최종적으로 완비가 될 것이며, 완전한 쓰임이 시작될 것입니다.

Juĝante laŭ la konsiloj, kiuj estas senditaj al mi ĝis hodiaŭ, mi pensas, ke la lingvo kredeble estos ŝanĝita tre malmulte, ĉar la plej granda parto de tiuj konsiloj estas ne praktika kaj kaŭzita de ne sufiĉa pripensado kaj provado de l' afero; sed diri, ke la lingvo tute ne estos ŝanĝita, mi tamen ne povas.

/ 주어: mi, la plej granda parto, mi / 동사: pensas, estas, povas / Juĝante ~ hodiaŭ는 분사구문, 의미상 주어는 mi / la plej granda parto de -의 대부분 / sed 이하는 문장을 이렇게 바꾸면 쉬움: sed tamen mi ne povas diri, ke … /

오늘까지 제게 보내주신 여러 조언들을 살펴볼 때, 이 에스페란토는 그렇게 많이 수정되지는 않을 것 같습니다. 왜냐하면 그 조언들의 대부분은 그렇게 실용적이지 않으며 또 깊이 생각해 보거나 시험을 해본 결과가 아닌 것 같습니다. 그러나 그렇다고 해서 이 언어가 전혀 수정되지 않을 것이라고는 말할 수 없습니다.

Cetere, ĉiuj proponoj, kiujn mi ricevas, kune kun mia juĝo pri ili, estos prezentataj al la juĝo de l' publiko aŭ de ia el la jam konataj instruitaj akademioj, se inter tiuj ĉi estos trovita unu, kiu volos preni tiun ĉi laboron.

/ 주어: ĉiuj proponoj, unu / 동사: estos prezentataj, estos trovita / estos prezentataj al la juĝo de -의 판단에 맡겨질 것이다 / unu = unu akademio /

게다가 제가 받은 모든 제안들은 저의 판단과 함께 대중의 판단에 다시 맡겨지거나 또는 교육적인 학술원 같은 곳 가운데 어느 한 곳이라도 이 일을 맡기를 원한다면 그곳에 맡겨지게 될 것입니다.

Se ia kompetenta akademio min sciigos, ke ĝi volas preni tiun ĉi laboron, mi tuj sendos al ĝi la tutan materialon, kiu estas ĉe mi, mi fordonos al ĝi la tutan aferon, mi foriros kun la plej granda ĝojo je eterne de l' sceno, kaj el aŭtoro kaj iniciatoro mi fariĝos simpla amiko de l' lingvo internacia, kiel ĉiu alia amiko.

/ 주어: akademio, 4개의 mi / min sciigos, ke 여기서

min은 al mi / je eterne에서 je는 안 써도 됨 / el ~ fariĝi -o ~에서 -로 되다 /

만약 어느 권위있는 학술원이 이 일을 맡기를 원한다고 제게 알려 오면, 저는 즉시 제게 있는 모든 자료를 그곳으로 보낼 것이고 저는 이 모든 일에서 손을 떼겠습니다. 그리고 아주 기쁜 마음으로 무대에서 영원히 사라져 더 이상 저자나 창시자가 아니라 여러분과 같이 그저 한 사람의 국제어 친구가 되겠습니다.

Se tamen nenia el la instruitaj akademioj volos preni mian aferon, tian mi daŭrigos la publikigadon de l' proponoj, sendataj al mi, kaj laŭ mia propra pensado kaj laŭ la pensoj de l' publiko, sendataj al mi pri tiuj proponoj, mi mem antaŭ la fino de l' jaro decidos la finan formon de l' lingvo kaj mi sciigos, ke la lingvo estas preta.

/ 주어: nenia, mi, mi, mi / 동사: volos, daŭrigos, decidos, sciigos / nenia el ~중 아무도(아무것도) -하지 않다, neniu를 써도 됨 / 둘째의 sendataj는 앞의 la pensoj를 꾸밈 /

그렇지만 만약에 그 어느 교육적인 학술원도 저의 이 일을 맡기를 원치 않는다면 그때에는 제게 오는 제안들을 제가 계속 발표를 할 것이며, 또한 저의 생각과 또 그 제안들에 대해서 여러분이 보내 주시는 의견에 따라 저 자신이 올해(1888년)가 가기 전에 이 언어의 최종 완결판을 결정하겠습니다. 그리고 그것을 알려 드리겠습니다.

II.

La nombro 10,000,000, pri kiu estas parolita en mia unua verko, ŝajnas al multaj absolute ne ricevebla. La plej granda parto de l' mondo efektive kredeble estos tiel senmova, ke ĝi de si mem ne donos voĉon, malgraŭ ke la afero estas tiel grava kaj la laboro de l' voĉdono tiel malgrandega. Sed se l' amikoj de l' lingvo internacia, anstataŭ timegi la nombron, laboros por la afero kaj kolektos tiom voĉojn, kiom ili povos, tian la necesa nombro da voĉoj povas esti ricevita en la plej mallonga tempo.

/ 주어: La nombro, parto, ĝi, la afero, amikoj, nombro / 동사: ŝajnas, estos, ne donos, estas, laboros, povas esti / tiel senmova, ke 너무나 소극적이어서(?) -하다 / ĝi de si mem ne donos voĉon 자신의 표를 주지 않을 것이다, 의사표시를 하지 않을 것이다 / anstataŭ timegi 두려워하는 대신 / tiom ~ kiom ili povos 할 수 있는 만큼, tiom voĉojn = tiom da voĉoj / kolektos voĉojn tiom, kiom ~ 으로 생각할 수도 있음 / 자멘호프가 여기서 현재형 povas를 쓴 것에 주목 /

II.

제가 제1서에서 말한 천만이라는 숫자는 많은 사람들에게 전혀 불가능한 숫자로 여겨질 것입니다. 세상 사람들 대부분은 틀림없이 아주 소극적이어서 아무리 그 일이 중요하고 또 그 의사표시는 아주 간단한 것이라 할지라도 자신의 의사표시를 잘 하지 않을 것입니다. 그러나 국제어 친구 여러분이 그 숫자에 겁내지 말고 각자가 할 수 있는 대로 이 일을 위한 찬성표를 모으는 노력을 기울여 주시기만 한다면 그때에는 빠른 시일 내에 필요한 표가 분명히 다 채워집니다.

Kian mi proponis la voĉdonon, mi profunde kredis, ke pli frue aŭ pli malfrue 10,000,000 voĉoj estos kolektitaj. La rezultatoj, kiuj sin montris ĝis hodiaŭ, ankoraŭ plifortigas mian kredon. Sed ni prenu, ke mi fantazias, ke mi eraras, ke mi tro multe esperas, — ke sur la tuta tero ne estos kolektita eĉ unu miliono da voĉoj ... kion l' afero tian perdos?

/ 주어: mi, mi, La rezultatoj, ni, l' afero / 동사: proponis, kredis, plifortigas, prenu, perdos / pli frue aŭ pli malfrue = pli aŭ malpli frue 조만간 / sin montri 드러나다 / preni 여기서는 '생각해보다, -라고 치다'의 의미 / 4개의 ke-절은 모두 prenu의 목적어절 /

제가 투표를 제안했을 때에 저는 조만간 천만의 표가 모일 것이라 분명히 믿었습니다. 오늘까지 드러난 결과는 저의 믿음을 더욱 확신시켜 주고 있습니다. 그러나 제가 환상을 보고 있다고, 또 틀렸다고, 너무 많이 기대하고 있다고, 또 세상에서 백만 표도 모이지 않을 것이라고 칩시다. 그렇다고 해도 그때에 이 일이 잃을 것이 무어란 말입니까?

Kelkaj konsilas al mi, ke mi forĵetu la voĉdonon aŭ ke mi malgrandigu la nombron da postulataj voĉoj ĝis unu miliono; "ĉar", ili diras, "danke la fantazian punkton de l' voĉdono, afero per si mem tiel utila, povas fari fiaskon." Sed kie, sinjoroj, vi prenis, ke la veno al celo de l' afero dependas de l' rezultatoj de la voĉdono?

/ 주어: Kelkaj, ili, afero, vi / 동사: konsilas, diras, povas fari, prenis / danke al 대신 뒤에 목적격을 썼음, 본래 "덕분에"라는 뜻이나 여기서는 "때문에" / per si mem은 부사구 / Kie vi prenis ~ 어디에서 ~을 생각하게 되었나요? /

어떤 사람들은 그 투표를 그만두든지 아니면 달성 찬성표를 백만으로 줄이든지 하라고 저에게 조언을 합니다. 왜냐하면, 그들이 말하기를, 그 투표의 환상적인 점 때문에 그 자체로 이렇게 유용한 일이 실패할 수도 있다는 것입니다. 그러나 여러분, 이 일의 성공이 그 투표의 결과에 달렸다는 것을 어디에서 생각하게 되었나요?

Tiuj, kiuj trovas, ke mia lingvo estas inda je lerno, sendas al mi promesojn senkondiĉajn kaj lernas la lingvon sen ia atendo. Sendepende de l' iro de la voĉdono en tiu ĉi lingvo estos eldonataj libroj kaj gazetoj, kaj la afero sin movos antaŭen.

/ 주어: Tiuj, libroj kaj gazetoj / 동사: sendas, estos eldonataj / trovi 발견하다, 생각하다 / Sendepende de ~에 관계없이 / iro 나아감, 진행, 진척 /

저의 이 언어가 배울 만한 가치가 있다고 생각하는 사람들은 무조건적인 약속을 제게 보내 오며, 또 뭘 더 기다리지도 않고 바로 그 언어를 배웁니다. 이 (언어의) 투표의 진척과 관계없이 책과 잡지들이 발간될 것이며, 또한 이 일은 제 스스로 진행되어 나갈 것입니다.

La voĉdonon mi proponis sole por tio, ke al la afero povu esti altiritaj per unu fojo tutaj amasoj da homoj, ĉar mi scias, ke preni ian laboron, eĉ la plej malgrandan, ne ĉiu konsentos, sed helpi aferon tre utilan, kie estas postulata nek laboro, nek mono, — ne multaj malkonsentos, tiom pli, se troviĝos memorigantoj.

/ 주어: mi, mi, ĉiu, ne multaj / 동사: proponis, scias, konsentos, malkonsentos / per unu fojo 단번에 / preni는 konsentos의 목적어, helpi는 malkonsentos의 목적어 / tiom pli, se ~라면 더더욱 / memorigantoj 기억나게 해 주는 것(사람) /

저는 단번에 많은 사람들의 이목을 끌기 위해서 이 투표를 제안했을 뿐입니다. 왜냐하면 아무리 작은 일이라 할지라도 모든 사람이 다 그 일을 하려고 달려들지는 않겠지만, 반대로 노력과 돈이 들지 않는다면 아주 유익한 일을 돕자는 데 대해서는 반대할 사람이 그리 많지 않을 것이라는 걸 잘 알기 때문입니다. 더군다나 그 어떤 기억나게 해 주는 장치가 있으면 더더욱 말이지요.

Mi ripetas: profunde mi kredas, ke pli frue aŭ pli malfrue 10,000,000 voĉoj estos kolektitaj, kaj tiel je unu bela tago ni sciiĝos, ke la lingvo internacia fariĝis tutmonda; sed se eĉ la nombro de l' voĉoj nenian venus al dek milionoj, — la afero pro tio ĉi tute ne estos perdita.

/ 주어: Mi, mi, ni, la nombro, la afero / 동사: ripetas, kredas, sciiĝos, venus, ne estos perdita / pli frue aŭ pli malfrue=pli aŭ malpli frue / kaj tiel 그리고 그렇게 하여 / veni al -로 오다, -에 도달하다 /

저는 반복합니다. 조만간 천만의 찬성표가 모일 것이라 저는 믿습니다. 그리고 그렇게 하여 어느 날엔가는 이 국제어가 세계어가 되었다는 소식을 듣게 될 것입니다. 그러나 만약 그 찬성표가 절대 천만에 도달하지 못한다 할지라도 이 일은 그것 때문에 좌절되지는 않을 것입니다.

Kelkaj provis montri al mi, ke mia projekto de l' voĉdono estas matematike ne ebla; tiel ekzemple unu faris jenan kalkulon: "se ni prenos, ke la enskribado de ĉiu promesanto okupos ne pli multe ol unu minuton, kaj vi, forĵetinte ĉian alian laboron, vin okupos sole je tiu ĉi afero, laborante sen ripozo 15 horojn ĉiutage,

/ 주어: Kelkaj, unu, ni, enskribado, vi / 동사: provis, faris, prenos, okupos, okupos / unu 하나, 어떤 사람 / preni 취하다, 생각하다, 가정하다 / okupi 점령하다, 뒤에

시간이 나오면 "-의 시간이 걸리다" / ne pli multe ol=malpli (multe) ol /

어떤 사람들은 저의 그 투표 계획이 수학적으로 불가능하다는 것을 제게 보여 주려고 했습니다. 그래서 시험적으로 어떤 사람이 다음과 같은 계산을 해 보았습니다. "찬성하는 사람이 각자 서명을 하는 데 1분이 채 안 걸린다고 가정해 보고, 또 당신이 모든 일을 그만두고 하루 종일 쉬지도 않고 15시간을 오로지 이 일에만 매달린다고 가정해 볼 때,

— tian la pretigo de la libro de l' voĉoj okupos 30 jarojn, kaj por eldoni ĝin vi bezonos la riĉecon de Krezo!" La kalkulo ŝajne estas tute prava kaj povas timigi ĉiun,

/ 주어: la pretigo, vi, La kalkulo / 동사: okupos, bezonos, estas … povas / Krezo 기원전 7-6세기 소아시아 지방에 있었던 '리디아'라는 나라의 억만장자 왕 /

— 그렇게 되면 투표 책자를 준비하는 데 30년이 걸릴 것이며 또 그것을 발간하는 데에는 억만금의 돈이 필요할 것이다!" 그 계산은 그럴듯해 보이며 우리 모두를 놀라게 할 수 있습니다.

— tamen se la skribinto de tiu ĉi kalkulo bone pensus pri ĝi, li tre facile ekvidus, ke tie ĉi estas sofismo, kaj se nur efektive estos alsenditaj dek milionoj promesoj, la libron de l' voĉdono oni povos pretigi kaj eldoni en kelkaj monatoj kaj sen iaj riĉecoj de Krezo.

/ 주어: la skribinto, li, sofismo, dek milionoj promesoj, oni / 동사: pensus, ekvidus, estas, estos alsenditaj, povos / esti 이다, 있다 / se nur efektive 만약 실제로 -기만 하다면 / dek milionoj promesoj 천만의 약속 /

— 그러나 이 계산을 한 사람이 그것에 대해 잘 생각해 본다면 그는 거기에 궤변이 들어 있음을 쉽게 알 수 있을 겁니다. 그리고 만약에 천만의 약속이 오기만 한다면 그 투표책을 준비하고 발행하는 것은 몇 달 안에 가능할 것입니다. 그리고 그 많은 돈도 필요하지 않고요.

Ĉar kiu diras, ke la tuta libro devas esti propramane skribita de unu persono? Ke ĉe ĉiu pli granda afero estas uzata divido de laboro, la skribinto tute forgesis! Tiaj "timigaj" libroj estas eldonataj ĉiutage en granda nombro, kaj tio ne sole ne estas neebla, sed neniu eĉ en tio vidas ion grandegan, mirindan.

/ 주어: kiu, la skribinto, libroj, tio, neniu / 동사: diras, forgesis, estas eldonataj, estas, vidas / kiu diras, ke ~ 누가 ~라고 합니까? / Ke-절은 뒤의 forgesis의 목적어 / divido de laboro 분업 / en granda nombro 많이 (수적으로) /

왜냐하면, 그 모든 책이 단 한 사람의 손으로만 쓰여야 한다고 누가 말을 한답니까? 그 사람은 모든 큰 일에 있어서는 분업이 이루어져야 한다는 사실을 까맣게 잊어 버렸군요. 그러한 “놀랄만한” 책들은 매일 아주 많이 발행이 되고 있습니다. 그리고 그것은 불가능한 것도 아니며 또 그 어느 누구도 그것을 대단하다거나 놀랄만한 일이라 하지도 않습니다.

Se vi kolektos la numerojn de ia ĉiutaga gazeto por unu jaro, vi ricevos libron, kiu laŭ grandeco kaj kosto egalas la elirontan libron de l' voĉoj, kaj laŭ la malfacileco de l' pretigo multe superas mian libron, de kiu la pretigo estas laboro pure meĥanika.

/ 주어: vi, vi / 동사: kolektos, ricevos / 앞의 kiu-절은 앞의 libron을 꾸미고, 뒤의 de kiu-절은 뒤의 mian libron을 꾸밈 / elironta libro 발행(출판)될 책 / superi 능가하다 / de kiu la pretigo 그 책을 준비하는 것, la pretigo de la libro, "kies pretigo"라 해도 됨 /

만약 당신이 일간신문을 일 년치 모은다면 그것은 하나의 책이 될 텐데, 그것은 크기나 비용 면에서 앞으로 발행될 그 투표책과 비슷할 것입니다. 그러나 그 준비의 어려움을 보자면 저의 그 투표책을 훨씬 능가할 것입니다. 저의 그 투표책을 준비하는 것은 순전히 기계적인 일일 뿐입니다.

Tiel ĉiujare en la mondo estas eldonataj miloj kaj dekmiloj da tiaj "neeblaj" libroj, kaj tamen neniu el la redaktoroj estas mirindaĵisto.

/ 주어: libroj, neniu / 동사: estas eldonataj, estas / mirindaĵisto 기적을 만들어 내는 전문가 /

그렇게 매년 세상에는 수천 수만의 "불가능한" 책들이 출판이 됩니다. 그리고 그 편집자들은 그 누구도 기적을 만들어 내는 전문가가 아닙니다.

Sinjoroj la kalkulantoj forgesis tiun simplan leĝon, kiun ili povas vidi sur ĉiu paŝo, ke tio, kio ĉe unu homo postulas 30 jarojn, ĉe cent homoj okupos sole 4 monatojn, kaj tio, kio estas neebla por unu persono, estas ludilo por grupo da personoj.

/ 주어: Sinjoroj (la kalkulantoj), ili / 동사: forgesis, povas vidi / ke-절에 주어 tio가 두 번 나옴, 혹은 뒤의 kaj tio, kio를 kaj ke tio, kio로 볼 수도 있음 / grupo da 한 그룹의, 여러 /

그 계산을 한 신사분들은 그 아주 단순한 법칙을 잊으셨군요. 한 사람에게 30년 걸리는 일이 백 사람에게는 단지 4개월만 걸릴 뿐이라는 것, 그리고 한 사람으로서는 불가능한 일이라도 여러 사람에게는 단지 놀잇감에 불과하다는 그 법칙을 매일매일 보면서 말입니다.

Al ĉiuj amikoj de l' lingvo internacia mi ripetas ankoraŭ mian peton: ne forgesu la promesojn kaj kolektu ilin kie kaj kiom vi povas. Multaj pensas, ke ili ne devas sendi promeson, ĉar "la aŭtoro eĉ scias, ke ili ellernos aŭ jam ellernis la lingvon"! Sed la promeso estas necesa ne por mi, sed por la statistiko.

/ 주어: mi, (vi), Multaj, la promeso / 동사: ripetas, ne forgesu … kolektu, pensas, estas necesa / kie kaj kiom vi povas 당신이 할 수 있는 데에서 할 수 있는 만큼 / ne devas -할 필요없다, -해서는 안 된다, devas ne와의 차이? /

모든 국제어 친구 여러분께 다시 한 번 부탁을 드립니다. 그 약속의 표를 잊지 말고 할 수 있는 모든 곳에서 할 수 있는 만큼 모아 주시기 바랍니다. 많은 사람들이 저자인 제가 이미 그 사람들이 이 말을 배우기 시작했거나 곧 배울 것이라는 걸 알고 있기 때문에 그 약속의 표를 보낼 필요가 없다고 말을 합니다만, 그러나 그 약속의 표는 저를 위해서가 아니라 통계를 위해서 꼭 필요한 것입니다.

Se iu eĉ skribis al mi kelkajn leterojn en la lingvo internacia, mi ne povas lin nomi internaciisto, ĝis li ne sendis al mi sian promeson.

/ 주어: iu, mi, li / 동사: skribis, povas … nomi, sendis / internaciisto 자멘호프는 여기서 에스페란티스토를 이렇게도 불렀다 / ĝis -까지, -하는 한 /

만약 어떤 사람이 국제어로 제게 편지를 몇 통이나 보냈다 할지라도 저는 그 사람이 제게 자신의 그 약속의 표를 보내기 전까지는 그를 에스페란티스토라고 부를 수가 없습니다.

Ne diru, ke de unu aŭ kelkaj promesoj la grandega nombro ne pleniĝos: ĉiu maro estas kreita de apartaj gutoj, kaj la plej granda nombro devas kaj povas esti ricevita el apartaj unuoj. Memoru, ke se eĉ la esperata nombro estas ne ricevota, vi nenion perdas, sendante la promeson.

/ 주어: (Vi), nombro, ĉiu maro, nombro, (Vi), vi / 동사: diru, pleniĝos, estas kreita, devas … povas, Memoru, perdas / de unu aŭ kelkaj promesoj는 이 문장의 부사절 / unuo 단위 / sendante는 부사 분사구문, 의미상 주어는 vi /

한두 장의 약속의 표로 그 큰 수를 다 채울 수 없다고 말하지는 마십시오. 모든 바다는 하나하나의 물방울로 만들어진 것입니다. 그리고 가장 큰 수도 하나하나의 수가 모여서 이루어져야 하며, 또 이루어질 수 있는 것입니다. 그리고 만약에 그 기대한 수가 다 채워지지 않는다 할지라도 여러분은 그 표를 보낸 것으로 인해 아무것도 잃지는 않을 것입니다.

III.

La venontajn apartajn pecojn mi donas, ke la lernantoj povu ripeti praktike la regulojn de l' gramatiko internacia kaj kompreni bone la signifon kaj la uzon de l' sufiksoj kaj prefiksoj.

/ 주어: mi, legantoj / 동사: donas, povu / povu 다음에 연결되는 불변화사가 두 개 나옴 /

III.

이어지는 각각의 연습문들은 독자들께서 국제어 에스페란토의 규칙을 실용적으로 반복해 익힐 수 있도록, 그리고 또 접미사와 접두사의 의미와 용법을 잘 이해할 수 있도록 주어진 것입니다.

1.

Amiko venis (= unu el la amikoj venis). — La amiko venis (= la konata amiko, aŭ la amiko, kiun oni atendis). — Donu al mi libron. — Donu al mi la libron, kiun vi promesis al mi. — Tiu ĉi ĝardeno estas amata loko de birdoj. — La fenestro estas amata loko de la birdoj (= niaj birdoj). — La vorto "la" estas nomata "artikulo"; ĝi estas uzata tian, kian ni parolas pri objektoj konataj. Anstataŭ "la" oni povas ankaŭ diri "l' ", se ĝi ne estos malbonsone. — Se iu ne komprenas bone la uzon de la artikulo, li povas tute ĝin ne uzi, ĉar ĝi estas oportuna sed ne necesa.

/ 관사 la의 용법을 익힘 / artikulo -> artikolo /

1.

친구가 왔다 (=친구들 가운데 한 명이 왔다). -그 친구가 왔다 (=알고 있는 친구 또는 사람들이 기다리던 친구). -책을 주세요. -당신이 내게 약속한 그 책을 주세요. -이 정원은 새들이 좋아하는 곳이다. -이 창(문)은 그 새들(=우리가 키우는 새들)이 좋아하는 곳이다. -“la”는 “관사”라고 불립니다. 그것은 우리가 알고 있는 것들에 대해 말할 때에 사용됩니다. 발음이 나쁘지 않다면 “la” 대신 “l’ ”라고 말할 수도 있습니다. -만약 관사의 용법을 잘 이해할 수 없다면 그것을 전혀 사용하지 않아도 됩니다. 왜냐하면 그것은 편리한 것이긴 하지만 꼭 필요한 것은 아니기 때문입니다.

2.

Jen estas la patro. — Mi aŭdas la voĉon de la patro. — Mi ricevis donacon de la patro. — Diru al la patro, ke mi estas sana. — Ni iros al la patro. — Karolo aĉetis por sia kuzino horloĝeton kun tri montrantoj. — Ni vidas per la okuloj. — Rakontu al ni la novaĵojn, kiujn vi aŭdis pri niaj malfeliĉaj fratoj. — De kiu vi ĝin aŭdis? — Mi pensas pri la sorto de mia fratino, kaj mi kalkulas jam la minutojn ĝis nia revido. — Aŭgusto estas bona, Mario estas pli bona ol Aŭgusto, sed Ernestino estas la plej bona el ĉiuj miaj gefratoj. — La malgrandan filinon de mia najbaro mi amas ne malpli ol mian propran infanon; hodiaŭ mi aĉetis por ŝi tre belan ludilon.

/ montranto 시계 바늘 / pli ~ ol 비교급 / la plej ~ el 최상급 / ne malpli ol ~보다 못하지 않게, pli ol ~보다 더 /

2.

여기 아버지가 계신다. -나는 (그) 아버지의 음성을 들었다. -나는 (그) 아버지의(아버지로부터) 선물을 받았다. -아버지께 나는 건강하다고 말씀 드려라. -우리는 (그) 아버지께로 갈 것이다. -카롤로는 사촌 누이를 위해 바늘이 세 개인 작은 시계를 샀다. -우리는 눈으로 (사물을) 봅니다. -당신이 우리의 불쌍한 형제들에 대해 들은 소식들을 우리에게 말해 주세요. - 당신은 누구에게서 그것을 들었나요? -나는 내 누이의 운명에 대해 생각하며, 벌써 우리의 재회까지의 시간을 계산하고 있습니다. -아우구스토는 착하고, 마리오는 아우구스토보다 더 착합니다. 그러나 에르네스티노는 나의 형제자매들 중 가장 착합니다. -내 이웃의 작은딸을 나는 내 아이 못지않게 사랑합니다. 오늘 나는 그녀를 위해 아주 예쁜 장난감을 샀습니다.

3.

Sesdek minutoj faras unu horon, kaj dudek kvar horoj faras unu plentagon. — Mi loĝas en la tria etaĝo. — Hodiaŭ estas la dek kvina (tago) de Aprilo. — La dudeka de Februaro estas la kvindek unua tago de l' jaro. — Tiu ĉi rivero havas ducent naŭdek kvar kilometrojn da longo. — Georgo Vaŝingtono estis naskita la dudek duan Februaron (aŭ: je l' dudek dua Februaro) de l' jaro mil sepcent tridek dua.

/ 수사를 익힘 / faras unu horon=estas unu horo / 요즘은 dek-kvina 라고들 씀 / 자멘호프는 초기에 달이름을 대문자로 썼음 / 15=dek kvin, 20=dudek / havas ducent naŭdek kvar kilometrojn da longo=estas longa je ducent naŭdek kvar kilometroj / la dudek duan Februaron=en la dudek dua de Februaro / Februaron은 de Februaro에서 전치사를 생략한 것으로 보아야 함 / (aŭ: je l' dudek dua Februaro)는 좀 이상함, 오늘날은 en la dudek-dua (tago) de februaro라고 함 / de l' jaro mil sepcent tridek dua도 오늘날은 주로 en l' jaro mil sepcent tridek du라고 함 /

3.

60분은 한 시간입니다. 그리고 24시간은 온전한 하루입니다. -나는 3층에서 살고 있습니다. -오늘은 4월 25일입니다. -2월 20일은 한 해의 51째 날입니 다. -이 강은 길이가 294 킬로미터입니다. -조지 와싱턴은 1732년 2월 22일에 태어났습니다.

— Sendu al mi prunte dekduon da forketoj. — Tio ĉi okazis antaŭ cent jaroj. — Mi aĉetis du ŝrankojn kaj pagis por ili cent frankojn. — Jen estas cento da pomoj. — En tiu ĉi lando loĝas tri milionoj kristanoj (aŭ: da kristanoj). — Duobla fadeno estas pli forta ol unuobla. — De tiu tago mia amikeco al li duobliĝis. — Kvaroble kvin estas dudek. — Kvar fojojn mi jam estis tie.

/ 수사와 관련된 접미사를 익힘 / dekduo (한) 타스 / -obl- 몇 배 / da 수량을 나타내는 전치사 A da B = A 만큼의 B / Kvaroble kvin 4x5 /

-나에게 한 타스의 포크를 빌려 주세요. -이것은 100년 전에 발생했다. -나는 장롱을 2개 샀고 100프랑을 지불했다. -여기 한 접의(100개의) 사과가 있다. -이 나라에는 300만의 기독교인이 살고 있다. -두 겹의 실은 한 겹의 실보다 더 강하다. -그날부터 그를 향한 나의 우정은 두 배가 되었다. -4 곱하기 5는 20이다. -벌써 4번이나 나는 거기 있었다

(갔다).

— Duonon de tiu ĉi piro mi manĝis, kvaronon mi donis al mia nevo, kaj la lastan kvaronon mi forĵetis. — Dudek unu estas tri seponoj de kvardek naŭ. — Kvinope ili tiris la keston kaj tamen ne povis ĝin altiri al la domo. — Se vi venos al li triope, li redonos, kion li prenis; ĉar unue li timos vian forton, kaj due li ne povos sin pravigi. — Al ĉiu el la laborantoj li donis po kvin dolarojn.

/ -on- 몇 분의 일 / -op- 무리를 뜻하는 접미사 / pravigi 정당화하다, 변명하다 / po ~개씩 (주의: 영어 전치사 per와는 정 반대) / po 다음에 오는 명사는 목적격으로 할 수 있음 /

-이 배의 반(1/2)을 나는 먹었고, 1/4을 나는 나의 조카에게 주었으며, 그 나머지 1/4은 내던져 버렸다. -21은 49의 3/7이다. -그들은 5명이 함께 그 상자를 끌었으나 그것을 집으로 끌고 오지는 못했다. -만약 당신들이 3명이 함께 온다면 그는 그가 가져갔던 것을 돌려줄 것이다. 왜냐하면 첫째로 그는 당신들의 힘을 두려워할 것이며, 둘째로 그는 자신을 변명하지 못할 것이기 때문이다. -그 노동자들 각각에게 그는 5달러씩을 주었다.

4.

Mi vin ne komprenas, sinjoro. — Vi estas tre obstina, mia amiko. — Vi ĉiuj estas tro fieraj. — "Vi" ni diras egale al unu persono aŭ objekto kaj al multaj; tio ĉi estas farita pro oportuneco, ĉar, parolante kun iu, ni ofte ne scias, kiel diri al li: "vi" aŭ "ci" ("ci" signifas la duan personon de l' ununombro; sed tiu ĉi vorto estas trovata sole en la plena vortaro; en la lingvo mem ĝi preskaŭ nenian estas uzata).

/ 2인칭 단수 대명사 "ci"에 대해서, 설명이 좀 이상함, 단수와 복수 그리고 존칭과 애칭에 대해 섞어서 말함 / egale ~ kaj ~ -와 -을(이) 똑같이 / dua persono 2인칭 / ununombro 단수 /

4.

선생님, 나는 당신을 이해할 수 없습니다. -친구여, 그대는 아주 고집이 세군요. -당신들 모두는 너무 교만합니다. -"Vi"를 우리는 한 사람이나 하나의 사물에뿐만 아니라 여러 사람에게도 똑같이 씁니다. 이것은 편리를 위해서 그렇게 하는 겁니다. 왜냐하면 누군가와 말을 할 때, 우리는 종종 그에게 "vi"라고 해야 할지 아니면 "ci"라고 해야 할지, 어떻게 해야 할지 모르기 때문입니다. ("ci"는 단수 2인칭을 나타냅니다. 그러나 이 낱말은 오로지 단어장에만 나올 뿐이지 실제 말에서는 거의 사용되지 않습니다.)

— La ĉapisto ne venos, ĉar li estas malsana; se venos lia edzino, donu al ŝi mian ĉapelon; se venos lia plej maljuna filo, vi povas ankaŭ ĝin doni al li; sed se venos lia malgranda infano, donu al ĝi nenion. — Jen estas la hundo, donu al ĝi oston, kaj voku la katinon, ĝi ricevos pecon da viando.

/ 3인칭 대명사에 대해서, 특히 ĝi 에 대해서 / ĝi 는 어린아이를 위해서도 쓰임 /

-그 모자장수는 (모자 만드는 사람은) 오지 않을 것입니다. 왜냐하면 그는 아프기 때문입니다. 만약 그의 아내가 오면 그녀에게 나의 챙모자를 주세요. 만약 그의 큰아들이 오더라도 당신은 그것을 그에게 줄 수 있습니다. 그러나 만약 그의 작은 아이가 오면 그 아이에게는 아무것도 주지 마세요. -여기 그 개가 있습니다. 그 개에게 뼈를 주세요. 그리고 암코양이를 불러서 그것에게는 살점을 좀 주세요.

— Mi amas min, ĉar ĉiu amas sin mem. — Vi estimas vin mem, sed aliaj vin ne estimas; mia frato estimas sin ne multe, sed aliaj lin tre estimas. — Montru al mi vian kalkulon. — Ili kondukis la kolegojn en sian loĝejon, anstataŭ iri kun ili en ilian. — Oni diras, ke vi estas riĉa.

/ 재귀 대명사에 대해서 익힘 /

-나는 나 자신을 사랑합니다. 왜냐하면 모든 사람은 자기 자신을 사랑하기 때문이지요. -당신은 당신 자신을 존중합니다만, 다른 사람들은 당신을 존중하지 않습니다. 나의 형은 자신을 그렇게 (많이) 존중하지 않습니다만, 다른 사람들이 그를 존중합니다. -나에게 당신의 계산을 보여 주세요. -그들은 그 동료들을 다른 데로 안내하는 대신 자기네 거처로 안

내했습니다. -사람들은 당신이 부자라고 말합니다.

5.

Kial vi ne respondas al mi, kian mi vin demandas? — La patro skribas leteron, kaj la infanoj preparas siajn lecionojn. — Kion li babilas? — Li babiladas la tutan tagon. — Nia gasto kantis la ĉiukonatan romancon de N. — Mia onklo ekkantis kaj tuj ĉesis, sed mia frato kantadis la tutan vesperon. — Karolino ĉian obeadis la ordonojn de sia patrino, sed hodiaŭ ŝi ne obeis.

/ kian (-> kiam) ~할 때 / 재귀대명사 si는 항상 하나의 "주-술관계" 안에서만 적용됨, 복문에서는 주절이면 주절 안에서만, 그리고 종속절이면 종속절 안에서만 적용됨, 그 경계를 벗어나 적용되지 않음 / ĉiukonata 모든 사람에게 알려진, 이런 표현은 특이함 /

5.

내가 당신에게 질문을 할 때, 왜 당신은 나에게 대답을 하지 않나요? -아버지는 편지를 씁니다. 그리고 아이들은 자기들 공부를 하고 있습니다. -그는 무엇을 이야기하나요? -그는 하루 종일 이야기를 하고 있습니다. -우리의 손님은 모두가 다 아는 N 씨의 로맨틱한 노래를 불렀습니다. -나의 아저씨는 노래를 시작했습니다만 곧 중단했습니다. 그러나 나의 형은 저녁 내내 노래를 불렀습니다. -카롤리노는 항상 자기 어머니의 지시를 순종하지만, 오늘은 그녀가 순종하지 않았습니다.

— Kian mi venis al li, li tuj finis sian laboron. — Kian mi venis al li, li finadis sian laboron. — Vi ne malhelpis min, ĉar kian vi venis, mi estis jam fininta mian laboron. — Li batalos, ĉar li ne dormos trankvile, ĝis li estos venkinta la malamikon. — Se mi nur estus sana, mi estus tute kontenta. — Se ili estus dirintaj la veron, ili ne estus nun punataj; nun ili konfesis ĉion, sed ĝi estis jam tro malfrue.

/ 가정법을 익힘 / finadis 끝내고 있는 중이었다 / ĝi 그것, 그들이 고백한 사실 / 부사 malfrue가 쓰인 것에 주의, 이 때는 esti를 "발생하다" 정도의 뜻으로 보아야 함, frua는 〈주어-esti-보어(frua)〉의 형태로 쓰이지 않음, "그는 (회의에) 늦었다" *Li estas malfrua (al la kunsido).(X) Li venis malfrue (al la kunsido).(O) / "늦은 시간이다" *La tempo estas malfrua.(X) Estas malfrua tempo.(O) Estas malfrue.(O) /

-내가 그에게 갔을 (도착했을) 때 그는 곧 자기 일을 끝냈습니다. -내가 그에게 갔을 (도착했을) 때 그는 자기 일을 끝내고 있는 중이었습니다. -당신은 나를 방해하지 않았습니다. 왜냐하면 당신이 왔을 때 나는 벌써 나의 일을 끝냈었기 때문입니다. -그는 싸울 겁니다. 왜냐하면 그는 적을 이기기 전까지는 편히 잠을 잘 수가 없을 것이기 때문입니다. -만약 내가 건강하기만 하다면 나는 정말 만족할 것입니다. -만약 그들이 그 진실을 말했더라면 그들은 지금 벌을 받지 않을 겁니다. 지금 그들은 모든 것을 고백했습니다만 그러나 그것

은 이미 너무 늦었습니다.

— Johano, serĉu mian krajonon. — Ni iru promeni, sinjoroj! — Li ne esperu pardonon! — Savu min, amikoj! — Mi lernas pentri kaj ludi gitaron. — Instruante, ni lernas. — La lernanto devas estimi la instruanton. — Libro instruanta estas tre utila. — Ne ĉiu instruanto estas instruisto. — Dio estas la kreinto kaj la reganto de l' mondo. — Ferminte la pordon, li komencis sin senvestigi. — La venonta gasto estas ankoraŭ en la vojo.

/ 원망법과 분사를 익힘 / Li ne esperu 그는 -을 바라서는 안 된다 / lerni -i -하는 법을(것을) 배우다 / 분사에 -o를 붙이면 원칙적으로 '-하는 사람'을 뜻함 / 여기 쓰인 instruanta는 instruata로 쓰는 것이 좋겠음, 책 자체가 사람을 가르치는 것이 아니고, 사람이 책을 가지고 다른 사람을 가르치는 것임 / komenci -i -하기를 시작하다 / **자멘호프는 instrui를 이렇게도 썼음: gazeto multe nin ~as^{Z} /

-요하노야, 나의 연필을 찾아 봐라. -선생님들, 우리 산책을 갑시다! -그는 용서를 바라서는 안 된다! -친구들이여 나를 구해 다오! -나는 그림 그리는 법과 기타 치는 법을 배운다. -우리는 가르치면서 배웁니다. -배우는 사람은 가르치는 사람을 존경해야 합니다. -가르치는 책은 아주 유익하다. -가르치는 사람이 모두 교사는 아니다. -하나님은 세상의 창조자요 통치자이시다. -문을 닫고서 그는 옷을 벗기 시작했다. -오시려고 하는 (다음) 손님은 아직 오는 중이다.

— La elpelito malsatas jam la trian tagon. — Punata antaŭ la rompita poto, la kato eble komprenos la kaŭzon de l' punado. — La konstruota domo kostos multon da mono. — Batate de la mastro, li ploris kaj ĵuris, ke li terure venĝos. — En tiu ĉi lernejo la infanoj estas edukataj tre bone, ĉar la lernejestro sin okupas je sia afero kun amo. — Tio ĉi montras, ke via nepo estas ne bone edukita.

/ 수동접미사 용법 / la trian tagon 사흘 동안(?), 사흘째 날에도(?), 자멘호프는 이런 식으로 목적격을 종종 쓰고 있음 / sin okupi je ~을 (일을) 하다, 에 노력하다, 집중하다 /

-그 쫓겨난 사람은 벌써 사흘째 (사흘 동안) 배가 고프다. -깨진 항아리 앞에서 벌을 받으며 그 고양이는 아마도 그 벌의 이유를 이해하게 될 것입니다. -지금 지으려고 하는 집은 돈이 많이 들 것입니다. -주인에게 얻어 맞으면서 그는 눈물을 흘리며 반드시 몇배로 원수를 갚으리라고 맹세했습니다. -이 학교에서는 아이들이 교육을 잘 받고 있습니다. 왜냐하면 그 교장 선생님이 사랑을 가지고 자신의 일을 잘 하고 있기 때문입니다. -이것은 당신의 손자가 교육을 잘 받지 못했다는 것을 보여 줍니다.

— Dum en unu ĉambro la gastoj dancadis, en la dua ĉambro estis preparata la vespermanĝo; kian la tablo estis preparita, oni invitis la gastojn al la tablo. — Kio estos hodiaŭ prezentata en la teatro? — Aŭdu, infanoj! se vi estos prezentitaj al la generalo, salutu lin ĝentile.

— La fraŭlino, kiu estis edzinigota de mia frato, mortis, ne fariĝinte ankoraŭ eĉ lia fianĉino. — La formojn kunmetitajn (ekzemple: mi faradas, mi estis farinta ... kaj ceterajn) — oni devas uzi sole tian, kian la senco ĝin necese postulas.

/ Dum -(하는) 동안 (전치사, 접속사) / prezenti -를 소개하다 (사람, 사물), 발 표하다 / edzinigi (부모가) 시집 보내다, (남자가 여자를) 아내로 삼다 / kunmeti라는 말은 조어법 중 "합성법"에 쓰이는 용어인데, 여기서는 꼭 합성법을 말하는 게 아님, 그저 "덧붙여진 형식"을 말함, "조합어"라고 할 수도 있겠음 / necese 반드시, 꼭, nepre와 비슷함 / **necesa 꼭 필요한 (necesi -가 필요하다, Ĝi necesas al mi.) bezoni -을 필요로 하다, Mi bezonas ĝin. /

-한 방에서 손님들이 춤을 추는 동안 다른 방에서는 저녁식사가 차려지고 있었습니다. 식탁이 다 준비가 되었을 때 손님들은 식탁으로 안내되었습니다. -오늘 그 극장에서는 뭐가 공연이 됩니까? -아이들아 들어라! 너희들이 장군님께 소개가 된다면 공손히 인사를 하여라. -나의 형과 결혼하기로 되어 있었던 아가씨가 아직 약혼도 하기 전에 죽었다. -덧붙여진 형식들은 (예를 들면 "mi faradas, mi estis farinta ..." 등등) 의미적으로 꼭 필요할 때에만 사용해야 합니다.

6.

La adverboj (evortoj), kiuj estas kreitaj el aliaj vortoj, finiĝas je la litero "e"; ĉiuj aliaj adverboj ne havas konstantan finiĝon kaj apartenas al la vortoj simplaj. — Li estas severa juĝanto, li juĝas severe, sed juste. — Nun estas varme, sed la nokto kredeble estos tre malvarma. — Li estas tre riĉa, kaj li donis al la malfeliĉulo tro malmulte, ĉar li estas konata avarulo.

/ 부사어 익힘 / vortoj simplaj 어미가 없는 본래부사나 접속사 같은 낱말들, "단순어, 어근어"라고 할 수 있겠음, 그 외 어미가 붙는 낱말은 "조합어"라고 할 수 있겠음(?) / estas varme (날씨가) 덥다, varma 무엇이 따뜻하다, Mi estas varma(?) 나는 뜨거운 사람이다(?) La tago estas varma. (오늘은) 날이 덥다. /

6.

다른 낱말로부터 만들어진 부사들은 "e"라는 글자로 끝이 납니다. 그 외의 다른 부사들은 정해진 어미가 없으며 단순어에 속합니다. -그는 엄격한 재판관이라서 엄격하고 공정하게 재판합니다. -지금은 덥습니다만 그러나 밤은 틀림없이 아주 추울 겁니다. -그는 아주 부유합니다. 그리고 그는 그 불쌍한 사람에게 너무 조금만 주었습니다. 왜냐하면 그 사람은 소문난 수전노이기 때문입니다.

— Kun tiu papero mi ekiris per grandaj paŝoj al la komercisto; sed antaŭ la magazeno mi renkontis kaleŝon, en kiu sidis riĉe vestita sinjoro. Elirinte el la kaleŝo kaj forĵetinte la pecon da cigaro, kiun li estis teninta inter la fingroj, li ekrigardis min tra siaj bluaj okulvitroj kaj diris sen ia antaŭparolo: "ne, por vi mia magazeno estas fermita pro la malbonaj sciigaĵoj, kiujn mi ricevis pri vi de homoj kredindaj."

/ papero 여기선 무슨 뜻인지 분명하지 않음 / pecon da cigaro 여기선 de가 더 좋을 듯, 담배꽁초 / teni 지니고 있다 (구체적), havi 소유하고 있다 (약간 추상적) / ne 여기선 "안 돼"라는 하나의 문장인 셈, 뒤의 말과 연결이 안 됨 / sciigaĵo 통지, 소문 /

-그 종이를 가지고 나는 큰 발걸음으로 그 상인에게로 출발했습니다. 그러나 그 상점 앞에서 나는 마차를 만났는데, 그 안에는 잘 차려 입은 신사가 앉아 있었습니다. 마차에서 나오며 손가락 사이에 쥐고 있던 담배꽁초를 내던지고 나서 그는 푸른색 안경 너머로 나를 쳐다보았습니다. 그리고는 다짜고짜 말을 했습니다 : "안 돼, 당신에게는 내 상점을 개방할 수가 없소 (당신은 내 상점에 들어올 수가 없소). 믿을만한 사람들로부터 당신에 대한 나쁜 소문을 들었소."

— Mi eltrinkis tutan botelon da vino, kvankam ĝi ne tre plaĉis al mi, ĉar la vino estis bona, sed la botelo estis de brando. — Oni diras, ke vi gajnis la grandan gajnon; se tio ĉi estas vera, mi vin gratulas. — Li diras, ke mi estus pli feliĉa, se mi estus pli diligenta. — La mastro diris, ke mi foriru, ĉar se ne — li min elpelos per la hundoj. — Ho, kiel mi estas laca! — Fi, kia malkonvena esprimo! — Hura! vivu la reĝo!

/ da의 용법 : A da B (A 만큼의 B) / A de B (B의 A) / plaĉi al ~의 마음에 들다, 주어가 마음에 드는 대상이고, 주체는 al 다음에 쓰임, Ĝi plaĉas al mi. / de brando 앞에 tiu (botelo)가 생략되었다고 할 수 있음, 혹은 de brando 자체를 하나의 형용사구로 볼 수도 있음, ~ kiu estas tiu libro? ; Ĝi estas de mia patro ; Ĝi estas de bona kvalito / gajni (돈을) 따다, 횡재하다, 승리하다 / 여기 쓰인 ĉar를 잘 번역해야 함 / kiel, kia는 감탄문을 만들 때 쓰임 /

-나는 그 포도주를 한 병 다 마셨습니다. 그러나 그 포도주가 마음에 들진 않았습니다. 왜냐하면 그 포도주는 좋았지만, 그 병이 브랜디 병이었기 때문이었습니다. 사람들은 당신이 큰 돈을 땄다는군요. 그게 사실이라면 축하합니다. -그는 내가 좀 더 부지런하면 좀 더 행복해 질 거라고 말합니다. -주인은 나더러 떠나라고 말했습니다. 그렇지 않으면 그가 개를 풀어서 나를 내쫓을 거라는 겁니다. -아, 나는 참 피곤합니다! -피, 말도 안 되는 소리! -왕이시여, 만세!

7.

Vortoj kunmetitaj estas kreataj per simpla kunligado de simplaj vortoj; prenataj estas ordinare la puraj radikoj, sed, se la bonsoneco aŭ la klareco postulas, oni povas ankaŭ preni la tutan vorton, t.e. la radikon kune kun la finiĝo. — La lingvo internacia esperas fariĝi ian lingvo tutmonda. — La unutaga regado de tiu ĉi estro ne restis sen postsignoj. — Tio estas frukto de lia unuatempa verkado.

/ 여기서는 vortoj kunmetitaj가 조어법의 합성어를 말함 / kunligado=kunigado / 여기서 말하는 tuta vorto란 〈어근 +어미〉를 말함 / ian-〉iam / postsigno 흔적 /

7.

합성어는 간단한 낱말들을 단순히 연결시켜서 만들어 집니다. 보통 순수 어근만을 취합니다만 소리를 아름답게 하거나 뜻을 분명하게 할 필요가 있을 때에는 전체 낱말을 (즉, 어근과 어미를 함께) 취할 수도 있습니다. -국제어는 언젠가 세계어가 되기를 바랍니다. -이 임금의 하루 통치는 흔적이 없지 않았습니다. -그것은 그의 초기 저작활동의 열매입니다.

— Ni matenmanĝas ĉian je l' deka horo antaŭ tagmezo. — La pordokurtenoj de lia dormoĉambro estas de flavruĝa koloro. — Nenian insultu, ne parolinte kun la insultoto. — Metu la libron sur la tablon. — La libro jam estas sur la tablo. — Li eniris la ĉambron (aŭ en la ĉambron). — Ĉu vi estas kontenta je mia donaco? — Li ekdormis je eterne.

/ 전치사 je와 de의 익힘 / antaŭ tagmezo=antaŭtagmeze / estas de flavruĝa koloro=estas flavruĝa / eniri la ĉambron 방으로 들어가다, 여기서 목적격은 전치사 대신 쓰였다고 말하기 곤란함, 본래 en la ĉambron을 써야 하는 자리인데, 그저 en이 생략된 것임, 이럴 때에는 eniri를 타동사로 보아야 함, en la ĉambron을 쓸 때에는 앞에 eniris 대신 iris를 써도 됨 / je eterne=por eterne=por ĉiam 영

원히 /

-우리는 언제나 오전 10시에 아침밥을 먹습니다. -그의 침실 방문 커튼은 노랗고 빨간 색입니다. -욕하려는 사람과 말을 해보지 않고서는 그 사람을 욕을 하지 마세요. (누군가를 욕하려면 그 사람과 먼저 말을 해 보고 욕을 하세요.) -그 책을 책상 위에 놓으세요. -그 책은 이미 책상 위에 놓여 있어요. -그는 방 안으로 들어갔습니다. -당신은 나의 선물에 만족하세요? -그는 (방금) 영원히 잠들었다.

— Ŝi estas la unua baletistino en nia teatro. — Kia meĥanikisto faris tiun ĉi maŝinon? — Li estas direktoro en fabriko de tabako. — La politiko de nia ministro montras, ke li estas bona diplomatiisto. — La historio de la civilizado estas tre interesa. — Li korespondas telegrafe kun ĉiuj agentoj.

/ 접미사 -ist- / tabako 담배, cigrao 엽궐연, cigredo 궐연 / diplomatiisto =diplomato /

-그녀는 우리 극단(극장)의 제1 발레리나입니다. -어떤 기술자가 이 기계를 만들었나요? -그는 담배공장 공장장입니다. -우리 장관의 정책은 그가 좋은 외교관이라는 걸 보여 줍니다. -문명의 역사는 아주 흥미롭습니다. -그는 모든 대리인들과 전신으로 연락을 합니다.

8.

Kia granda brulo! kio brulas? — Ligno estas bona

brula materialo. — La fera bastono estas brule varmega. — Iu venis; demandu lin, kiu li estas, kaj se li estas tiu, kiun mi atendas, sendu lin al mi; neniun alian mi hodiaŭ volas vidi ... ne, mi decidis alie: sendu ĉiun, kiu ajn li estos. — Ian mi venis al li kaj mi trovis lin libera; tio ĉi min forte mirigis, ĉar kian ajn mi venas, li ĉian sidas super laboro, kaj li nenian estas libera.

/ Kia는 감탄문을 만듦 / alie 달리 (다른 방식.방법으로) agi alie mi ne povis Z, 그렇지 않으면 obeu, alie vi estos punata. / 여기 estos가 쓰였는데, 논리적으로는 estas도 가능함 / trovis lin libera 그가 쉬고 있는 걸 보았다 / kian(kiam) ajn -할 때마다 / veni 오다, 가다, veni는 도착에 초점을 맞추고, iri는 출발에 초점을 맞춤, 그러므로 veni는 "도착하다"의 뜻을 포함함 / sidas super laboro 일을 하고 있다, labori super -o -에 관해 일을 하다 /

8.

아이고, 큰 불이 났어요! 뭐가 타나요? -나무(목재)는 좋은 불쏘시개입니다. -쇠막대기가 불처럼 뜨거워요. -누가 왔습니다. 그가 누구인지 물어보고 만약 내가 기다리는 사람이라면 나에게 보내 주세요. 그 외의 다른 사람은 오늘 아무도 보지 않겠어요 … 아니, 그러지 않겠어요. 누구이든지 간에 모든 사람을 다 보내 주세요. -언젠가 나는 그를 찾아갔는데, 그가 쉬고 있는 걸 보았습니다. 이건 정말 나를 아주 놀라게 했습니다. 왜냐하면 내가 갈 때마다 그는 항상 일을 하고 있었고, 쉬고 있는 적이 없었기 때문입니다.

— Kiaj vortoj povas esti farataj el la vortoj: "ia", "ial", "ian", "ie", "iel", "ies", "io", "iom", "iu"? — La kioman fojon li jam ripetis sian rakonton? — Ĉu oni povas diri: helpi la fraton (anstataŭ: al la frato), obei la patron (anstataŭ: al la patro), ridi lian malsaĝecon (anstataŭ: je lia malsaĝeco), plori la perdon (anstataŭ: pro la perdo)? Jes; ĉar se la senco ne montras klare, kian prepozicion ni devas uzi, ni ĉian povas uzi la vorton "je", aŭ la akuzativon sen prepozicio.

/ 목록어의 탄생? / 자멘호프는 처음에 io를 생각하고, i-계열을 먼저 만들었음, 그리고 거기에 k- t- ĉ- nen-을 덧붙여서 다른 말을 만들었음, 그러나 나중에는 ti- ki- i- ĉi- neni-처럼 분리시키기도 했음 / 오늘날 이 목록어를 분석하는 방법은 세 가지: ti-o t-io t-i-o / 이 목록어의 어미 9가지(-u -o -a -es -e -el -am -al -om)는 다른 문법적 어미들처럼 쓰이지 않음 / 그래서 alies라는 말은 비표준어임 / La kioman fojon에서 관사 용법이 좀 특이함 /

-"ia", "ial", "ian", "ie", "iel", "ies", "io", "iom", "iu“ 등의 낱말에서 어떤 낱말들이 만들어질 수 있나요? -그는 벌써 몇 번째 자신의 이야기를 반복했나요? -우리는 이렇게 말할 수 있습니까? : helpi la fraton (anstataŭ: al la frato), obei la patron (anstataŭ: al la patro), ridi lian malsaĝecon (anstataŭ: je lia malsaĝeco), plori la perdon (anstataŭ: pro la perdo). 네, 왜냐하면 의미적으로 어떤 전치사를 써

야 할지 잘 모를 경우에는 우리는 언제나 전치사 〈je〉를 쓰든지 아니면 전치사를 쓰지 않고 목적격을 쓸 수 있기 때문입니다.

9.

Lia malbenado ne ĉesas; sed nenia el liaj malbenoj povas min iom malhelpi. — La hieraŭa duhora pafado ne estis por mi tiel terura, kiel la du pafoj, kiujn mi aŭdis hodiaŭ. — Li kuris sur la kampon. — Li kuradis ĝis li falis. — La lavistino alportis mian tolaĵon: ĉemizojn, kolumojn, manumojn kaj viŝilojn (oni nomas ĝin tolaĵo, kvankam ne ĉio estas farita el tolo). — Anstataŭ vino li enverŝis en mian glason ian malagrablan acidaĵon, kaj tiun ĉi malklaran fluidaĵon li devigis min eltrinki.

/ ĉesi는 자동사임 "멈추다", komenci ne… -i / li ĉesis paroli 여기의 동사 불변화법은 보충어 취급을 함(?) / ĉesigi -을 중단하다, la laboristo ĉesigis sian laboron Z / ĝis ~까지 (전치사, 접속사) /

9.

그의 저주는 멈추지 않습니다. 그러나 그의 저주 중 그 어느 것도 나를 조금도 방해하지는 않았습니다. -어제의 두 시간 동안의 사격은 오늘 내가 들은 두 번의 사격만큼 그렇게 나를 두렵게 하지는 않았습니다. -그는 밭 위로 (밭으로) 뛰어갔습니다. -그는 넘어질 때까지 계속 달렸습니다. -그 세탁

부가 나의 tolaĵo (아마포로 만든 것, 모시?)를 가져다 주었습니다: 셔츠, 깃, 소매 그리고 수건 등 (비록 이 모두가 아마포로 만들어지지는 않았지만 우리는 tolaĵo라 부릅니다.) - 포도주 대신 그는 나의 잔에 비위가 상하는 무엇인가 신 것을 부었습니다. 그리고 이 탁한 액체를 나에게 다 마시라고 했습니다.

— Ne ĉia belaĵo estas utila. — En la angulo kuŝis amaso da malnova feraĵo. — Sinjoro N. estas senatano. — La vilaĝano vendis al la komercisto centon da ovoj. — La nombro da kristanoj estas pli granda, ol la nombro da mahometanoj. — Ne ĉiu rusujano estas ruso. — Mi estas via kunlandano, ĉar mi ankaŭ estas italujano. — Ili venkos, ĉar ilia militistaro estas glora pro sia disciplino. — La hararo defalis de lia kapo, kaj mi vidis grandan senharaĵon, kiun li pro malvera honto ĉian tiel zorge kaŝis.

/ Ne ĉi- 완전 부정이 아닌 부분 부정, "모든 게 다 -가 아니다" / Neni-는 완전부정 / La nombro da ~ 는 좀 이상하다, de를 써야 할 것임 / mahometano=islamano / hararo 초기에는 "가발(peruko)"의 뜻으로 쓰였음, 오늘날엔 "머리카락 전부"의 뜻으로 쓰임 / malvera honto 좀 이상한 표현임 /

-모든 아름다운 것이 다 유익한 건 아닙니다. -구석에 고철이 한 무더기 놓여 있었습니다. -N 씨는 상원 의원입니다. -그 마을 사람은 상인에게 100개의 달걀을 팔았습니다. -기

독교인의 수가 이슬람의 수보다 더 많습니다. -러시아인이라 해서 모두 ruso는 아닙니다. -나는 당신과 같은 나라 사람입니다. 왜냐하면 나 역시 이탈리아인이기 때문입니다. -그들은 승리할 것입니다. 왜냐하면 그들의 군대는 훈련을 잘 받았기 때문입니다.(?) -그의 머리에서 가발이 벗겨졌습니다. 그리고 나는 그가 부끄러워서(?) 항상 그렇게 조심스럽게 감추었던 커다란 대머리를 보았습니다.

10.

Li promenadis, akompanata de siaj lernantoj. — Mi estas la zorganto de tiu ĉi infano, kaj ĝi estas mia zorgato. — Via kuracato estas mia konato. — Ŝi ofte sonĝas mortintojn. — Plendito, kion vi povas diri por via praviĝo? — Ŝi estas en la kvara monato de naskonteco. — La juĝejo estis jam plena, kaj oni enkondukis la juĝoton.

/ 분사 접미사 -ant-, -at-, 등을 익힘 / 여기 쓰인 akompanata는 akompanate 로 써도 됨 / ĝi=infano / plendi는 자동사, (tr, ark.) multaj ~as la sonon ⟨ĵ⟩ Z / 여기서는 plendi를 akuzi(고소하다)의 뜻으로 쓴 것 같음 / praviĝo=sinpravigo, sin pravigi 변명하다, 항변하다 /

10.

그는 자기의 학생들을 동행하고 산책을 했다. -나는 이 아이의 보호자이며, 이 아이는 저의 피보호자입니다. -당신의 환자는 나의 지인입니다. -그녀는 자주 죽은 사람들을 꿈을 꿉니다. -피고인, 당신은 무슨 말로 당신을 변명하겠습니까? -그녀는 임신 4개월째입니다. -재판정은 이미 가득 찼고, 피고인이 끌려 들어왔습니다.

— La parenco de mia edzo aŭ la edzo de mia parenco, estas mia boparenco. — La patro de mia edzino estas mia bopatro. — Mi estas la bofrato de Heleno, ĉar ŝi estas la edzino de mia frato; ŝi estas mia bofratino. — Karolo estas mia nepropra filo (aŭ duonfilo), ĉar mi estas la dua edzo de lia patrino.

/ 접두사 bo-를 익힘 / boparenco 인척 / nepropra와 ne … propra의 구분? / duon- "의붓"을 뜻하는 접두사 /

-나의 남편의 친척 혹은 나의 친척의 남편은 나의 '인척'이다. -내 아내의 아버지는 나의 장인이다. -나는 Heleno의 시아주버니 (혹은 시동생)이다, 왜냐하면 그녀는 내 동생 (혹은 형)의 아내이기 때문이다. 그녀는 나의 제수 (혹은 형수)이다. -Karolo는 나의 친아들이 아니다 (혹은 의붓아들이다), 왜냐하면 나는 그 아이 어머니의 둘째 남편이기 때문이다.

— Petro kaj Mario estas jam sufiĉe maljunaj, tamen oni ankoraŭ vokas ilin Peĉjo kaj Manjo. — Aŭguĉjo kaj Aŭgunjo estas bonaj infanoj. — Disiru, sinjoroj, ĉar amase stari sur la strato estas malpermesita. — Li disŝutis la alumetojn sur la tuta planko. — Via parolo estas por mi tute ne komprenebla. — Li rakontas aferon tute ne kredeblan. — Vi skribas tre nelegeble.

— Vitro estas travidebla.

/ 접두사 mal-, dis-, 접미사 -ĉj-, -nj-, -ebl- 들을 익힘 / voki의 쓰임에 주의, 이럴 때 꼭 nomi를 쓰지 않아도 됨 / 여기 쓰인 malpermesita는 잘못, malpermesite로 써야 함, 주어가 stari이기 때문 / 접미사 -ebl-, -end-, -ind-는 그 뜻이 피동임 /

-Petro와 Mario는 이미 많이 늙었습니다. 그렇지만 사람들은 아직도 그들을, Peĉjo와 Manjo라고 부릅니다. -Aŭguĉjo와 Aŭgunjo는 좋은 아이들입니다. -여러분, 흩어지세요. 도로 위에 이렇게 많이들 서 있는 것은 금지된 일입니다. -그는 성냥(개비)을 온 바닥에 뿌렸습니다. -당신의 말은 제가 도저히 이해할 수 없습니다. -그는 전혀 믿을 수 없는 일을 이야기합니다. -당신은 아주 읽을 수 없게 글을 쓰는군요. - 유리는 투명합니다.

11.

Mi miras la saĝecon kaj la honestecon de tiu ĉi homo. — La leĝeco de lia faro ne estas por mi malcerta, ĉar ĉio, kion li faras, estas tute leĝa. — Vivu la frateco de l' popoloj. — Virino, kiu sin okupas je kudrado, estas nomata kudristino, kaj ŝia edzo estas nomata kudristinedzo. — Ŝi ne estas doktorino, sed nur doktoredzino. — Je l' deka horo vespere la kortisto fermas la pordegon de l' domo.

/ 접미사 -ec-, -in-, -ist- 들을 익힘 / edzo와 edzino는

접미사처럼 쓰이기도 함 / miri는 자동사, 자멘호프는 이걸 타동사로도 썼음, "miri pri"로 생각할 수도 있음 / doktoro는 kuracisto의 뜻으로 쓰이기도 함 / kortisto=pordisto /

11.

나는 이 사람의 현명함과 정직함에 놀랍니다. -그의 행위의 적법함은 제가 보기에는 전혀 불확실한 것이 아닙니다. 왜냐하면 그가 행한 모든 것은 아주 합법적이기 때문입니다. -민족들 간의 형제애여 영원하여라 (만세). -바느질을 하는 여자는 kudristino라 불리고, 그녀의 남편은 kudristinedzo라 불립니다. / 그녀는 의사가 아닙니다. 단지 의사 부인일 뿐입니다. -저녁 10시에 그 문지기는 그 집의 대문을 닫습니다.

— Mi ne povis ne ekplori, kian mi vidis, kiel la malriĉegulo petegis la mastron de l' belega palaco pri peco da pano. — La legendoj rakontas pri grandeguloj, kiuj volis batali kun la dioj. — La vetero estis malbona, kaj mi malvarmumis; la kuracisto konsilis al mi iri en ŝvitbanejon. — Nia fidela servanto mortis en la malsanulejo. — Kun la libroj en la mano la infano iris en la lernejon. — Aŭdinte tion ĉi, li ekploris.

/ 접두사 ek-, 접미사 -eg-, -ej- 익힘 / malvarmumi 감기 걸리다 /

-나는 그 아주 가난한 사람이 그 아름다운 궁전의 주인에게 어떻게 빵 한 조각을 애원하는가를 보고는 울음을 터뜨리지 않을 수 없었습니다. -그 전설들은 신들과 싸우려고 했던 거

인들에 대해서 이야기하고 있습니다. -날씨가 좋지 않습니다. 그리고 나는 감기에 걸렸습니다. 의사는 나에게 사우나에 들어가라고 조언했습니다. -우리의 충실한 하인이 병원에서 죽었습니다. -그 아이는 손에 책을 들고서 학교 안으로 들어갔습니다. -이걸 듣고서 그는 울음을 터뜨렸습니다.

— Ekbruligu kandelon, ĉar estas jam mallume. — La tondro estis tiel forta, ke la vitroj de niaj fenestroj ektremis. — Malpacinte kun sia edzino, li eksedziĝis je ŝi. — Li estas eksgeneralo; servinte en la militistaro tridek jarojn, li eksiĝis. — Mia kolego estas tre kredema: li kredas ĉion, kion oni diras al li. — Eduardo estas tre ekkolerema kaj venĝema, kaj lin ofendi estas danĝere. — Estu laborema, ŝparema kaj singardema! — La religio diras, ke la animo estas nemortema, kvankam la korpo estas mortema.

/ 접두사 eks-, 접미사 -em- 익힘 / tridek 30, dek tri 13, ducent, dumil /

-초를 켜세요. 왜냐하면 벌써 어둡기 때문입니다. -천둥이(천둥 소리가) 너무나도 커서 우리 집 창문 유리들이 흔들렸습니다 (흔들리기 시작했습니다?). -아내와 불화하여서 그는 그녀와 이혼을 했습니다. -그는 전직 장군입니다. 30년을 군에서 일한 후에 퇴직하였습니다. -나의 동료는 아주 믿기를 잘합니다. 그는 다른 사람들이 그에게 말하는 것을 모두 믿습니다. -Eduardo는 아주 화를 잘 내고 꼭 복수를 하는 성격입니다. 그래서 그를 화나게 하는 것은 위험합니다. -근면하

고 절약하며 (매사에) 조심하세요! -그 종교는 말하길, 몸은 죽으나 영혼은 불멸이라고 합니다.

12.

La patro donacis al mi kolektujon, kaj li mem ĵetis en ĝin la unuan moneron. — Hieraŭ falis granda hajlo; ĉiu hajlero pezis pli ol kvindek gramojn. — La plej malgranda fajrero estas sufiĉa por eksplodigi la pulvon. — Via regnestro estas reĝo de Prusujo kaj imperiestro de Germanujo. — Se la ŝipestro ordonas, la ŝipanoj devas obei. — Starante sur la supro de l' monteto, kiu estas apud nia domo, li vidis la tutan ĉirkaŭaĵon. — Sidante sur seĝo, kaj tenante la piedojn sur benketo, li dormetis.

/ 접미사 -uj-, -er-, -estr- 익힘 / pezi 뒤에 목적격을 쓸 수도 있고, 〈je+주격〉을 쓸 수도 있음, pezis je pli ol kvindek gramoj / 접미사 -aĵ- 구체적인 물건, 먹을 수 있는 것을 뜻하는 말 뒤에 붙으면 "그것으로 만든 음식"을 뜻함, bovaĵo ovaĵo glaciaĵo frandaĵo / benketo 작은 벤치, 발을 올려 놓도록 만든 조그만 벤치 /

12.

아버지께서 나에게 저금통을 선물로 주셨습니다. 그래서 나는 직접 그 안에 첫째 동전을 던져 넣었습니다. -어제 큰 우박이 떨어졌습니다. 모든 우박이 50그램 이상 나갔습니다. -가장 작은 불씨라도 그 화약을 폭발시키기에는 충분합니다.

-당신 나라의 왕은 프러시아의 왕이요, 또 독일의 황제입니다. -만약 선장이 명령을 내리면 선원들은 복종해야 합니다. -우리 집 옆에 있는 동산 꼭대기에 서서 그는 주위를 모두 둘러보았습니다. -의자에 앉아 발을 작은 벤치에 올려 놓고서 그는 졸았습니다.

— Tre plaĉas al mi la blueta fumo de l' cigaro, kiun vi fumas. — Promenante sur la aleo, ni renkontis la gedoktorojn N., kiuj invitis nin al la balo, kiun ili hodiaŭ donas; ni iros kun plezuro, ĉar la gemastroj espereble zorgos, ke la gastoj bone pasigu la tempon. — Mi veturos hodiaŭ al miaj geonkloj. — Li pagis por la kokido tiom, kiom oni ne pagas eĉ por koko. — La Napoleonidoj esperas ricevi la tronon de Francujo.

/ 접두사 ge-, 접미사 -id-, -uj- 익힘 / plaĉi al ~의 마음에 들다, Li plaĉas al mi 그는 내 마음에 든다 / 초기에는 ge-가 '부부'의 뜻으로 많이 쓰였음 /

-당신이 피우는 담배의 푸르스럼한 연기가 내 마음에 쏙 듭니다. -숲속 길을 산책하면서 우리는 그 N 씨라는 의사 부부를 만났습니다. 그분들은 우리를 오늘 그들이 베푸는 무도회에 초대를 했습니다. 우리는 기꺼이 가려고 합니다. 왜냐하면 그 부부는 아마도 손님들이 좋은 시간을 보내도록 배려할 것이기 때문입니다. -나는 오늘 나의 삼촌 부부네로 갈 것입니다. -그는 병아리를 위해서 다 큰 닭 값보다 더 많이 지불했습니다. -나폴레옹의 후손들은 프랑스의 왕위를 물려받기를 원합니다.

13.

Ironte promeni, purigu vian veston. — La printempa suno fluidigis la neĝon kaj la glacion. — Ŝi volas fianĉigi mian fraton je ŝia fratino. — Dormigu la infanon. — La mizero kutimigis lin levi sin el la lito tre frue. — Pro la multaj malplezuroj li tute griziĝis. — La nombro de l' amikoj de l' lingvo internacia pligrandiĝas senĉese. — Koniĝinte je tiu ĉi nobla homo, mi tuj amikiĝis je li.

/ 접미사 -ig-, -iĝ- 익힘 / fianĉigi, edzigi등의 용법에 주의, La patro edzigis sian filon al ŝi. Ŝi edzigis lin. / Ŝi volas … je ŝia fratino에서 두 개의 ŝi가 동일 인물이라면 sia를 쓰는 것이 문법적으로 맞음 /

13.

산책을 나가려면 당신의 옷을 깨끗하게 하세요. -봄의 태양은 눈과 얼음을 녹였습니다. -그녀는 나의 형(동생)을 자기 언니(여동생)와 약혼 시키기를 원합니다. -아이를 재우세요. -불행이 (어려운 삶이) 그를 아주 일찍 침대에서 일어나게 만들었습니다. -그 많은 고통들 때문에 그의 머리는 완전히 희어졌습니다. -국제어 친구들의 수는 끊임없이 커가고 있습니다. -이 훌륭한(고귀한) 사람을 알게 되고 나서 나는 곧 그와 친구가 되었습니다.

— Mirinda estas la historio de lia familio: la avo mortis je ia nekomprenebla malsano, havante la aĝon de dudek naŭ jaroj; la avino mortigis sin mem en atako de malprudento; la patro elfalis el fenestro de tria etaĝo kaj mortiĝis; la patrino estis mortigita de ŝia propra servantino. — Ĉu la kandelo estis estingita, aŭ ĝi estingiĝis mem?

/ 접미사 -iĝ-, -it- 익힘 / en atako de malprudento 부주의한 실수로? / de ŝia propra에서 sia가 문법적으로 맞음 / servantino, 앞에서도 servanto라는 말을 썼는데, 이것은 servisto로 써도 됨, 자멘호프는 servisto라는 말은 "노예"와 같은 느낌을 준다고 생각해서 안 쓴 것 같음 / esti -ita는 수동태로서 그 행위자가 있는 경우이고, -iĝ-는 자동태로서 그 행위자가 분명히 드러나지 않는 경우임 /

-그 가족의 역사는 놀랍습니다. 할아버지는 29살의 나이에 이해할 수 없는 병으로 돌아가셨으며, 할머니는 부주의한 실수로 돌아가셨고, 아버지는 3층 창에서 떨어져 죽었으며, 어머니는 자기 하녀에 의해 살해 당했습니다. -그 초는 누가 껐습니까, 아니면 저절로 꺼졌습니까?

— La knabeto estas ruĝigita de sia patrino, aŭ eble li ruĝigis sin mem? — Ne, li ruĝiĝis de plezuro, ĉar li estas tre ruĝiĝema. — Sidigu la fraton, ĉar sidigi sin mem li ne volas; se li ne povas esti sidigata, submovu seĝon sub liajn piedojn, kaj li kontraŭvole sidiĝos. — Falinte de l' supro de l' arbo, li sidiĝis sur la malsupran branĉon.

/ 수동태 익힘 / ruĝiĝi de ~때문에 얼굴이 붉어지다 / 여기서는 de sia patrino라고 재귀대명사 sia를 썼음, 이런 경우(즉, 전치사 뒤에서) 앞에서는 재귀대명사를 쓰지 않았음 / movi 무엇을 움직이다, 무엇을 -에 가져다 놓다 /

-그 어린 소년은 어머니에 의해 (얼굴이) 붉어졌나요, 아니면 그 스스로 붉어졌나요? -아니요, 그는 기쁨으로 인해 얼굴이 붉어졌어요. 왜냐하면 그는 얼굴이 잘 붉어지는 편이니까요. -동생을 앉히세요. 왜냐하면 그는 스스로 앉기를 원하지 않기 때문입니다. 만약 그를 앉힐 수가 없다면, 그의 발 아래로 의자를 갖다 놓으세요. 그러면 어쩔 수 없이 앉겠지요. -그 나무 꼭대기에서 떨어져서 그는 그 아래에 있는 가지 위에 앉혔습니다(앉았습니다).

14.

Donu al mi kudrilon kaj fadenon, ĉar mi volas alkudri butonon al mia surtuto. — Rigardu, kiel la aglo batas kun la flugiloj! — Kovriloj povas esti por la vizaĝo (vizaĝkovriloj), por la litoj (litkovriloj) kaj cetere. — Prenu la fosilon kaj fosu tombon. — Mia onklino naskis filinon. — La bovo jelaboras la kampon, kaj la bovino donas lakton. — La patrino de mia patro estas mia avino.

/ 접미사 -il- 익힘 / alkudri 꿰매어 붙이다 / jelabori -에 대하여 일하다 /

14.

나에게 바늘과 실을 주세요. 왜냐하면 나는 내 외투에 단추를 꿰매어 붙이고 싶기 때문입니다. -보세요, 독수리가 어떻게 날개를 치는지요! -덮개는 얼굴용일 수도 있고, 침대용일 수도 있고, 기타 다른 용도로 쓰일 수도 있습니다. -삽을 잡고 무덤을 파세요. -나의 아주머니는 딸을 낳았습니다. -(황)소는 밭을 갑니다. 그리고 암소는 우유를 생산합니다. -내 아버지의 어머니는 나의 할머니입니다.

— Mi aŭdis tion ĉi de kredindaj personoj. — Mi jam vidis ĉiujn vidindaĵojn de via urbo. — Li estas senespere malsana, kaj savi lin povas nur ia miregindaĵo. — Li havas bonan koron, sed bedaŭrinde li ne povas fari, kion li volas. — Varma fumo estas por mi malutila, tial mi ĉian fumas tra cigaringo. — Por ne piki la fingron ĉe l' kudrado, oni portas fingringon.

/ 접미사 -ind-, -ing- 익힘 / kion은 tion, kion을 줄인 것으로 봐야 함 / -ing- 부분을 감싸는 것, -uj- 전체를 감싸는 것 (나무, 그릇, 나라) /

-나는 믿을만한 사람들에게서 이것을 들었습니다. -나는 벌써 당신의 도시의 볼만한 것들을 다 보았습니다. -그는 병세가 절망적입니다. 그리고 그를 구할 수 있는 것은 오직 기적뿐입니다. -그는 마음이 좋습니다. 그러나 유감스럽게도 그는 자기가 하고 싶은 것을 할 수 없습니다. -나에게는 뜨거운 연기가 해롭습니다. 그래서 나는 항상 담뱃대로 담배를 피웁니다. -바느질을 할 때 손가락을 찌르지 않게 하기 위하여 사람들은 골무를 사용합니다.

— Mi perdis la ŝlosilon de mia ŝranko, kaj mi devis venigi ŝlosiliston. — Valter-Skot' estis glora verkisto. — La apotekisto estas helpanto de l' kuracisto. — La kuiristo malbonigis la tagmanĝon. — La avo ne volis beni sian nepon, sed li ankaŭ lin ne malbenis. — Li ne sole ne helpis min en mia laboro, sed li ankoraŭ min malhelpis, kiom li povis. — La malsupra parto de tiu ĉi domo estas alie kolorita ol la supra. — Ne legu tiel mallaŭte. — Malfermu la pordon!

/ 접미사 -ist- 익힘 / kiom은 tiom, kiom으로 볼 수 있음 / alie 다르게, 그렇지 않으면, mi ja bezonas manĝi, alie mi povas tute maldikiĝi! Z /

-나는 내 장롱의 열쇠를 잃어 버렸습니다. 그래서 열쇠 수리공을 불러야 했습니다. -Valter-Skot'은 영광스러운 (훌륭한) 작가였습니다. -약사는 의사의 보조인입니다. -그 요리사는 점심을 망쳤습니다. -그 할아버지는 자기 손자를 축복하지도 않고 또한 저주하지도 않았습니다. -그는 나의 일을 돕지 않았을 뿐만 아니라 할 수 있는 한 계속 나를 방해했습니다. -이 집의 아랫부분은 그 윗부분보다 다르게 칠해져 있습니다. -그렇게 나지막이 읽지 마세요. -문을 여세요!

15.

Por via malkonfeso oni duobligos vian punon. — Mi foriras, kaj mi revenos post kvarono da horo. — Multope ni pli frue finos la laboron, ol unuope. —

Kristo reviviĝis. — Iru, sed ne revenu tro malfrue. — Cezaro transiris la Rubikonon. — Transportu la seĝon de tie ĉi sur alian lokon. — Mi havas en mia plumujo du plumingojn sen plumoj.

/ 접미사 -obl-, -on-, -op- 익힘 / sur alian lokon 목적격을 쓴 것은 이동의 방향 표시, "다른 곳 위에로", "다른 곳으로" / plumo 펜, plumingo 펜대 /

15.

당신의 거짓말 (허위 자백, 번복 등) 때문에 사람들은 당신의 벌을 두 배로 했습니다. -나는 떠납니다. 그리고 15분 후에 돌아올 겁니다. -혼자서 하는 것보다 여럿이서 함께 하면 우리는 일을 더 일찍 끝낼 것입니다. -그리스도는 부활했습니다. -가세요, 그러나 너무 늦게 돌아오지 마세요. -시저는 루비콘 강을 건넜습니다. -그 의자를 여기에서 다른 곳으로 옮기세요. -나는 펜 꽂이 안에 펜촉이 없는 펜대 두 개를 가지고 있습니다.

— Estante en la cigarejo, mi aĉetis dek cigarojn; naŭ el ili mi metis en mian cigarujon kaj unu mi metis en mian cigaringon kaj ekfumis. — La arbo, sur kiu kreskas pomoj, estas nomata pomujo aŭ pomarbo; sed ne ĉia fruktujo estas arbo. — Hispanujo estas parto de Eŭropo. — Mi estis infano, mi estis knabo, mi estis junulo, mi estis viro, — nun mi estas maljunulo. — Mi ne volas vane paroli kun tiu ĉi malsaĝulo.

/ 접미사 -uj-, -ul- 익힘 / cigarejo 담배 파는 곳(?) /

-담뱃가게에 있으면서 나는 10개의 시가를 샀습니다. 그중 9개는 나의 담뱃갑 안에 넣었고 하나는 나의 담뱃대 안에 넣어서 피우기 시작했습니다. -사과가 자라는 나무는 pomujo 혹은 pomarbo라 불립니다. 그러나 모든 fruktujo가 다 나무는 아닙니다. -스페인은 유럽의 한 부분입니다. -나는 아이였고, 소년이었고, 청년이었고, 남자였습니다. -지금 나는 노인입니다. -나는 이 바보하고 공연히 말을 나누고 싶지 않습니다.

— Se ni devas uzi ian sufikson, sed la senco ne montras al ni, kian sufikson ni devas preni, — ni uzas la sufikson "um". — Kiu ne plenumas sian promeson, estas malnoblulo. — Elirinte el varma ĉambro sur la malvarman korton, ŝi malvarmumis kaj malsaniĝis.

/ 접미사 -um- 익힘 / 여기 쓰인 kian은 “어떠한”의 뜻, 시간을 뜻하는 kian이 아님 / Kiu=Tiu, kiu / malvarmumi, malvarmumiĝi라고도 함 /

-만약 우리가 어떤 접미사를 사용하기는 해야 하나, 그 뜻이 우리에게 어떤 접미사를 써야 할지 알려 주지 않는다면, 우리는 접미사 “um”을 씁니다. -자신의 약속을 실행하지 않는 사람은 천한(?) 사람입니다. -더운 방에서 추운 마당으로 나간 후에 그녀는 감기가 걸렸고 병이 났습니다.

16.

La malnovaj popoloj estis tre gastamaj. — Li donas lecionojn de belskribado. — Li havas belajn vangharojn. — Tiu ĉi pano estas tre bongusta. — En mia skribtablo estas kvar tirkestoj. — La dek du monatoj de l' kristana jaro estas: Januaro, Februaro, Marto, Aprilo, Majo, Junio, Julio, Aŭgusto, Septembro, Oktobro, Novembro, Decembro. — Diru al mi, mi petas, kioma horo nun estas.

/ 합성어 익힘 / 자멘호프는 달 이름 첫 글자를 대문자로 썼음 / kioma 몇째의 /

16.

옛날 민족들은 아주 손님 접대를 잘 했습니다. -그는 정서법(예쁘게 글쓰기) 과목들을 가르칩니다. -그의 구레나룻은 아름답습니다. -이 빵은 아주 맛있습니다. -나의 책상에는 네 개의 서랍이 있습니다. -열두 달의 이름 : Januaro, Februaro, Marto, Aprilo, Majo, Junio, Julio, Aŭgusto, Septembro, Oktobro, Novembro, Decembro / 지금 몇 시인지 좀 말씀해 주세요.

— Nun estas la tria horo, aŭ, pli certe, nun estas kvin minutoj post la tria horo. — Ne, sinjoro, vi eraras: nun estas kvarono de la kvara (horo). — Je l' kioma horo vi tagmanĝas (tagmezmanĝas)? — Ne ĉian egale: hodiaŭ ni tagmanĝis je tri kvaronoj de l' kvara, kaj hieraŭ ni manĝis akurate je l' tria horo. — Kian aĝon vi havas?

— Mi havas kvardek kvin jarojn.

/ 수사 익힘 / 시간 말하는 법 / Je l' kioma horo 요즘은 Je kioma horo로 많이 말함 / Kian aĝon 몇 살? Kiun aĝon도 가능, Kiom da jaroj vi havas? /

-지금 3시입니다. 혹은 더 정확히는 3시 5분입니다. 아니요, 선생님, 당신은 틀렸습니다. 지금은 4시 15분입니다. -몇 시에 당신은 점심을 잡수세요? -항상 같지는 않습니다. 오늘은 우리가 4시 45분에 점심을 먹었고, 어제는 정확히 3시에 먹었습니다. -당신은 몇 살입니까? -나는 45살입니다.

— Bonan tagon, sinjoro! Kiel vi fartas? — Pardonu, sinjoro, mi vin ne rekonas. — La venontan dimanĉon mi veturos Hamburgon. — Kio vin interesas mia farado? ne miksu vin en malproprajn aferojn! — Ĉu vi ludas violonon? — Ne, mi ludas kartojn, sed por instrumentoj mi ĉian estis tro maldiligenta. — Mi ne loĝas ĉe mia frato, mi loĝas aparte; sed mia loĝejo estas apud la lia. — Antaŭ tiu malgranda ligna dometo staris bela granda arbo.

/ rekoni (재)인식하다, 알아보다, 알아차리다 / Kio vin interesas mia farado? 여기서 주어는 mia farado임, Kio의 용법에 주의, 자멘호프는 kio를 여러 방식으로 사용했음, (ark.) ~n ni estas kulpaj?[Z] (en kio); ~n vi rigardas ilin?[Z] (kial). / 이런 표현은 한국어 표현과 비슷함, "나의 행동이 뭐가 재미있단 말이요?" / kio와 mia farado를 동격으로 볼

수도 있음 / malpropra 남의, 자신의 일이 아닌 /

-선생님, 좋은 아침입니다! 어떻게 지내세요? -죄송합니다, 선생님, 당신을 몰라보겠군요. -오는 일요일에 나는 함부르크로 가겠습니다. -나의 행동이 뭐가 재미있단 말이요? 남의 일에 끼어들지 마세요! -바이올린을 켜세요 (켤 줄 아세요)? -아니요, 나는 카드놀이를 하고 있습니다. 그리고 악기는 (악기를 배우는 데에는) 항상 너무 게을러서 못 배웠어요. -나는 나의 형 집에 살지 않습니다. 나는 따로 살고 있습니다. 그러나 나의 집은 그의 집 옆에 있습니다. -그 조그만 나무로 만든 집 앞에 아름다운 큰 나무가 서 있었습니다.

— Mi volas aŭ ĉion, aŭ nenion. — Mi bezonas du frankojn; ĉu vi ne povas ilin doni al mi prunte? — La popoldiroj (proverboj) esprimas la saĝon de l' popolo, kaj la popolrakontoj (legendoj) esprimas ĝian kredon. — La vorton "met" ni uzas tian, kian ni volas esprimi ian faradon, sed la formo de l' farado estas por ni aŭ ne klara, aŭ sen signifo. "Meti ion ien" signifas: fari, ke io ie estu. "Meti" povus alie esti tradukata "estigi". "Meti" inter la verboj (farvortoj) estas tio sama, kio "je" inter la prepozicioj, aŭ "um" inter la sufiksoj.

/ aŭ … aŭ , kaj … kaj / prunti 빌려 주다(pruntedoni), 빌려 받다(pruntepreni) / 동사 meti 익힘 / alie 다르게, 다른 방식으로, 그렇지 않으면 / tio sama, kio 좀 특이한 표현임, "~와 같은 그런 것", tiel sama, kiel로 쓰는 게 더 좋겠음 /

-나는 모든것 아니면 아무것도 필요없어요. -나는 2프랑이 필요합니다. 당신은 그것을 나에게 빌려 주실 수 없겠습니까? -민담(속담)은 서민들의 지혜를 표현하고, 민속이야기(전설)는 그들의 신앙을 표현한다. -"met"라는 낱말은 어떤 행동을 표현하고자 할 때 쓰긴 하지만 그 행동의 형태가 분명하지 않거나 또는 큰 의미가 없을 때 사용하는 말이다. "Meti ion ien"은 "무엇인가를 어디에 있게 한다"는 뜻이다. "Meti"는 다르게 표현하자면 "estigi"라고 번역할 수도 있다. 동사 중에 "meti"는 전치사 중에 "je"나 접미사 중에 "um"과 같은 그런 말이다.

— Metu la manon sur la koron. — La ŝteliston oni metis en malliberejon (se ni dirus "oni lin sidigis", tio ĉi estus ne vere, ĉar neniu lin tie sidigis). — Metu la ĉapelon sur la kapon. — La leteron mi adresis: al lia moŝto sinjoro N. en N. N. — Via barona moŝto, helpu min en mia mizero! — Por esti feliĉa, oni devas esti antaŭ ĉio kontenta je sia sorto. — Mi iris en la teatron, por aŭdi la gloran kantiston.

/ moŝto 부름말에서 존대를 표시함, 뒤에 계급이나 직함을 형용사형으로 써줌, lia reĝa moŝto, via ambasadora moŝto, lia sinjora moŝto, via moŝto / antaŭ ĉio 우선, 가장 먼저 /

-손을 가슴 위에 얹으세요. -사람들은 그 도둑을 감옥 안에 meti 했습니다 (넣었습니다). (만약 이때 "앉혔습니다"(sidigis)라고 말한다면, 이건 사실과 다릅니다. 왜냐하면

아무도 그를 거기에 앉히지 않았기 때문입니다.) -모자를 머리 위에 쓰세요. -그 편지에 나는 다음과 같이 주소를 썼습니다. N. N. 씨 댁의 존경하는 N. 선생님께. -남작님, 불쌍한 저를 도와 주십시오! -행복하기 위해서는 우리는 먼저 자신의 운명에 만족해야 합니다. -나는 그 위대한 가수의 노래를 듣기 위해 극장 안으로 들어갔습니다.

17.

LA OMBRO. (mirrakonto de Andersen')

En la varmegaj landoj la suno radias alian varmegon, ol ĉe ni. La homoj ricevas koloron malluman, kaj en la plej varmegaj landoj la brula suno faras el ili negrojn. Sed ĝi estis nur la simple varmaj landoj, kien transveturis unu instruita homo el niaj malvarmaj. Li pensis, ke li tie povos ankaŭ promenadi en la stratoj, kiel en lia patrujo, sed tion ĉi li devis baldaŭ malkutimi.

/ radii 빛, 햇볕을 비추다, 내리비치다 / fari -on el -o 무엇에서 무엇을 만들어 내다 / malvarmaj 다음에는 landoj가 생략되었음 / malkutimi malkutimiĝi (je)라고 하는 게 옳음 / 목적격 tion ĉi는 je tio ĉi로 해석하는 게 옳음 /

17.

그림자 (안데르센 동화)

열대의 나라에서는 태양의 뜨거움이 우리 나라와는 아주 다릅니다. 사람들은 피부가 검어지며, 가장 뜨거운 나라들에서는 작열하는 태양으로 인해 사람들이 흑인이 됩니다. 어떤 학자가 우리와 같은 서늘한 나라에서 어느 나라로 여행을 갔는데, 그 나라는 그저 보통 정도로 뜨거운 나라였습니다. 그는 거기에서도 자신의 고국에서와 마찬가지로 길거리에서 산책을 할 수 있겠거니 생각을 했습니다. 그러나 그는 곧 그것을 그만두어야 했습니다.

Li kaj ĉiuj prudentaj homoj devis trankvile resti en la domo. La kovriloj de l' fenestroj kaj la pordoj restis fermitaj la tutan tagon. Oni povus pensi, ke la tuta domo dormas, aŭ ke neniu estas en la domo. La mallarĝa strato, kie li loĝis, estis ankoraŭ tiel konstruita, ke de l' mateno ĝis la vespero oni havis tie la tutan varmegon de l' suno.

/ resti 남다, 남겨지다, 어떤 상태로 남다(있다) / la tutan tagon=dum la tuta tago / 여기서 domo는 familio의 뜻으로 봐야 함 / ankoraŭ 아직, 계속, 더욱, 늘, 게다가, 여전히 / tiel ~, ke ~ 여기서는 "~을 대비하여"라고 번역하는 게 좋겠음 /

그와 또 모든 신중한 사람들은 집 안에 조용히 머물러 있어야만 했습니다. 창문과 방문의 가림막들은 하루 종일 닫혀 있었습니다. 집 사람들이 모두 잠을 자거나 아니면 그 집에 아무도 살고 있지 않는 것처럼 보였습니다. 게다가 그들이 거주하는 곳의 좁은 거리들은 아침부터 저녁까지 햇볕이 아주 뜨거울 것을 대비하여 만들어졌습니다.

La instruita homo el la malvarmaj landoj estis homo juna kaj saĝa homo; al li ŝajnis, ke li sidas en brula forno. Tio ĉi lin tre suferigis. Li tute maldikiĝis, kaj eĉ lia ombro fariĝis multe pli malgranda, ol en la patrujo, — ĝi ankaŭ suferis de la suno.

/ ŝajni, ke ~처럼 보이다 / suferi (자) 아파하다, 고통을 당하다, (타) -을 당하다, 겪다 /

서늘한 나라에서 온 그 학자는 젊고 현명한 사람이었습니다. 그는 마치 불이 붙은 난로 안에 앉아 있는 것 같았습니다. 이것이 그를 아주 고통스럽게 했습니다. 그는 아주 여위었고 그의 그림자조차 고국에 있을 때보다 훨씬 더 작아졌습니다. -그 그림자 역시 태양으로부터 고통을 받았던 것입니다.

Nur je l' vespero, kian la suno estis subirinta, ili reviviĝis. Estis efektiva plezuro ĝin vidi. Apenaŭ lumo estis enportita en la ĉambron, la ombro sin eltiris sur la tuta muro, ĝis la plafono kaj eĉ iom sur la plafono mem. Ĝi intence faris sin tiel longa, ĝi devis sin eltiri, por ree ricevi fortojn. La instruitulo eliris sur la balkonon, por tie sin eltiri, kaj apenaŭ la steloj ekellumis el la klara etero, li eksentis novan vivon.

/ apenaŭ (부사, 접속사) 겨우, ~하자마자 / eltiri 꺼내다, 길게 늘이다 / etero 구름, 대기 밖의 하늘, 창공 /

태양이 지고 난 저녁이 되어서야 그들은 다시 살아났습니다. 그것을 보는 것은 정말 기쁜 일이었습니다. 빛이 방 안으로 들어오자마자 그림자는 온 벽에 길게 뻗어 천장까지 갔습니다. 그리고 천장에도 조금 그림자가 비쳤습니다. 그림자는 일부러 그렇게 길게 뻗는 것 같았습니다. 그래야만 다시 힘을 얻을 수 있을 것처럼 말입니다. 그 학자는 발코니로 나가 자기 그림자를 더 길게 늘여뜨려 보았습니다. 그리고 저 맑은 창공에서 별이 반짝이기 시작하자 그는 새로운 활기를 느낄 수 있었습니다.

Sur ĉiuj balkonoj en la strato — kaj en la varmaj landoj ĉiu fenestro havas balkonon — sin montris homoj, ĉar aeron oni bezonas, se oni eĉ kutimis esti bruligata de l' suno. Vivo sin komencis supre kaj malsupre. Tajloroj kaj botistoj, — ĉiuj homoj eliris sur la straton, tabloj kaj seĝoj estis elportataj, lumo brulis ĉie, brulis pli ol mil lumoj; unu babilis, alia kantis, kaj la homoj promenis, la veturiloj veturis, la azenoj iris ... tin-tin-tin — ĉar ili portis sonorilojn.

/ sin montri=montriĝi 나타나다 / 여기서도 kutimi는 kutimiĝi로 이해해야 함 /

거리의 모든 발코니에는 -열대 나라에서는 모든 창에는 발코니가 있습니다 - 사람들이 나타났습니다. 왜냐하면 아무리 태양에 그을리는 데 익숙해져 있다 할지라도 공기는 필요하기 때문이지요. 위에서도 아래에서도 삶이 시작되었습니다. 재단사도 구두수선공도, 모든 사람이 거리로 나왔습니다. 테이블과 의자도 옮겨다 놓았습니다. 모든 곳에 천 개도 넘는 불이 밝혀졌으며 어떤 사람은 떠들고 어떤 사람은 노래를 부르고 또 어떤 사람은 산책을 하기도 했습니다. 차들이 지나가고 당나귀들이 "땡그랑 땡그랑" 지나갔습니다. 당나귀들은 종을 달고 있었거든요.

Tie mortintoj kun kantado estis enterigataj, la knaboj de l' strato bruis, la sonoriloj de l' preĝejoj sonoris, per unu vorto — vivo kaj movado reĝis malsupre sur la strato. Nur en la unu domo, kiu staris rekte kontraŭ la loĝejo de l' alilanda instruitulo, estis tute silente, kaj tamen tie kredeble iu loĝis, ĉar sur la balkono staris floroj, kiuj belege kreskis, — tiel iu kredeble ilin superverŝadis, kaj homoj necese devis tie esti.

/ per unu vorto 한마디로 / reĝi 왕노릇 하다, 통치하다 / 여기서 부사 silente 가 쓰인 것에 주의, 주어가 없음 / superverŝi -에(게) 물을 뿌리다, -을 홍수로 덮다 /

거기서 사람들은 노래를 부르며 죽은 사람을 땅에 묻었고, 거리의 소년들은 시끄럽게 떠들며 교회의 종들은 소리를 내었습니다. 한마디로 저 아래 거리에는 생명과 움직임이 흘러 넘쳤습니다. 그런데 다른 나라에서 온 이 학자가 살고 있는 집 바로 맞은편에 있는 오직 한 집만은 아주 조용했습니다. 그러나 거기에는 분명히 누군가 살고는 있습니다. 왜냐하면 거기 발코니에 아주 아름답게 피어난 꽃이 있기 때문이지요. -분명 누군가가 거기 물을 주었을 테니까 누군가 있는 것이 틀림없어요.

La pordo kontraŭe estis ankaŭ malfermata je l' vespero,

sed tie interne estis mallume, almenaŭ en la antaŭa ĉambro, — el interne estis aŭdata muziko, kiu al la alilanda instruitulo ŝajnis neesprimeble bela. Sed eble ĝi estis tia nur en lia ŝajnevido, ĉar li trovis tie en la varmaj landoj ĉion neesprimeble bela, se nur la malbona suno ne estus.

/ kontraŭe 맞은편에 있는 집에(?) / el interne 〈전치사+부사〉 de sube, de longe, ĝis kie? 등등 / ŝajnevido 특이한 표현, 자세히 보는 것이 아니라는 뜻인 듯, "겉보기에" / bela는 목적어 ĉion의 보어, 목적격 보어 /

맞은편 집의 그 문도 저녁에는 열려 있었습니다. 그러나 안은 어두웠습니다. 적어도 그 거실은 말이지요. -안에서는 음악이 들렸고, 그 외국 학자에게는 아주 아름답게 들렸습니다. 그러나 어쩌면 그 사람에게만 그렇게 들렸을지도 모릅니다. 왜냐하면 그는 이 열대 나라에서 모든 것이 다 아주 아름답게 느껴졌기 때문입니다. 그 뜨거운 태양만 없다면 말이지요.

La mastro de l' alilandulo diris, ke li ne scias, kiu loĝas en la kontraŭa domo, ke oni tie ne vidas ja eĉ unu personon, kaj pri la muziko — li trovas ĝin malbele enuiga. "Ĝi estas tiel, kiel se unu ripetas pecon, kiu estas por li tro malfacila, kaj kiun li ne povas ellerni, ĉian tiu sama peco. "Mi malgraŭ ĉio ĝin venkos" li diras, sed li tamen ĝin ne venkas, kiel ajn longe li ludas."

/ diris의 목적어 ke-절이 두 개 나옴 / enuiga는 목적격 보

어 / peco는 음악의 한 곡 / ĉian tiu sama peco가 좀 이상함, 앞의 pecon과 같이 목적격으로 써야 할 듯 / ĝin venkos의 ĝin은 앞의 'peco' / Mi와 li diras의 'li'는 앞의 'unu' / 이 문장에는 따옴표 안에 또 따옴표가 들어가 있음 /

그 외국인이 사는 집 주인은 그 맞은편 집에 누가 사는지 모른다고 했습니다. 그리고 아무도 그 집에서 사람을 본 적이 없다고도 했습니다. 그리고 그 음악에 대해서는 아주 지겹다고도 했습니다. "그것은 마치 어떤 사람이 너무 어려워서 제대로 배우지도 못하는 곡을 그렇게 항상 같은 곡을 계속 반복하는 것 같아요. 그는 "어떻게든 이것을 꼭 배우고 말겠어"라고 말하지만 아무리 오래 연주해도 결국 다 배우지 못하는 것 같아요."

Unu fojon en nokto la alilandulo vekiĝis; li dormis ĉe malfermita pordo de balkono, la kurtenoj antaŭ la pordo sin dismovis de bloveto de l' vento, kaj al li ŝajnis, ke de l' kontraŭa balkono venas mirinda brilo. Ĉiuj floroj brilis en plej belegaj koloroj, kaj en la mezo inter la floroj staris gracia aminda fraŭlino, kiu ŝajne ankaŭ brile radiis. La okuloj de l' instruitulo tute senvidiĝis de tio ĉi, kaj ne estas miro, ĉar li ilin efektive tro forte malfermis, kaj al tio ĉi li ankoraŭ estis dorminta.

/ Unu fojon=En unu fojo 한번은 / ĉe -의 곁에 / sin dismovis 흔들렸다 / kontraŭa balkono 맞은편 집의 발코니 / senvidiĝi 아무것도 보이지 않다 / ne estas miro, ĉar

… 문장에서 주어는 miro / miro 놀라움, 환상, 기적 / al tio ĉi 게다가 / estis dorminta 잠을 다 자고 난 상태였다, estis vekiĝinta /

한번은 밤에 그 외국인이 잠을 깼습니다. 그는 열려 있는 발코니 문 곁에서 잠을 잤는데, 문에 쳐진 커튼이 바람결에 이리저리 흔들렸습니다. 그리고 맞은편 집 발코니에 아주 신비한 빛이 보이는 것 같았습니다. 꽃들이 아주 아름답게 빛났고, 꽃들 가운데 우아하고 어여쁜 한 아가씨가 서 있었습니다. 그리고 그 아가씨도 환하게 빛이 나는 것 같았습니다. 그 빛 때문에 학자의 눈은 앞이 보이지 않았습니다. 그건 환상은 아니었습니다. 왜냐하면 그는 눈을 아주 힘껏 떴을 뿐만 아니라 이미 잠을 다 깬 상태였기 때문이지요.

Per unu salto li estis sur la planko, tre mallaŭte li stariĝis post la kurteno, sed la fraŭlino jam ne estis, la brilo estingiĝis. La floroj pli jam ne brilis, sed ili staris ankoraŭ en ilia antaŭa beleco. La pordo estis ne tute fermita, kaj profunde el interne sonis mallaŭta kaj agrabla muziko, kiu povis naskigi la plej dolĉajn sonĝojn. Tio ĉi estis efektive io mireginda. Kiu povis tie loĝi? Kie estis la eniro? En la partero estis nur magazeno, kaj estis ja neeble, ke la homoj ĉian trakurus tra tie.

/ Per unu salto 단숨에 / jam ne 마음속으로 생각하고 있던 일을 포기할 때 주로 쓰임, 자멘호프는 초기에는 “ne … plu”(하던 일을 중단함)와 같은 의미로 자주 사용했음,

Lingvaj Respondoj (1910)에서 자세히 설명하고 있음 / eniro 입구 enirejo가 더 좋겠음 / partero (고어) 지하실, teretaĝo /

그는 단숨에 일어나 발코니로 나갔습니다. 커튼 뒤에 숨어서 소리를 죽였습니다. 그러나 그 아가씨는 벌써 거기에 없었고 빛도 사라졌습니다. 꽃들도 이제는 더 이상 빛나지 않았습니다. 그러나 그 아름다움은 여전하였습니다. 문은 완전히 잠겨 있지는 않았고 안 깊은 곳에서 나지막하지만 듣기 좋은 음악이 들려 왔습니다. 그 음악소리를 들으면 정말 아름다운 꿈을 꿀 수 있을 것 같았습니다. 이건 정말 아주 놀라운 일입니다. 거기에 누가 살 수 있을까? 입구는 어디란 말인가? 지하층에는 창고만 있을 뿐이고, 그런 곳에 사람이 출입할 수는 없습니다.

Je unu vespero la alilandulo sidis sur sia balkono, post li en la ĉambro brulis lumo, tial estis tute nature, ke la ombro estis videbla sur la muro de la kontraŭa loĝejo. Tiel ĝi sidis tie inter la floroj sur la balkono, kaj ĉiun fojon, kian la alilandulo sin movis, la ombro sin ankaŭ movis, ĉar tion ĉi ĝi ordinare faras.

/ bruli 불 타다 / brulis lumo 여기서는 lumo가 빛 또는 불길, 둘 다로 이해할 수 있음, 빛으로 보면 brulis가 brilis와 같은 뜻으로 쓰인 것 같음 / ĝi는 ombro /

어느날 저녁에 그 외국인은 발코니에 앉아 있었습니다. 그리고 그의 뒷편으로 방 안에 불빛이 있었습니다. 그래서 자연히 그 그림자가 맞은편 집 벽에 비치게 되었지요. 그 그림자는 발코니에 있는 꽃들 가운데 있게 되었습니다. 그리고 그 외국인이 움직일 때마다 그 그림자도 따라 움직였습니다. 자연스러운 일이지요.

"Mi pensas, ke mia ombro estas la sola viva estaĵo, kiun oni povas trovi tie kontraŭe!" diris la instruitulo. "Rigardu, kiel bele ĝi sidas tie inter la floroj, la pordo estas ne tute fermita, kaj nun la ombro devus esti tiel saĝa kaj eniri, kaj ĉion bone rigardi, kio estas interne, kaj poste, reveninte, rakonti al mi, kion ĝi tie vidis. Jes, jes, mia ombro, vi devus peni esti utila al mi!" diris li ŝerce. "Estu tiel bona kaj eniru! Nu, vi ne volas iri?"

/ devus 가정법이 쓰인 것에 주의, devus에 관계 되는 동사가 세 개 : esti, eniri, rakonti /

"저 맞은편 쪽에 살아 있는 것이라곤 내 그림자뿐이야!" 그 학자는 이렇게 말했습니다. "봐, 그림자가 저기 꽃들 가운데에서 얼마나 우아하게 앉아 있는지. 그리고 문은 완전히 닫혀 있지 않아. 이제 그림자가 현명해져야 해. 그리고 들어가서 그 안에 있는 모든 걸 잘 보고 나와서 나에게 그가 본 것을 다 말해 줘야 해. 그래, 그래, 나의 그림자야, 너는 날 좀 도와줘야 해!" 그는 농담으로 이렇게 말을 했습니다. "그렇지 착한 그림자야, 들어가! 아니, 가고 싶지 않다고?"

Kaj li balancis la kapon al la ombro, kaj la ombro rebalancis ĝian kapon. "Jes, jes, iru, sed baldaŭ revenu!"

La alilandulo sin levis, kaj lia ombro sur la kontraŭa balkono sin ankaŭ levis; la alilandulo sin turnis, kaj la ombro sin ankaŭ turnis; se iu bone rigardus, li povus klare vidi, ke la ombro eniris en la ne tute fermitan pordon de la balkono de l' kontraŭa domo rekte en tiu momento, en kiu la alilandulo eniris en sian ĉambron kaj mallevis post si la longan kurtenon.

/ balanci 아래위로 흔들다, balancilo 시소, 그네, skui 방향에 관계없이 흔들다 / mallevi (커튼을) 아래로 내리다 /

그리고 그는 그림자에게 고개를 끄덕였습니다. 그리고 그 그림자도 고개를 끄덕였습니다. "그래, 그래, 들어가, 그러나 곧 돌아와야 해!" 그 외국인은 일어났습니다. 그리고 그 그림자도 맞은편 발코니에서 일어났습니다. 그 외국인이 돌아서자 그림자도 같이 돌아섰습니다. 누군가가 이 장면을 본다면, 그 외국인이 자기 방으로 들어가서는 긴 커튼을 내리는 바로 그 순간 그 그림자가 맞은편 집 발코니의 조금 열린 그 문 안으로 쏙 들어가는 것을 분명히 볼 수 있었을 것입니다.

Je l' postiranta mateno la instruitulo eliris, por trinki kafon kaj legi gazetojn. "Kio tio ĉi estas?", diris li, kian li eliris en la lumon de l' suno, "mi ja ne havas ombron! Tiel ĝi hieraŭ je l' vespero efektive foriris kaj jam ne revenis; tio ĉi estas efektive ĉagrene!"

/ postiranta 뒤따르는, 다음의, sekvanta / eliris en la lumon 밖으로 나가서 햇빛 안으로 들어갔다 / tio ĉi estas efektive ĉagrene 여기서 부사 ĉagrene가 쓰인 것은 좀 특이하다, "이것은 분명히 (그를) 당황하게 하는 일이다"(?) /

다음날 아침 그 학자는 커피를 마시며 잡지를 (신문을) 읽으려고 밖으로 나갔습니다. 그가 햇빛이 있는 곳으로 나갔을 때 그는 깜짝 놀라 말했습니다. "이게 뭐야? 내 그림자가 없잖아! 어제 저녁에 그렇게 나가서는 아직 안 돌아온 게 분명해. 이거 정말 곤란하게 되었는걸!"

Ne tiel la perdo de l' ombro mem lin ĉagrenis, kiel tio, ke en la malvarmaj landoj estas rakontata unu ĉiukonata historio pri homo sen ombro. Se nun la instruitulo revenos en la patrujon kaj rakontos, kio okazis kun li, oni diros, ke tio ĉi estas nur ripetaĵo, kaj tio ĉi malplaĉis al li. Tial li decidis tute ne paroli pri tio, kaj tio ĉi estis tute prudente.

/ Ne tiel ~ kiel tio 그것처럼 그런 것은 아니다 / ke-절은 tio를 설명하는 종속절 / ĉiukonata=konata de(al) ĉiu 모든 사람이 알고 있는, 이런 식의 조어를 유용하게 쓸 수 있음 (보기: edzinkuirita plado, hejmfarita aparato 등) / okazi kun/al ~에게 일어나다 / prudente를 부사로 쓴 것에 주의, "이렇게 하는 것이 온전히 현명하게 행동하는 일이야" /

추운 나라에서는 모두가 다 아는 이야기가 있는데, 그것은 그림자가 없는 사람에 관한 이야기입니다. 그래서 그림자를 잃어버린 게 그를 당황하게 한 것은 아니었습니다. 만약 지금 그 학자가 자기 고국으로 돌아가 그에게 일어난 일을 이야기한다면 사람들은 그걸 단순히 갖다 베낀 이야기라고 할 것입니다. 바로 그게 그는 싫었습니다. 그래서 그는 그것에 대해서는 아무 말 하지 않기로 작정했습니다. 이것이 현명하게 행하는 일임에 틀림없습니다.

Je l' vespero li ree eliris sur sian balkonon, la lumon li tute bone metis post si, ĉar li sciis, ke la ombro ĉian volas, ke ĝia sinjoro estu por ĝi barilo, — sed li tamen ne povis ĝin elricevi. Li faris sin granda, li faris sin malgranda, sed nenia ombro venis, nenia ombro sin montris. Li diris: "Hm, hm!" sed nenio helpis.

/ sinjoro 여기서는 "주인"의 뜻으로 쓰임 / elricevi (그림자를) 얻어내다 / faris sin granda 자신을 크게 하였다, granda는 목적격 보어 / helpi 이렇게 목적어가 생략되어 쓰일 때에는 "도움이 되다"의 뜻이 됨 /

저녁에 그는 다시 발코니로 나가서 조명을 (불빛을) 자기 뒤에 잘 놓았습니다. 왜냐하면 그림자는 항상 자기 주인이 자기의 방어막이 되어 주길 바란다는 사실을 잘 알고 있기 때문이지요. -그러나 그는 그림자를 얻어낼 수가 없었습니다. 그는 자신을 크게도 해보고 작게도 해보았으나 아무 그림자도 생기지 않았습니다. 그는 "흠, 흠!" 소리도 질러 보았으나, 아무 소용이 없었습니다.

Ĝi estis kompreneble ĉagrene, sed en la varmaj landoj dank' al Dio ĉio kreskas rapide, kaj post unu semajno li ekvidis kun granda plezuro, ke el la piedoj kreskas ĉe li nova ombro, kian li iras en la lumon; la radiko certe restis. Post tri semajnoj li jam havis ne tro malgrandan ombron, kaj kian li ekreveturis en la patrujon en la malvarmaj landoj, ĝi en la vojo ĉian pli kaj pli kreskis, tiel ke ĝi fine fariĝis tiel longa kaj granda, ke jam la duono estus sufiĉa.

/ 여기서도 ĉagrene 부사가 쓰였음, "그것은 물론 (그를) 괴롭게 하는 일이었음에 틀림없었다" / dank' al=danke al ~덕분에, 때문에 / tiel ke ~ 그래서, 마침내 /

그것은 그를 걱정스럽게 하는 일이었음에 틀림없었습니다. 그러나 열대의 나라에서는 하나님께서 모든 걸 빨리 자라게 해 주시지요. 그래서 일주일 후에 그가 햇빛이 있는 곳으로 나가자 그의 발에서 새로운 그림자가 생겨나는 걸 볼 수 있었습니다. 아주 기쁜 일이었습니다. 뿌리는 죽지 않고 그대로 살아 있었던 거지요. 3주 후에는 벌써 작지 않은 그림자가 되었습니다. 그리고 그가 추운 나라 고국으로 다시 돌아갈 때에 가는 길에서 그 그림자는 계속 자랐습니다. 그래서 마침내 아주 크고 길게 자라서 이제 그것의 반만이라도 충분할 정도가 되었습니다.

Tiel la instruitulo revenis en sian landon, skribis librojn pri la veraĵo en la mondo, pri la bonaĵo kaj belaĵo, kaj tiel li pasigis tagojn kaj jarojn; pasis multaj jaroj.

Je unu vespero li sidas en sia ĉambro, kaj jen subite oni

frapas tre mallaŭte sur la pordo.

/ 전치사 en 뒤에 목적격의 명사를 쓴 것은 이동의 방향 표시 / oni 일반칭, “사람들, 누군가” /

그렇게 그 학자는 자기 나라로 돌아왔습니다. 그리고 그는 세상에서 그가 실제로 본, 모든 좋은 것들 아름다운 것들에 대해 책을 썼습니다. 그리고 오랜 세월이 흘렀습니다.

어느날 저녁 그가 방 안에 앉아 있는데, 갑자기 누군가가 아주 나지막이 문을 두드렸습니다.

"Eniru!" diris li, sed neniu venas; tial li malfermis mem, kaj jen antaŭ li staras neordinare maldika homo, kun tre mira eksterajô. Cetere la homo estis tre riĉe vestita, li estis videble grava persono.

"Kun kiu mi havas la honoron paroli?" demandis la instruitulo.

/ Eniri 들어가다, 들어오다 / neordinare=eksterordinare 아주 특이하게 / riĉe vestita 잘 (부자와 같이) 차려 입은 / videble 분명히 / Kun kiu mi havas la honoron paroli? = Kun kiu mi parolas? /

“들어오세요!”라고 그가 말했습니다. 그러나 아무도 들어오지 않았습니다. 그래서 그는 직접 문을 열었습니다. 그의 앞에는 아주 특이하게 마른 사람이 한 사람 서 있었는데, 그 차림이 아주 놀라울 정도로 잘 차려 입었습니다. 그는 분명히 아주 중요한 인사임에 틀림없었습니다.

“누구신가요?” 그 학자가 물었습니다.

"Jes, mi tiel ankaŭ pensis", diris la eleganta homo, “ke vi min ne rekonos! Mi fariĝis tro korpa, mi litere ricevis viandon kaj oston. Vi kredeble nenian pensis, ke vi vidos min ian en tia bona farto! Ĉu vi ne rekonas vian malnovan ombron? Jes, vi certe ne kredis, ke mi ian ankoraŭ revenos. Mi havis feliĉon de l' tago, kian mi estis ĉe vi la lastan fojon; mi ĉiuflanke fariĝis tre bonhava. Se mi volas min elaĉeti el mia servado, mi estas sufiĉe riĉa por tio ĉi!"

/ pensis의 목적어는 뒤에 나오는 ke-절 / rekoni 알아보다, 인식하다 / tro korpa 너무 힘차고 건강한 육체를 가진 / litere 문자 그대로 / en tia bona farto 그렇게 건강한 상태로 / la lastan fojon=en la lasta fojo / bonhava 부유한 / 마지막 문장은 이해가 좀 까다로움 / mia servado 나의 일, 즉, 그림자의 신세 / tio ĉi 이것은 그 앞의 elaĉeti el mia servado를 뜻함 /

그 멋진 사람은 말했습니다. “그래요, 저 역시 당신이 저를 몰라볼 것이라 생각했지요! 저는 너무 강해졌어요. 문자 그대로 살도 얻었고 뼈도 얻었지요. 당신은 아마도 저를 이렇게 건강한 상태로 보게 될 줄은 꿈에도 생각하지 못했을 거예요. 당신의 옛 그림자를 알아보지 못하시겠어요? 그래요, 당신은 분명히 제가 언젠가 이렇게 살아 돌아오리라고는 믿지 않았겠지요. 저는 마지막으로 당신과 함께했던 그날이 행복했었습니다. 저는 모든 면에서 아주 부유해 졌어요. 저는 저 자신을 이 그림자의 신세로부터 구원할 수 있을 정도로 그렇게 충분히 부자가 되었습니다!”

Kaj li eksonigis tutan ligaĵon da multekostaj sigeliloj, kiuj pendis apud lia horloĝo, kaj metis sian manon en la dikan oran ĉenon, kiun li portis ĉirkaŭ la kolo. Sur ĉiuj fingroj brilis ringoj kun diamantoj, kiuj ĉiuj estis veraj.

"Ne, mi ne povas ankoraŭ retrovi miajn sentojn!" diris la instruitulo. "Kiel tio ĉi estas ebla!"

/ tutan ligaĵon da multekostaj sigeliloj 인장이 새겨진 아주 비싼 보석들을 연결해 놓은 것 / retrovi senton 정신을 차리다 /

그리고 그는 시계 옆에 주렁주렁 매달린 값비싼 보석들을 흔들며 소리를 냈습니다. 그리고는 또 목에 걸려 있는 굵은 금사슬에 손을 갖다 대기도 했습니다. 손가락마다 진짜 다이아몬드가 박힌 반지들이 번쩍였습니다.

“아니, 이게 무슨 일이야? 이럴 수가 있나? 정신을 차릴 수가 없군!” 그 학자는 말했습니다.

"Io ordinara tio ĉi efektive ne estas!" diris la ombro, “sed vi ja mem ankaŭ ne apartenas al la homoj ordinaraj, kaj mi, kiel vi scias, de mia infaneco ĉian iris laŭ viaj piedosignoj. Tuj, kian vi trovis, ke mi estas sufiĉe matura, por min mem trabati tra l' mondo, mi komencis propran vojon.

/ kiel vi scias 당신이 아시다시피 / trabati 구멍을 내다, 뚫다, (+재귀대명사) 헤쳐 나가다 /

“이건 분명 보통 일은 아니지요!” 그 그림자가 말했습니다. “그러나 당신 역시 보통의 사람들 축에 끼이지는 않지요. 당신이 아시다시피 저는 어릴 때부터 항상 당신의 발자국만 따라다녔지요. 제가 이제 충분히 성장하여 저 스스로 세상을 헤쳐 나갈 수 있겠다고 당신이 판단하였을 때 저는 바로 제 자신의 길을 시작했답니다.

Mi min trovas en la plej brila situacio, sed nun venis al mi ia deziregо vidi vin ankoraŭ unu fojon antaŭ via morto, ĉar morti ian vi ja devas. Ankaŭ tiujn ĉi landojn mi volis vidi ankoraŭ unu fojon, ĉar oni ja ĉian amas sian patrujon. Mi scias, ke vi ricevis alian ombron; ĉu mi devas al ĝi aŭ al vi ion pagi? Estu tiel bona kaj diru al mi!"

/ trovi sin en ~ situacio ~어떤 상태(상황)이다 / vidi는 앞의 deziregо를 수식하는 불변화사 / Estu tiel bona kaj -u 제발 -해 주세요 /

저는 지금 형편이 아주 좋습니다. 그러나 당신이 죽기 전에 당신을 한 번 더 보고 싶다는 욕망이 생겼어요. 왜냐하면 당신도 언젠가는 죽을 테니까요. 그리고 이 나라도 다시 한 번 보고 싶었고요. 사람들은 언제나 자신의 고국을 사랑하잖아요? 저는 당신이 이미 다른 그림자를 갖게 되었다는 걸 잘 알고 있습니다. 제가 그 그림자에게나 아니면 당신에게 뭔가를 좀 드릴까요? 망설이지 말고 말해 주세요!"

"Ha, ĝi estas efektive vi!" diris la instruitulo. "Ĝi ja estas multege mirinda! Nenian mi kredus, ke al iu lia malnova ombro povus reveni estante homo!"

"Diru al mi, kiom mi devas pagi!" diris la ombro, "ĉar mi ne volus resti ŝuldanto de iu!"

/ kredus 가정법이 쓰인 것에 유의, 직설법 과거로 해도 괜찮음 / lia는 앞의 iu를 받는 대명사, iu는 성의 구별이 없는 말이나 lia는 남성, 에스페란토는 이렇게 기본적으로 성차별이 있는 언어임, 일반 명사에서도 남성이 양성의 대표로 쓰임 (보기: studento 남학생, 학생) / estante 분사구문, 의미상 주어는 li /

"호, 바로 너로구나!" 그 학자가 말했습니다. "정말 너무 너무 놀라운 일이야! 예전의 그림자가 사람이 되어 그 주인에게 돌아왔다는 말은 들어 본 적이 없어!"

"제가 얼마나 지불해야 할지 말 좀 해 주세요!" 그 그림자가 말했습니다. "왜냐하면 저는 누군가에게 빚쟁이가 되고 싶지는 않거든요!"

"Kiel vi povas tiel paroli!" diris la instruitulo, "de ia ŝuldo tie ĉi ne povas ja tute esti parolo. Uzu vian liberon kiel ĉiu alia! Mi tre ĝojas pro via feliĉo! Sidigu vin, malnova amiko, kaj rakontu al mi per malmultaj vortoj, kiel tio ĉi okazis kaj kion vi tie vidis en la varmaj landoj ĉe la najbaro de kontraŭe!"

/ 여기 쓰인 de는 뒤의 parolo와 연결됨, "여기서 빚 얘기는 말이 안 돼" / ĉe la najbaro de kontraŭe 그 맞은편의 이웃집에서 /

"어떻게 그렇게 말을 할 수가 있니!" 그 학자가 말했습니다. "여기서 빚 얘기는 말이 안 돼. 너는 다른 사람과 마찬가지로 너의 자유를 누리렴! 나는 네가 행복해서 참 기뻐! 여기 앉아 봐, 옛 친구여, 그리고 이 일이 도대체 어떻게 된 일인지, 그리고 그동안 그 열대의 나라, 그 맞은편 이웃집에서 네가 본 것을 간단히 얘기 좀 해 봐!"

"Jes, tion ĉi mi al vi rakontos", diris la ombro, sin sidigante, "sed vi devas al mi promesi, ke vi al neniu en tiu ĉi urbo rakontos, ke mi estis via ombro! Mi intencas fianĉiĝi, mi povas nutri pli ol unu familion!"

"Ne zorgu!" diris la instruitulo, "mi al neniu diros, kiu vi propre estas; prenu mian manon! Mi promesas, kaj unu homo — unu vorto!"

"Unu vorto — unu ombro!" diris la ombro, ĉar tiel li ja devis paroli.

/ nutri 영양을 공급하다, 먹여 살리다 / kiu vi propre estas 네가 본래 누구인지 / unu homo - unu vorto 관용적인 표현인 것 같음, "한 번 말했으면, 꼭 지킨다", "한 번

약속은 (사람에게) 영원한 약속" 정도의 뜻(?) /

"그래요, 말씀을 드리지요" 그 그림자가 앉으면서 말했습니다. "그러나 이 도시의 그 어느 누구에게도 제가 당신의 그림자였었다는 사실을 이야기하지 않겠다고 약속해 주셔야 합니다! 저는 곧 약혼을 할 겁니다. 저는 한 가정 이상을 먹여 살릴 수 있어요!"

"걱정하지 마!" 그 학자가 말했습니다. "나는 네가 본래 누구인지 아무에게도 말하지 않을게. 내 손을 잡아봐! 나는 약속해, "한 번 약속은 사람에게 영원한 약속이야!"

"한 번 약속은 그림자에게도 영원한 약속!" 그림자도 그렇게 말했습니다.

Cetere estis efektive mirinde, kiel tute li estis homo. Lia nigra vesto estis el la plej kara ŝtofo, al tio ĉi li portis elegantajn botojn kaj ĉapelon, kiu povis esti kunpremata, tiel ke oni povis vidi nur la tegmenteton kaj la randojn, ne parolante jam pri la jam konataj sigeliloj, ora ĉeno kaj ringoj kun diamantoj. Jes, la ombro estis tre bone vestita, kaj tio ĉi plej certe faris lin homo.

/ 여기서는 estis가 fariĝis의 뜻 / kara 친애하는, 값비싼 / al tio ĉi 게다가 / kunpremata 꾹 눌러 쓴 / tiel ke ~해서 ~되었다(했다) / ne parolante jam ~은 두말할 것도 없이 /

그리고 그가 완전히 사람이 되었다는 건 정말 놀라운 일이었습니다. 그 검은 옷은 아주 비싼 옷감으로 만들어진 것이었습니다. 게다가 그는 멋진 구두를 신고 모자도 꾹 눌러 썼는데, 그 꾹 눌러 쓴 모자로 인해 사람들은 그 모자 꼭대기와 챙의 모서리만 볼 수 있었습니다. 그리고 이미 앞에서 말한 그 보석들이나 금사슬 그리고 다이아몬드 반지들은 말할 것도 없고요. 그래요, 그 그림자는 아주 잘 차려 입었으며 그로 인해 그는 사람이 되었던 것입니다.

"Nun mi rakontos!" diris la ombro, kaj ĉe tio ĉi li metis siajn piedojn kun la elegantaj botoj forte premante sur la novan ombron, kiu kuŝis kiel hundo antaŭ la piedoj de l' instruitulo; li faris tion ĉi pro fiereco, aŭ eble li volis ligi ĝin al si. La kuŝanta ombro tamen sin tenis silente kaj trankvile por povi bone aŭskulti; ĝi kredeble ankaŭ volis scii, kiel ĝi povus sin liberigi kaj fariĝi propra sinjoro.

/ ĉe tio ĉi 그와 동시에 / metis siajn piedojn … forte premante ~을 세게 꾹 밟고서 / sin teni -e -한 태도를 취하다, 부사 대신 형용사를 써도 됨, 부사를 쓰면 그 부사는 동사와 연결되는 것이고, 형용사를 쓰면 그것은 목적어의 보어가 됨 /

“이제 말씀드리지요!” 그림자가 말했습니다. 그리고 그와 동시에 그는 멋진 구두를 신은 발로 그 학자의 앞 발에 마치 개처럼 앉아 있는 그 새 그림자를 꾹 밟았습니다. 그는 일종의 우월감으로 그랬거나 아니면 그것을 자신에게 연결시키길 원했을지도 모릅니다. 그러나 그 앉아 있던 그림자는 그 이야기를 잘 들으려고 아무 소리 없이 그냥 가만히 있었습니다. 그것은 틀림없이 어떻게 하면 자기 자신도 자유롭게 되어 멋진 사람이 될 수 있을지 알고 싶었을 겁니다.

"Ĉu vi scias, kiu loĝis en la domo kontraŭ ni?" demandis la ombro. "Ĝi estis la plej bela el ĉio, ĝi estis la poezio! Mi restis tie tri semajnojn, kaj tio ĉi estas tie same, kiel se oni vivus trimil jarojn kaj legus ĉiujn verkojn poeziajn kaj instruitajn, — tion ĉi mi diras, kaj ĝi estas vera. Mi ĉion vidis kaj mi ĉion scias!"

/ el ĉio 모든 것 중에서 / tio ĉi는 앞의 문장을 받음 / estis same, kiel ~처럼 그랬다 / scias 지금 현재 알고 있다는 의미, 즉 이미 배워서 그렇게 되었다는 뜻, 현재 알아 간다는 뜻이 아님 /

“우리 맞은편 집에 누가 살았는지 아시겠어요?” 그림자가 물었다. “그것은 그 어느것보다도 아름다운 시(詩)였어요! 저는 거기 3주간을 머물렀는데요, 그건 마치 사람들이 3천 년을 살면서 이 세상 모든 시와 모든 지식 서적을 읽은 거나 마찬가지였어요. -제가 말씀 드리는 이건 사실이에요. 저는 모든 걸 보았고 모든 걸 알게 되었어요!”

"La poezio!" ekkriis la instruitulo, "jes, jes, ĝi vivas sensociete en la grandaj urboj! La poezio! Jes, mi ĝin vidis unu minuton, sed mi tian estis ankoraŭ dormanta! Ĝi staris sur la balkono kaj lumis, kiel la lumo de l' nordo. Rakontu, rakontu! Vi estis sur la balkono, vi eniris tra la pordo, kaj poste ..."

/ sensociete 사교성이 없이, 사람과의 접촉이 없이, 홀로 /

“시라고!” 그 학자는 소리쳤습니다. “그래, 그래, 시는 큰 도시에서 홀로 살아 가고 있지! 시! 그래, 나는 딱 한 순간 그것을 보았어. 그러나 그때 나는 잠이 덜 깬 상태였어! 그것은 발코니에 서서 마치 북극성(?)처럼 빛났지. 이야기해 봐, 어서 빨리! 너는 발코니에 있었지, 그리고 그 문을 통해 들어갔었지, 그리고…”

"Poste mi estis en la antaŭĉambro!" daŭrigante rakontis la ombro. "Vi ofte sidis kaj penis rigardi en la antaŭĉambron. Tie ĉi ne estis lumo, tie ĉi estis io kiel duonlumo; sed granda nombro da ĉambroj tie estis unu post la alia, kaj tra iliaj malfermitaj pordoj oni povis ilin vidi ĉiujn. Tie jam estis tre lume, la grandega forto de l' maro de lumo min certe mortigus, se mi alirus proksime al la fraŭlino; sed mi estis prudenta, mi ne rapidis, kaj tio ĉi estis bona!"

/ io kiel duonlumo 희미하게 빛나는 무엇인가, io simila al duonlumo / unu post la alia 하나하나씩 차례로 / estis tre lume 무주어문장, 보어는 부사 / maro de lumo 빛의 바다 / fraŭlino 여기 왜 갑자기 이 말이 나오는지 이상함, poezio를 의인화한 것 같음 /

“다음에 저는 거실로 들어갔지요!” 그림자는 이야기를 계속했습니다. “당신은 자주 발코니에 앉아 거실을 들여다보려고 애

썼지요. 여기에는 빛이 없었습니다. 여기에는 희미한 무엇인가가 있었지요. 그러나 거기에 아주 많은 방들이 하나하나씩 차례대로 있었으며, 그 열린 방문들로 모든 사람들을 볼 수 있었습니다. 거기는 아주 밝았지요. 그리고 제가 만약 그 아가씨에게로 가까이 간다면 그 바다와 같은 어마어마한 빛의 힘이 저를 죽일 것만 같았어요. 그러나 저는 신중했습니다. 서두르지 않았지요. 다행이었지요."

"Kaj kion vi tie vidis, mia kara?" demandis la instruitulo.

"Mi vidis ĉion, kaj mi ĝin rakontos al vi; sed ... ĝi ne estas fiereco de mia flanko, tamen ... kiel homo libera, kaj ĉe mia instruiteco, ne parolante jam pri mia bona situacio kaj riĉeco ... mi kore dezirus, ke vi parolu al mi ne "mia kara", sed "sinjoro"!

/ de mia flanko 나의 입장에서(의) / ne parolante jam pri ~은 말하지 않더라도 / mi kore dezirus, ke -u 제발 - 좀 해 주시겠어요? /

"그리고 거기서 뭘 보았지, 얘야?" 그 학자가 물었습니다.

"모든 걸 다 보았지요. 그걸 당신께 이야기해 드리겠습니다. 그러나… 어, 이건 저의 교만이 아니에요, 그렇지만 … 한 사람의 자유인으로서 그리고 저의 지적 수준을 보아서도, 그리고 또 저의 좋은 형편과 부유함은 말하지 않더라도 … 제발 저에게 "얘야"라고 부르지 마시고 "선생님"이라고 불러 주시면 안 되겠습니까?"

"Pardonu, sinjoro!" diris la instruitulo, "ĝi estas ne detruebla malnova kutimo! Vi estas tute prava, kaj de nun mi jam memoros. Sed rakontu al mi, sinjoro, ĉion, kion vi vidis!"

"Ĉion!" diris la ombro, "ĉar mi ĉion vidis kaj ĉion scias!"

"Kian vidaĵon havis la ĉambroj internaj?" demandis la instruitulo. "Ĉu tie estis kiel en la freŝa arbaro? ĉu tie estis kiel en sankta preĝejo? ĉu la ĉambroj estis kiel stela ĉielo, kian oni staras sur altaj montoj?"

/ ne detruebla 파괴할 수 없는, 잘 고칠 수 없는 / estis kiel ~ 마치 ~와 같았다, kiel 뒤에 부사구가 나오는데, 이건 좀 생략된 것임, 전체적으로 무주어 문장인데 마치 kiel-절이 보어처럼 쓰임, Ĉu tie estis (tiel bele) kiel en la freŝa arbaro? / ĉu la ĉambroj estis kiel stela ĉielo=ĉu la ĉambroj estis (tiel belaj) kiel stela(j) ĉielo(j) / kian-절에서도 많은 것이 생략되었음 /

“아, 미안해요, 선생님!” 그 학자가 말했습니다. “잘 고쳐지지 않는 오랜 습관이어서요! 당신 말이 맞아요. 그리고 이제부터는 꼭 기억할게요. 아무튼 당신이 본 모든 것을 좀 이야기해 주세요, 선생님!”

“네, 모든 걸 말씀 드리지요.” 그림자가 말했습니다. “나는 모든 걸 보았고 모든 걸 이제 알고 있으니까요!”

“그 안에 있는 방들은 어떻던가요?” 그 학자가 물었습니다.

“거기는 마치 숲속처럼 신선하던가요? 그리고 예배당 안처럼 그렇게 신성하던가요? 그 방들이 저 높은 산에 올라가 보는, 별이 많은 하늘처럼 그렇던가요?”

"Ĉio tie estis!" diris la ombro. "Mi ja ne tute eniris, mi restis en la antaŭa ĉambro, en la duonlumo, sed tiu loko estis tre bona, mi ĉion vidis, mi ĉion scias. Mi estis en la palaco de l' poezio, en la antaŭĉambro".

"Sed kion vi vidis? Ĉu tra la grandaj ĉambroj iris ĉiuj la dioj de l' malnova tempo? ĉu tie batalis la malnovaj faristoj? ĉu tie ludis ĝojaj infanoj kaj rakontis iliajn sonĝojn?"

/ iris 여기서는 “이리저리 거닐고 다녔다, 왔다 갔다 했다” 정도의 뜻 / ĉiuj la dioj 여기서 관사는 안 써도 될 것 같음 / faristoj 장인들 (손으로 무엇을 만드는 사람들) /

“거기에는 모든 것이 있었어요!” 그림자가 말했습니다. “저는 완전히 들어가지는 않고 거실에 머물러 있었는데, 그 거실은 참 좋았습니다. 거기서 모든 걸 볼 수 있었고, 모든 걸 알 수 있었습니다. 저는 시의 궁전에 있었지요. 거실 말이지요.”

“그래, 뭘 보았지요? 그 여러 큰 방에는 옛날의 모든 신들이 오가며 또 옛날 장인들이 서로 싸우고 있던가요? 거기서 또 아이들이 재미있게 놀고 그들의 꿈을 이야기하고 있던가요?”

"Mi diras al vi, mi tie estis, kaj vi komprenos, ke mi ĉion vidis, kion oni tie povis vidi! Se vi tien eniris, vi ĉesus esti homo, sed mi fariĝis homo, kaj unutempe mi ekkonis mian internan naturon, la parencecon, kiun mi havas kun la poezio. Kian mi estis ankoraŭ ĉe vi, mi pri tio ĉi ne pensis, sed apenaŭ la suno sin levis aŭ mallevis, mi ĉian, vi ankoraŭ certe memoras, fariĝis tiel mire granda; en la lumo de l' luno mi estis preskaŭ ankoraŭ pli klara, ol vi mem.

/ ĉesi esti "-이기를 중단하다, 더 이상 -가 아니다", ĉesi는 자동사, esti는 상황어(=보충어(komplemento)), Mi ĝojas vidi vin에서 vidi와 같음 / unutempe 한순간에, 금방 / mire 놀랍게, 놀라울 정도로 /

"저는 분명히 거기 있었어요. 그리고 사람들이 거기서 볼 수 있는 모든 것을 다 보았습니다! 만약 당신이 거기로 들어갔더라면 아마도 당신은 더 이상 사람의 모습으로 있지 못했을 겁니다. 그러나 저는 사람이 되었지요. 그리고 한순간에 저는 제가 본성적으로 그 시와 어떤 친척관계라는 걸 알게 되었지요. 제가 당신 곁에 있었을 때 저는 그것에 대해 생각해 보지 못했습니다. 그러나 태양이 뜨고 질 때에 저는 항상, 당신도 기억하시겠지만, 그렇게 놀라울 정도로 크게 되곤 했었지요. 그리고 밤으로 달빛 아래에서 저는 당신보다 훨씬 더 분명한 모습을 하고 있었지요.

Tian mi ne komprenis mian naturon, nur en la antaŭĉambro de l' poezio mi ĝin ekkonis — mi fariĝis homo! Mi eliris el tie, fariĝinte matura viro, sed vi jam pli ne estis en la varmaj landoj. Estante jam homo, mi nun hontis tiel iri, kiel mi iris; mi ne havis botojn, vestojn, la tutan homan eksteraĵon, kiu donas al la homo lian signifon. Mi serĉis lokon por min kaŝi, jes, al vi mi povas ĝin konfesi, ĉar vi mian sekreton en nenia libro malkovros, — mi min kaŝis sub la vesto de unu vendistino de sukerpanoj.

/ el tie 거기에서 밖으로, 이처럼 전치사 뒤에 부사도 종종 쓰임 / jam pli ne 이 경우 plu를 써서 jam ne plu라고 해도 됨 / 여기 쓰인 nun은 꼭 '지금'이 아니라 '그 당시'라는 뜻으로 해석할 수도 있음 / iri 가다, 움직이다, 거닐다 /

그때 저는 저의 본성을 이해했습니다. 그 시의 거실에서야 저는 그것을 깨달았지요. -저는 사람이 된 겁니다! 저는 성숙한 남자가 되어 거기서 나갔습니다. 그런데 당신은 이미 그 열대 나라를 떠났더군요. 사람이 된 이상 저는 이제 더 이상 옛날처럼 그렇게 다닐 수는 없었습니다. 저는 신발도 없고, 옷도 없고, 사람에게 어떤 의미를 부여해 주는 그런 외형이 제게는 아무것도 없었지요. 저는 저를 숨길 곳을 찾아보았습니다. 당신께는 고백할 수 있어요. 당신은 저의 비밀을 아무데도 알리지 않을 테니까요. -저는 어느 빵장수 여인의 옷 속으로 저를 숨겼습니다.

La virino eĉ ne scietis, al kia grava persono ŝi donis kaŝejon. Ne pli frue ol je l' vespero mi eliris; mi kuradis sur la strato en la lumo de l' luno, mi min eltiradis laŭ la muroj, tio ĉi estis tiel agrabla por mia dorso! Mi kuris supren kaj malsupren, rigardis tra la plej altaj fenestroj en la ĉambrojn kaj sur la tegmentojn, mi rigardis, kien neniu povis rigardi, kaj mi vidis, kion neniu alia vidis, kion neniu alia devis vidi.

/ scieti 눈치를 채다(?) / Ne pli frue ol ~후에 / ol je l' vespero는 좀 특이한 표현, 전체적으로는 "저녁이 되어서(야)"의 뜻 / 목적격이 쓰인 것은 이동의 방향 표시 / kien=tien, kien / kion=tion, kion /

그 여인은 자신이 어떤 중요한 사람에게 피난처를 제공하였는지 전혀 눈치채지 못했습니다. 저녁이 되어서야 저는 나갔지요. 그리고 달빛이 비치는 거리를 달렸습니다. 저는 벽을 따라서 저 자신을 쭉 늘여도 보았는데, 그건 제 등에 아주 기분좋은 느낌을 주었지요! 저는 위로도 달리고 아래로도 달렸습니다. 아주 높은 창들을 통해서 방 안을 들여다 보기도 하고 지붕 꼭대기도 보았고 그리고 아무도 볼 수 없는 곳도 보았으며, 아무도 보지 못한 것도 보았고 또 아무도 보아서는 안 되는 것도 보았습니다.

La mondo, por diri veron, estas sufiĉe malbona! Mi ne volus esti homo, se nur ne reĝus la malsaĝa kredo, ke esti homo havas ian gravan signifon! Mi vidis la plej nekredeblajn aferojn ĉe virinoj, kiel ankaŭ ĉe viroj, ĉe gepatroj kaj ĉe la dolĉaj anĝelaj infanoj; mi vidis, kion nenia homo devus scii, kion tamen ĉiuj tiel volus scii — la malbonaĵon ĉe la najbaroj.

/ por diri veron 진실을 말하자면 / vidi -on ĉe -o -에서

-을 보다, -의 -을 보다, ĉe 대신 de를 써도 됨 / nenia homo=neniu homo /

진실을 말하자면, 세상은 정말 나빠요! 그래도 사람이 된다는 것은 무언가 큰 의미가 있는 일일 것이라는 그 어리석은 믿음만 없었더라도 저는 아마 사람이 되지 않았을 거예요! 저는 정말 믿지 못할 일들을 보았지요. 여자들과 남자들에게서 뿐만 아니라 부모와 천사 같은 어린아이들에게서도 보았어요. 그 어느 누구도 알아서는 안 되지만, 또 누구나 다 무척 알고 싶어하는 그런 것, 즉, 이웃의 나쁜 점들을 보았지요.

Se mi skribus gazeton, kiom legantojn ĝi ricevus! Sed mi skribis tuj al la interesataj personoj mem, kaj teruro ekreĝis en ĉiuj urboj, en kiujn mi venis. Oni min timis, kaj oni penis plaĉi al mi. La profesoroj faris min profesoro, la tajloroj donis al mi novajn vestojn, tiel ke mi ilin havas en sufiĉa nombro; la monfaristoj faris monon por mi, kaj la virinoj diris al mi, ke mi estas bela.

/ skribus gazeton=skribus en gazeto / 자멘호프는 kiom 다음에 바로 명사를 씀, 요즘은 주로 kiom da로 함, 그리고 da 뒤에는 주격의 명사를 씀 / interesataj personoj 흥미를 느끼는 사람, “la malbonaĵo ĉe la najbaroj interesas personojn”을 생각하면 됨, 혹은 “관계되는 사람“으로 해석할 수도 있겠음 / veni 오다, 가다, 도착에 초점을 맞춤 / tiel ke 그래서 ~하다 /

만약 제가 잡지를 쓴다면 (신문에 기고한다면) 독자들이 얼마나 많아지겠어요! 그러나 저는 곧 그것에 관계되는 사람들에게 글을 써 보냈지요. 그러니 제가 가는 도시마다 온통 공포의 도가니가 되었습니다. 사람들은 저를 무서워했지요. 그리고 저에게 잘보이려고 무척 노력을 했습니다. 교수들은 저를 교수로 만들어 주었고, 재단사들은 제게 옷을 만들어 주었습니다. 그래서 옷이 아주 많아요. 화폐를 만드는 사람들은 저를 위한 화폐도 만들었지요. 그리고 여자들은 제게 멋지다고 말을 했습니다.

— Per tio ĉi mi fariĝis la homo, kiu mi estas, kaj nun mi diras al vi adiaŭ! Jen estas mia karto, mi loĝas sur la Suna Flanko kaj en pluva vetero mi ĉian estas en la domo!" Tion ĉi dirinte, la ombro foriris.

"Mirinde!" diris la instruitulo.

/ la homo, kiu mi estas 오늘의 저 / diri al iu adiaŭ 안녕을 고하다 / karto 카드, 명함 (vizitkarto) /

–그렇게 하여 오늘의 제가 된 것입니다. 그리고 이제 작별을 고하겠습니다! 여기 제 명함이에요. 저는 Suna Flanko에 살고 있습니다. 그리고 비가 오는 날에는 항상 집 안에 있답니다!" 이렇게 말하고서 그 그림자는 떠났습니다.

"정말 놀랍군!" 그 학자가 말했습니다.

Pasis kelkaj jaroj, kaj unu tagon la ombro subite ree venis.

"Kiel vi fartas?" demandis li.

"Aĥ!" diris la instruitulo, "mi skribas pri la veraĵo, la belaĵo kaj la bonaĵo, sed por tiaj aferoj ĉiu orelo estas surda; mi tute malesperas, ĉar tio ĉi min tre doloras".

/ unu tagon=en unu tago / malesperi 자동사, malesperiĝi로도 씀, hom' malesperas, Dio aperas Z / dolori 타동사, 아프게 하다, 기분을 상하게 하다 /

몇 년이 지났습니다. 그리고 어느날 갑자기 그 그림자가 다시 나타났습니다.

"안녕하세요?" 그가 물었습니다.

"아!" 학자가 말했습니다. "나는 진실에 대해서, 아름다운 것에 대해서 그리고 선한 것에 대해서 글을 쓰고 있어요. 그러나 사람들은 그런 것들엔 귀를 닫고 있어요. 나는 마음이 아주 아프고 많이 실망했어요."

"Mi el nenio faras al mi ĉagrenon!" diris la ombro, "kaj tial mi grasiĝas, kaj tio ĉi devas esti la celo de ĉiu prudenta homo. Vi ĝis nun ankoraŭ ne scias vivi en la mondo. Vi ankoraŭ tute perdos la sanon. Vi devas veturi! Mi en la somero faros veturon, ĉu vi volas min akompani? Mi deziras havi kolegon de l' vojo, — ĉu vi volas kunveturi estante mia ombro? Ĝi estus por mi granda plezuro havi vin apud mi; mi pagos la koston de l' vojo."

/ el nenio 그 어떤 것으로부터도, 그 어떤 이유로도 / scii (kiel) vivi 어떻게 살아야 하는지를 알다 / akompani 동행하다, 따라가다 / kosto de l’ vojo 여비, kosto de l’ vojaĝo /

“저는 그 어떤 이유로도 마음을 상하지 않습니다!” 그림자가 말을 했습니다. “그래서 저는 살이 찝니다. 모든 신중한 사람은 다 이렇게 해야겠지요. 당신은 지금까지도 세상을 어떻게 살아야 하는지 모르는 것 같군요. 당신은 완전히 건강을 잃을지도 몰라요. 당신은 여행이 필요해요! 저는 여름에 여행을 하려고 하는데 저와 함께 가시겠어요? 저는 길동무가 필요하거든요. -저의 그림자가 되어 함께 여행하시겠어요? 저와 함께해 주신다면 아주 기쁘겠습니다. 여행 경비는 모두 제가 대지요.”

"Tio ĉi estas jam ne aŭdita malmodesto!” diris la instruitulo.

“Laŭ tio, kiel oni ĝin prenas!” diris la ombro. "Vojiro redonos al vi la fortojn. Se vi volas esti mia ombro, mi prenas sur min unu la tutan koston de l' vojo!"

"Jam tro senhonte!" diris la instruitulo.

"Sed la mondo jam estas tia!" diris la ombro, "kaj tia ĝi restos!" kaj kun tiuj ĉi vortoj la ombro foriris.

/ jam ne aŭdita malmodesto 들어 보지 못한 교만함 / “Laŭ tio, kiel oni ĝin prenas!” 번역이 좀 까다로움, “사람들이 그것을 어떻게 보느냐에 따라”, “생각하기 나름!” 정도

/ sur min unu 목적격을 쓴 것은 앞뒤의 말과 연결시켜 생각해야 함, "-한테로 모든 비용을 뒤집어 씌운다" 정도의 뜻 / unu는 "나 한 사람만"의 뜻 / senhonte 부끄러움을 모르는, 뻔뻔한 / senhonte 부사로 쓰인 것은 무주어 문장으로 해석할 수도 있고, 또는 생략된 말로 볼 수도 있음, / "Vi parolas jam tro senhonte!" /

"그것은 듣도 보도 못한 교만함이군!" 학자가 말했습니다.

"생각하기 나름이지요!" 그림자가 말했습니다. "여행은 당신에게 힘을 줄 거예요. 만약 당신이 나의 그림자가 되어 준다면 나는 모든 여행 경비를 나 혼자 다 부담할 것입니다!"

"너무 뻔뻔하군!" 학자가 말했습니다.

"그러나 세상은 그런 거예요!" 그림자가 말했습니다. "그리고 앞으로도 그럴 거예요!" 이 말을 남기고 그 그림자는 떠나버렸습니다.

La instruitulo fartis tute ne bone; zorgoj kaj suferoj lin tormentis, kaj tio, kion li parolis pri la verajô kaj bonajô kaj belajô, estis preskaŭ por ĉiuj, kiel rozoj por bovo! — Fine li efektive malsaniĝis.

"Vi elrigardas kiel ombro!" diris al li la homoj, kaj teruro prenis la instruitulon ĉe tiu ĉi penso.

/ tormentis 이것은 turmentis의 단순한 실수인 듯 / rozoj por bovo 개 발에 편자, 돼지에게 진주 / elrigardi -처럼 보이다, montriĝi, aspekti / 여기 쓰인 la homoj는 oni의

뜻 /

학자는 많이 불편하였습니다. 걱정과 근심이 그를 괴롭혔습니다. 그리고 그가 말한 진리, 선함, 아름다움 등은 사람들에게 마치 "소를 위한 장미" (개 발에 편자)와 같았습니다. -결국 그는 병이 났습니다.

"당신은 마치 그림자 같군요!" 사람들이 그를 보고 말했습니다. 그리고 이 생각으로 인해 그 학자는 두려움에 떨었습니다.

"Vi devas necese veturi en banejon!" diris la ombro, kiu venis al li. "Nenio alia restas! Mi vin kunprenos pro malnova konateco. Mi pagos la vojon, kaj vi poste verkos priskribon de l' vojo, kaj en la vojo vi penos min malenuigi. Mi veturas en banejon, ĉar mia barbo ne volas kreski kiel ĝi devus, tio ĉi ankaŭ estas malsano, kaj barbon oni devas havi! Estu prudenta kaj prenu mian proponon, ni ja veturos kiel kolegoj".

/ necese 꼭 / veturi en banejon 여기서 veturi를 쓴 것을 보면 이 banejo는 목욕탕이 아니라, 열대 나라를 말함 / kunpreni 몸에 지니다, 동행하다 / malnova konateco 옛정, 옛 인연 / en la vojo 여기서 en을 쓴 것은 "여행 기간 동안에"라는 뜻, sur la vojo 길에서 / kiel ĝi devus = tiel bone, kiel ĝi devus kreski / prenu 이 글에서 자멘호프는 preni를 영어의 take와 같은 용법으로 많이 쓰고 있음, "무엇을 어떻게 생각하다, 간주하다, 받아들이다" 등 /

"당신은 꼭 열대 나라에 (목욕탕 나라에) 가야 합니다!" 그에게로 온 그림자가 말했습니다. "다른 방법이 없어요! 나는 옛정을 생각해서 당신을 데리고 가겠어요. 내가 여행경비는 다 지불하지요. 그리고 당신은 나중에 그 여행에 대한 책을 쓰세요. 그리고 여행 도중 당신은 나를 즐겁게 해 주도록 노력하세요. 나는 열대 나라로 (목욕탕 나라로) 갑니다. 왜냐하면 내 수염이 잘 자라질 않네요. 이것도 병이에요. 남자라면 수염이 있어야지요! 신중하게 생각하시고 나의 제안을 받아들이도록 하세요. 우린 동료로 여행을 할 겁니다."

Kaj ili veturis; la ombro nun estis sinjoro kaj la sinjoro estis ombro. Ili veturis kune. Sur ĉevalo aŭ sur piedoj ili ĉian estis kune, flanko ĉe flanko, unu antaŭ aŭ post la dua, laŭ la staro de l' suno. La ombro sin tenis ĉian sur la flanko sinjora, kaj la instruitulon tio ĉi malmulte ĉagrenis; li havis tre bonan koron kaj estis tre pacema kaj amikema, kaj tial li unu tagon diris al la ombro: "Ĉar ni jam fariĝis kolegoj de vojo kaj al tio ĉi ni de l' infaneco estis ĉian kune, ni trinku nun fratecon, kaj ni estu pli familiara unu kun la dua."

/ Sinjoro 선생님 (호칭), 주인, senjoro / sur piedoj 걸어서 / unu antaŭ aŭ post la dua 서로 앞서거니 뒤서기니 하면서, dua 대신 alia를 써도 됨 / al tio ĉi 게다가, aldone라고 해도 됨 / ni trinku nun fratecon 특이한 표현, "형제가 되자, 터놓고 지내자, 서로 맞먹자" 정도의 표현(?) / 여기 familiara 단수가 쓰였는데, 좀 이상함 /

그들은 여행을 출발했습니다. 이제 그림자가 주인이 되었고,

그 학자는 그림자가 되었습니다. 그들은 함께 갔습니다. 마차를 타고 갈 때나 걸어서 갈 때나 항상 곁에 붙어서 태양의 위치에 따라 서로 앞서거니 뒤서기니 하며 함께했습니다. 그림자는 항상 주인의 위치에 서려고 했습니다. 그리고 그 학자는 그걸 괘념치 않았습니다. 그는 마음씨가 착했고 온화한 편이었으며 우애가 좋은 사람이었습니다. 그래서 어느날 그는 그림자에게 말했지요: “우리는 벌써 여행 동료가 되었고 게다가 어릴 때부터 항상 함께했으니, 이제 형제가 되어 서로 터놓고 지내자. 우리 서로 더 친밀하게 지내자.”

“Vi esprimis vian penson", diris la ombro, kiu nun ja estis efektive la sinjoro; "vi parolis rekte el la koro kaj bonintence, tial mi ankaŭ parolos el la koro kaj egale bonintence. Vi, estante homo instruita, scias tre bone, kiel kaprisa estas la naturo. Multaj homoj ne povas tuŝeti malglatan paperon; aliaj per la tuta korpo ektremas, se oni gratas per karbo sur vitro; mi ricevas tian saman senton, se vi parolas al mi familiare; mi sentas min kiel alpremita al la tero, kiel mi estus ree en mia antaŭa dependeco de vi.

/ paroli el la koro 진심을 터놓고 말하다 / kaprisa 이것은 kaprica를 잘못 쓴 듯 / grati per karbo sur vitro 유리가 긁히는 듯한 소리를 내다 / alpremita al la tero 땅바닥에 처박히다 /

“당신은 당신의 생각을 그대로 표현하시는군요” 지금은 주인이 된 그 그림자가 말했습니다. “당신은 마음에 있는 말을 좋은 의도를 가지고 그대로 표현을 했습니다. 그러니 나도 마음에 있는 말을 그대로 좋은 의도를 가지고 하지요. 당신은 배운 사람이라 인간의 본성이 얼마나 변덕이 심한지 잘 알겁니다. 많은 사람들은 거친 종이를 (사포지?) 잘 만지지 못합니다. 그리고 어떤 사람들은 유리 긁는 소리가 나면 온 몸을 떨지요. 당신이 나에게 친근하게 말을 하면 내가 그런 느낌을 받는답니다. 마치 내가 땅바닥에 처박히는 듯한 느낌을 받아요. 옛날 당신에게 매달려 지내던 그때로 내가 다시 돌아가는 듯이 말이지요.

Vi vidas, ke tio ĉi ne estas fiereco, sed sento. Mi ne povas permesi, ke vi parolu al mi familiare, mi mem tamen kun plezuro parolos kun vi senceremonie, kaj tiel mi almenaŭ duone plenumos vian deziron". Kaj de tiu tempo la ombro sinjore paroladis kun sia estinta sinjoro.

/ permesi, ke ~하도록 허락하다, 뒤에 원망법 동사가 옴 / senceremonie 격식을 차리지 않고 / sinjore 주인으로서 /

당신은 이것이 교만이 아니라 그냥 느낌이라는 걸 알 겁니다. 나는 당신이 나에게 친근하게 말하는 걸 허락할 수 없어요. 그러나 나는 기꺼이 당신에게 격의 없이 말을 하겠습니다. 그러면 반쯤은 당신의 요구가 이루어지는 셈이 되겠지요." 그리고 그때부터 그림자는 예전에 자기의 주인이었던 사람에게 주인의 행세를 하며 말을 했습니다.

“Kia malaltiĝo!” pensis la instruitulo, "ke mi devas lin

estimi kiel sinjoron kaj li kun mi parolas tute senceremonie!" Sed vole ne vole li devis konsenti.

Ili venis en banejon, kie sin trovis multaj alilanduloj kaj inter tiuj ĉi unu tre bela reĝidino, de kiu la malsano estis tio, ke ŝi tro bone vidis, kaj tio ĉi estas tre danĝere.

/ vole ne vole 어쨌든 / de kiu=kies 소유격 관계대명사 / 부사 danĝere로 쓴 것은 좀 이상함, 주어 tio ĉi 자체가 danĝera한 게 아니라, "그것이 그녀를 위험하게 만드는 것"이라는 느낌을 주기 위해서일까? 여기서 자멘호프는 이런 식으로 부사를 자주 쓰고 있음 /

"이런 모욕이!" 그 학자는 생각했습니다. "내가 그를 주인으로 존경해야 하고, 그는 나에게 격의 없이 말을 하다니!" 그러나 어쩔 수 없이 그는 동의를 해야만 했습니다.

그들은 열대 나라에 (목욕탕 나라에) 도착했습니다. 거기에는 많은 외국인이 있었고, 그 가운데 아주 아름다운 공주가 한 사람 있었습니다. 그런데 그 공주에게 병이 하나 있었으니, 그것은 그녀가 모든 걸 너무 잘 볼 수 있다는 것이었습니다. 그리고 이것은 아주 심각한 일이었습니다.

Ŝi tuj ekvidis, ke la nova veninto estas tute alia persono, ol ĉiuj ceteraj. "Li tien ĉi venis, por rapidigi la kreskon de sia barbo, tiel oni diras, sed mi bone vidas la efektivan kaŭzon de lia veno, — li ne havas ombron". Ŝi ricevis grandan sciemon, kaj tial ŝi sur la promenejo tuj komencis paroladon kun la alilanda sinjoro. Estante reĝidino, ŝi ne bezonis fari grandan ceremonion kaj tial ŝi diris: "Via malsano estas tio, ke vi ne havas ombron!"

/ sciemo=scivolemo 호기심 / ne bezonis fari grandan ceremonion 큰 격식을 차릴 필요가 없었다 /

그녀는 새로 온 그 사람이 다른 모든 사람들과 다르다는 걸 곧 알아차렸습니다. "그는 자기 수염을 기르려고 여기로 왔다고들 하는데 그러나 나는 그가 여기로 온 진짜 목적을 잘 알 수 있어. -그는 그림자가 없어". 그녀는 큰 호기심을 가졌습니다. 그래서 그녀는 산책로에서 그 외국 신사에게 말을 걸었습니다. 공주로서 그녀는 그리 큰 격식을 차리지 않아도 되었지요. 그래서 이렇게 말을 했습니다: "당신의 병은 바로 그림자가 없는 것이로군요!"

"Via reĝida moŝto jam komencis tute saniĝi!" respondis la ombro. "Via konata malsano de tro bona vidado estas perdita; vi saniĝis: mi havas ombron tute neordinaran. Ĉu vi ne vidas la personon, kiu min ĉian akompanas? Aliaj homoj havas ombron ordinaran, sed mi ne amas aferojn ordinarajn. Kiel oni la vestojn de siaj servantoj faras el pli bona ŝtofo, ol oni portas mem, tiel mi donis al mia ombro la formon de homo, kaj, kiel vi vidas, mi eĉ donis al ĝi apartan ombron. Tio ĉi estas vere io tre multekosta, sed mi amas vivi alie ol ĉiuj!"

/ 여기서 reĝida로 쓴 것은 reĝidina보다 간단해서 그런 것 같음 / 본래는 ami는 뭔가를 가슴으로 좋아하는 걸 뜻하고,

ŝati는 뭔가를 머리로 높이 평가하는 걸 뜻했음, 요즘은 ami가 '사랑하다', ŝati가 '좋아하다'의 뜻으로 많이 쓰임 / ol oni portas mem 자신이 걸치고 다니는 것보다(?) / vivi alie ol ĉiuj 다른 사람들과는 다르게 살다 /

"공주님, 벌써 다 나으셨군요!" 그 그림자가 대답했습니다. "모두가 다 아는 공주님의 그 너무 잘 보는 병은 이제 끝이 났나 봅니다. 공주님은 다 나았어요. 저는 아주 특별한 그림자를 가지고 있답니다. 저를 항상 따라다니는 저 사람을 보지 못하셨나요? 다른 사람들은 보통의 그림자를 가지고 있지만, 저는 그런 평범한 것들은 싫어한답니다. 마치 사람들이 자신이 걸치고 다니는 옷보다 오히려 시종의 옷을 더 좋은 천으로 만들어 주듯이, 보시다시피 저 역시 제 그림자에게 사람의 모습을 주었답니다. 그리고 그에게 또 자신의 그림자까지 주었지요. 이것은 아주 큰 돈이 드는 일이지만 저는 다른 사람들과는 좀 다르게 살고 싶으니까요!"

"Kiel!" pensis la reĝidino, "ĉu mi efektive saniĝis? Tiu ĉi banejo estas vere por mia malsano la plej helpa! La akvo en nia tempo havas tre mirajn fortojn. Sed tamen mi ne forveturos el la banejo, ĉar nun tie ĉi nur fariĝas interese. La alilandulo tre plaĉas al mi. Ke nur lia barbo ne kresku, ĉar tian li forveturos."

/ en nia tempo 좀 이상한 표현임, 제때에(?) / nun tie ĉi nur fariĝas interese 이제 여기가 막 재미있으려고 한다, 무주어문장?, 좀 특이한 표현임, ĉio fariĝas interesa로 생각할 수 있음 / Ke … -u –이기만 하여라, 앞에 Mi deziras가 생

략되었다고 보면 됨 /

“어떻게 이럴 수가!” 공주는 생각했습니다. “정말 내가 다 나은 걸까? 이 목욕탕나라는 (열대 나라는) 정말 내 병에 가장 좋은 약이로구나! 물이 제때에 놀라운 힘을 발휘한 거야. 그러나 이곳에서 떠나지 않을 거야. 왜냐하면 이제 막 이곳이 재미있어지려 하거든. 그 외국인이 정말 마음에 들어. 그의 수염만 빨리 자라지 말기를 바라야지. 왜냐하면 그때는 그가 떠날 거니까.”

Je l' vespero en la granda salono de baloj dancis la reĝidino kun la ombro. Ŝi estis facila, sed li estis ankoraŭ pli facila; tian dancanton ŝi ankoraŭ nenian havis. Ŝi rakontis al li, el kia lando ŝi estas, kaj li konis la landon, li tie estis, sed ŝi tian ne estis en la patrujo. Li rigardis supre kaj malsupre tra l' fenestroj kaj vidis multajn aferojn, kaj tial li povis respondi al la reĝidino kaj rakonti al ŝi tiajn aferojn, ke ŝi forte miregis. Li devis esti la plej saĝega homo sur la tuta tero.

/ facila 여기서는 춤을 잘 추는 걸 말함 / 여기의 tian은 ‘그때’가 아님 / el kia lando 여기서는 kiu를 써도 됨, 자멘호프는 이럴 경우 목록어 중 〈-a〉형태를 자주 씀 / 여기 쓰인 ke-절은 좀 특이함, ke 대신 kaj를 써도 되겠음, kaj를 쓰면 “~했고 그리고 ~”의 뜻이 되겠고, ke를 쓰면 “~해서 ~되었다”의 뜻이 되겠음, 이럴 경우 앞에 tiel, tiom 등의 말이 나오는 게 일반적임, 여기 쓰인 tiajn을 그렇게 볼 수 있을까? /

저녁에 큰 무도홀에서 그 공주는 그 그림자와 함께 춤을 추었습니다. 그녀는 춤을 잘 추었습니다. 그런데 그 그림자는 더 잘 추었습니다. 그녀는 그렇게 춤을 잘 추는 사람을 본 적이 없었습니다. 그녀는 그에게 자기가 어느 나라에서 왔는지 이야기해 주었습니다. 그 나라를 그림자는 알고 있었습니다. 거기에 있은 적이 있었지요. 그러나 그때 그 공주는 거기 자기 고국에 없었습니다. 그는 창문 위아래로 다니며 많은 것을 보았습니다. 그래서 그는 그 공주의 말에 모두 답을 할 수 있었고, 또 그 일들을 다 이야기 해 줄 수 있었습니다. 그녀는 아주 놀라워했습니다. 그는 세상에서 가장 지혜로운 사람임에 틀림이 없었습니다.

Ŝi ricevis grandan respekton por lia vasta sciado. Kian ili post tio ĉi ree dancis kune, ŝi lin ekamegis, kion la ombro bone vidis. Ĉe la postiranta danco la konfeso de ŝia amo sin trovis jam sur ŝia lango, sed ŝi estis ankoraŭ tiel prudenta, ke ŝi ekpensis pri ŝia lando kaj regno kaj pri la multo da homoj, kiujn ŝi estis ian regonta. "Saĝa homo li estas!" diris ŝi al si mem. "tio ĉi estas bona; kaj li dancas belege, ĝi ankaŭ estas bona; sed egale grava demando estas, ĉu li estas sufiĉe instruita. Mi provos lin ekzameni."

/ ricevis grandan respekton 큰 존경심을 가지게 되었다, ricevis가 좀 이상함, havis, sentis가 더 좋을 듯 / 관계대명사 kion에 주의, 앞 문장 전체가 선행사 / postiranta=sekvanta, sekva / sin trovi=troviĝi=esti / tiel ~

ke 그렇게 ~해서 ~하다 / demando estas, ĉu ~이냐가 문제이다, 주어는 demando, 뒤의 ĉu-절은 보어, estas 뒤에 tio가 생략되었다고 볼 수도 있음 /

그녀는 그의 대단한 지식으로 인해 큰 존경심을 가지게 되었습니다. 그들이 다시 함께 춤을 추게 되었을 때, 그녀는 그를 사랑하게 되었고, 그걸 그림자는 잘 알 수 있었습니다. 그다음 번 춤을 출 때에 그녀는 사랑의 고백을 하려고 했습니다만, 그녀는 신중하게 자신의 나라와 그리고 자신이 언젠가 통치하려고 했던 그 많은 백성들을 생각했습니다. “그는 현명한 사람이야!” 그녀는 스스로에게 말했습니다. “그건 좋아. 그리고 춤도 잘 춰, 그것도 좋아. 그러나 중요한 것은 과연 그가 충분한 지식을 가지고 있느냐 그것이야. 시험을 해 봐야겠어.”

Kaj ŝi komencis proponi al li demandojn pri la plej malfacilaj aferoj, je kiuj ŝi mem ne povus respondi; kaj la ombro faris miran vizaĝon.

"Tion ĉi vi ne povas respondi!" diris la reĝidino.

"Tion ĉi mi sciis ankoraŭ estante en la lernejo!" diris la ombro; mi pensas, ke tion ĉi eĉ mia ombro tie ĉe l' pordo povus respondi".

"Via ombro!" ekkriis la reĝidino, "tio estus multege mirinda!"

/ mira 놀라는, 놀라는 듯한, mirinda는 놀랄만한 / scii 알

고 있다, ekscii 알게 되다 / ankoraŭ estante는 ~일 때, kiam mi estis라고 해도 됨 /

그리고 그녀는 자기 자신도 답을 모르는 아주 어려운 일들에 대한 문제들을 그에게 내놓기 시작했습니다. 그리고 그림자는 놀라는 듯한 표정을 지었습니다.

“이건 모르겠지요!” 공주가 말했습니다.

“이건 제가 학교 다닐 때에 벌써 다 알고 있던 것들입니다!” 그림자가 말했습니다. “이건 저기 문에 있는 제 그림자도 답을 할 수 있을 겁니다.”

“당신의 그림자요!” 공주는 깜짝 놀랐습니다. “정말 대단한 일이군요!”

"Mi ne diras certe, ke ĝi povos," diris la ombro, "sed tiel mi pensas, ĉar ĝi ja tiel longe min akompanis kaj aŭdis, — mi tiel pensas! Sed permesu, Via reĝida moŝto, sciigi vin, ke ĝi estas tiel fiera kaj volas, ke oni ĝin prenu por homo; ke por teni ĝin en bona humoro — kaj tiel ĝi devas esti, por doni bonajn respondojn — oni devas paroli kun ĝi tute kiel kun homo."

"Tia fiereco plaĉas al mi!" diris la reĝidino.

/ permesu 다음에 min이 생략되었음 / sciigi는 생략된 min의 보어 / preni -on por -o -을 -처럼 대우하다, 취급하다 / sciigi vin 다음에 나오는 ke-절은 sciigi의 목적어 / volas 다음에 나오는 ke-절은 volas의 목적어 / 그 뒤의

ke-절도 volas의 목적어, 이 ke-절 안의 주어는 oni / por teni ĝin en bona humoro 기분을 좋게 유지하기 위해서 / – kaj tiel ĝi … respondojn – 은 삽입절 /

“저는 그것이 잘 할 수 있을지 확실하게 말할 수는 없습니다.” 그림자가 말했습니다. “그러나 그것은 오랫동안 저를 따라다녔고 들었기 때문에 그럴 수 있으리라 생각합니다! 그러나 공주님, 알려 드릴 게 있어요. 그것은 아주 교만해서 사람들이 자기를 인간처럼 대해 주기를 바랍니다. 대답을 잘 하기 위해서는 그것이 기분이 좋아야 하는데, 그러기 위해서는 사람들이 그것과 함께 말을 할 때에 마치 사람과 함께 말을 하는 것처럼 그렇게 말을 해야 한답니다.”

“그런 교만함이 마음에 드는군요!” 공주가 말했습니다.

Kaj ŝi iris al la instruita homo apud la pordo kaj parolis kun li pri suno kaj luno, pri l' internaĵo kaj eksteraĵo de l' homo, kaj li respondis saĝe kaj bone.

"Kia homo li devas esti, se li havas tian saĝegan ombron!" pensis la reĝidino, "ĝi estus efektiva beno por mia popolo kaj regno, se mi lin elektus por esti mia edzo! — Mi ĝin faras!"

/ Kia+명사, 감탄문을 만들 때 쓰임 / ĝi는 se-절을 받는 대명사 / por esti mia edzo 나의 남편감으로 / ĝi와 ĝin은 tio와 tion으로 써도 됨 /

그리고 그녀는 문 곁에 있는 그 학자에게로 가서 그와 함께 태양과 달에 대해서 그리고 인간의 내면과 외면에 대해서 대화했습니다. 그는 현명하게 대답을 잘 했습니다.

“이렇게 현명한 그림자를 가졌다면 그 사람은 얼마나 대단한 사람일까!” 공주는 생각했습니다. “만약 내가 그를 남편감으로 정한다면 그건 분명히 나의 백성과 나의 나라에 큰 복이 될 거야! -그렇게 하겠어!”

La reĝidino kaj la ombro baldaŭ estis pretaj inter si, sed tamen tion ĉi neniu devis sciiĝi, ĝis ili venos en la landon de l' reĝidino.

"Neniu, eĉ ne mia ombro!" diris la ombro, kaj ne sen kaŭzo li tiel diris. Baldaŭ ili venis en la landon, en kiu la reĝidino regis, kian ŝi estis en la domo.

/ tion ĉi 목적격이 쓰인 것은 전치사 pri가 생략되었기 때문 / sciiĝi 알게 되다, tion ĉi neniu devis eksciii라고 할 수도 있겠음, scii “알고 있다” / ne sen kaŭzo 이유 없이 ~아니다 /

공주와 그림자는 서로 사이에 드디어 준비가 끝났습니다. 그러나 그들이 공주의 나라로 갈 때까지는 이것을 아무도 알아서는 안 되었습니다.

“아무도, 내 그림자까지도!” 그 그림자가 말했습니다. 그리고 이유 없이 그가 이렇게 말한 건 아니었습니다. 그들은 이윽고 공주가 다스리던 나라에 도착했습니다.

"Aŭskultu, amiko!" diris la ombro al la instruitulo, "nun mi fariĝis tiel feliĉa kaj multepova, kiel nur estas eble, tial mi volas ankaŭ por vi fari ion neordinaran! Vi ĉian loĝos ĉe mi en la palaco, vi veturos kun mi en mia propra reĝa kaleŝo kaj ricevos jaran pagon de centmil oraj moneroj. Por tio ĉi vi devas permesi, ke ĉiu kaj ĉio nomu vin ombro.

/ tiel ~ kiel ~ 그렇게 ~해서 ~하다 / multepova 많은 것을 할 수 있는, 막강한 권력을 가진 / kiel nur estas eble 더없이, 가능한 한 최대한도로, 무주어 문장 / jara pago 연봉 /

"친구여, 들어봐요!" 그림자가 그 학자에게 말했습니다. "나는 이제 정말 더없이 행복하게 되었고 또 막강한 힘을 가지게 되었소. 그래서 그대에게도 뭔가 특별한 것을 해주고 싶군요! 그대는 언제나 궁전에서 나와 함께 살 것이고 나와 함께 왕의 마차를 타고 다닐 것이며 연봉으로 금화 10만 개를 받을 것이요. 이것은 단 한 가지 조건이 있소. 모두가 그리고 모든 것이 그대를 그림자로 부른다는 조건이오.

Ne diru, ke vi ian estis homo, kaj unu fojon en la jaro, kian mi sidos sur la balkono en la lumo de l' suno kaj montros min al la popolo, vi devos kuŝi ĉe miaj piedoj kiel efektiva ombro! Ĉar mi konfesas al vi, mi edziĝos je la reĝidino; ankoraŭ hodiaŭ je l' vespero ni festos la edziĝon".

/ mi konfesas al vi 이 문장은 삽입절, 앞에 쉼표를 하나 붙이는 게 좋겠음 / ankoraŭ 여기서는 "게다가"의 뜻 /

당신이 한때 인간이었다는 걸 말하지 마시오. 그리고 일 년에 한 번 내가 발코니에 나가 햇빛 아래 앉아 백성들 앞에 나를 내보일 때, 그때 당신은 실제 그림자처럼 내 발에 착 달라붙어 있어야 해요! 왜냐하면, 사실은, 나는 공주와 결혼을 하니까 말이요. 게다가 오늘 저녁에 결혼식을 할 것이오."

"Ne, ĝi estas jam tro multe!" diris la instruitulo, "tion ĉi mi ne volas, tion ĉi mi ne faros! Ĝi estus trompi la tutan landon kune kun la reĝidino! Mi diros ĉion, ke mi estas la homo kaj vi estas nur ombro, kiu portas vestojn de homo!"

"Neniu vin kredos!" diris la ombro. "Estu prudenta, aŭ mi vokos la gardistojn!"

/ ĝi estas jam tro multe 그건 너무 심하다, 너무 나갔다 / 여기서 자멘호프는 tio를 쓸 만한 자리에 ĝi를 자주 쓰고 있음 / -u, aŭ ~ -하라 그렇지 않으면 ~ /

"아니요, 그건 너무 심해요!" 그 학자가 말했습니다. "이건 내가 원하는 바가 아니오. 난 할 수 없소! 그건 공주와 이 나라 전체를 속이는 일이오! 나는 모든 것을 다 말하겠소. 내가 정말 사람이고, 당신은 그저 인간의 옷을 걸친 그림자에 불과하다는 것을 말이오!"

"아무도 그대를 믿지 않을 것이오!" 그림자가 말했습니다. "신중하시오. 안 그러면 경비원을 부르겠소!"

"Mi iros rekte al la reĝidino!" rediris la instruitulo. "Sed mi iros antaŭe!" ekkriis la ombro, "kaj vi iros en malliberejon!" Kaj tien la instruitulo efektive devis iri, ĉar la soldatoj obeis la ombron, sciante, ke la reĝidino volas lin fari ŝia edzo.

"Vi tremas?" demandis la reĝidino, kian la ombro eniris; "ĉu io okazis al vi? ne malsaniĝu hodiaŭ, kian ni volas je l' vespero festi nian edziĝon."

/ rediri 다시 말하다 / ĉu io okazis al vi? 무슨 일이 있어요 (생겼어요)? /

"나는 공주에게 직접 가겠소!" 학자는 다시 말했습니다. "그러나 내가 먼저 가겠소!" 그림자가 외쳤습니다. "그리고 그대는 감옥으로 가야 할 거요!" 그리고 실제로 그 학자는 감옥에 갇혔습니다. 왜냐하면 군인들이 공주가 그를 남편으로 맞이한다는 것을 알고서 그 그림자의 말에 복종했기 때문입니다.

"당신 떨고 있어요?" 그림자가 들어갔을 때 공주가 물었습니다. "무슨 일이 있어요? 오늘은 저녁에 결혼식이 있으니 아프면 안 돼요."

"Al mi okazis la plej terura afero, kiu povas okazi!" diris la ombro, "prezentu al vi — jes, tia malforta kapo de ombro ne povas longe sin teni — prezentu al vi, mia ombro perdis la prudenton, ĝi diras kaj ripetas, ke ĝi estas la homo, kaj mi — prezentu al vi — mi estas ĝia ombro!"

"Terure!" ekkriis la reĝidino, "oni ĝin ja enŝlosis?"

"Kompreneble! Mi timas, ke ĝi jam nenian ricevos ree la prudenton!"

/ afero, kiu povas okazi 일어날 수 있는 일 (중에 가장 무서운 일) / prezentu al vi 여기서는 주어 Mi가 생략되었음, "말씀 드리지요…" 정도의 뜻 / ne povas longe sin teni 오래 스스로 지탱할 수가 없다 /

"나에게 일어날 수 있는 일 가운데 가장 무서운 일이 일어났어요!" 그림자가 말했습니다. "말씀 드리지요. -그래요, 그림자의 그런 약한 머리는 오래 스스로 지탱할 수가 없지요. - 말씀 드리지요, 제 그림자가 정신이 나갔나 봐요. 말하길 자기가 사람이라고 하네요. 그리고 저를 제 그림자라고 하고요!"

"저럴 수가!" 공주가 소리쳤습니다. "그걸 감옥에 가두었나요?"

"물론이지요. 저는 그것이 이제 더 이상 정신을 못 차릴 것 같아 걱정입니다!"

"La malfeliĉa ombro!" rediris la reĝidino, "mi ĝin tre bedaŭras; estus tre bone por ĝi, se oni ĝin liberigus de ĝia malfeliĉa vivo. Se mi bone pensas, mi trovas, ke estas necese ĝin mallaŭte tute forigi."

"Kvankam tio ĉi estus por mi tre dolora!" diris la ombro, "ĉar ĝi estis fidela servanto!" kaj li faris, kiel li ĝemus.

"Vi havas noblan ĥarakteron!" diris la reĝidino.

/ 여기 쓰인 ĝi는 그 학자를 말함 / ĝin bedaŭri 여기서는 bedaŭri가 "동정하다"의 뜻으로 쓰임 (고어 형태), 본래 bedaŭri는 "무엇을(누구를) 잃어 버려서 마음이 아프다", "무엇을 한 (또는 안 한) 일에 대해 유감으로 생각하다" / mallaŭte "소리없이, 조용히, 아무도 모르게" / li faris, kiel li ĝemus 마치 흐느끼는 것처럼 했다, 여기서는 kvazaŭ로 쓰는 게 더 좋겠음 / ĥaraktero (고어), karaktero /

"아, 불쌍한 그림자!" 공주가 다시 말했습니다. "정말 가슴이 아프군요. 그 불행한 삶에서 누군가 그를 구원해 줄 수 있었으면 참 좋겠어요. 제 생각이 맞다면, 아무도 모르게 그것을 그냥 없애버려야 할 것 같네요."

"그건 제게도 참 가슴 아픈 일이긴 합니다만!" 그림자가 말했습니다. "왜냐하면 그건 성실한 종이었거든요!" 그리고는 마치 흐느끼는 듯이 했습니다.

"당신은 아주 고귀한 성품을 가졌군요!" 공주가 말했습니다.

Je l' vespero la tuta urbo estis feste iluminita, kaj la pafilegoj tondris "bum!" — kaj la soldatoj faris paradon. La reĝidino kaj la ombro eliris sur la balkonon, por sin montri kaj ankoraŭ unu fojon ricevi la ĝojan kaj tondran "vivu!" de l' popolaj amasoj.

La instruita homo nenion aŭdis de l' tuta ĝoja kriado, ĉar al lia vivo estis farita fino.

~ ~ ~ ~〈〉〈〉〈〉~ ~ ~ ~

/ 자멘호프는 여기서 je la vespero처럼 전치사 je를 자주 쓰고 있음, en la vespero / 여기서는 “vivu!”가 하나의 명사처럼 쓰이고 있음 / al lia vivo estis farita fino 그의 생명이 끝장이 났다, 특이한 표현임, lia vivo finiĝis 대신 이렇게 피동형을 쓴 것은, 그 죽음의 피동성을 표현하기 위함임, lia vivo estis finita로 해도 됨 /

저녁에 온 도시가 불을 밝히고 잔치를 벌였습니다. 그리고 축포도 “펑!” 천둥소리를 내며 터졌습니다. - 그리고 군인들은 퍼레이드를 벌였습니다. 공주와 그림자는 자신들을 보여 주기 위해, 그리고 또 사람들이 기뻐 외치는 천둥소리 같은 “만세!” 소리를 다시 한 번 더 듣기 위해 발코니로 나갔습니다.

그 학자는 그 기뻐 외치는 소리를 전혀 듣지 못했습니다. 왜냐하면 그의 생명은 끝이 났기 때문입니다.

~ ~ ~ ~〈〉〈〉〈〉~ ~ ~ ~

18. POPOLDIROJ.

Ĉiu "tial" havas sian "kial."

Popolo diras—Dio diras.

Kia patrino, tia filino.

Kiu vivos, tiu vidos.

Se infano ne krias, patrino ne scias.

Pelu muŝon tra l' fenestro, ĝi venos tra l' pordo.

En sia urbeto neniu estas profeto.

Kiu iras trankvile, iras facile.
Post la faro venas saĝo.
Kiu ne salutas per ĉapo, salutos per kapo.
Ne diru "hop" antaŭ salto.
Antaŭe intencu kaj poste komencu.
Ne tiel terura estas la diablo, kiel oni lin pentras.
Kia la festo, tia la vesto.
Restu tajloro ĉe via laboro.

~ ~ ~ ~〈〉〈〉〈〉~ ~ ~ ~

18. 속담.

–모든 “그래서“는 자신의 “왜냐하면”을 가지고 있다 = 핑계 없는 무덤 없다.
–사람들이 말하고 –신이 말한다 = 민심이 천심이다.
–그 어머니에 그 딸
–산 사람은 볼 것이다.
–아이가 울지 않으면 어머니는 모른다 = 우는 아이 젖 준다.
–창을 통해 파리를 내쫓으면 문을 통해 들어온다.
–자신의 마을에서는 아무도 선지자가 아니다.
–조용히 가는 사람은 쉽게 간다 = 사공이 많으면 배가 산으로 올라간다.
–일이 끝난 후에 지혜가 온다 = 소 잃고 외양간 고치기.
–모자로써 인사를 하지 않는 사람은 머리로써 인사를 한다 = 호미로 막을 것을 가래로 막는다
–뛰기도 전에 “얏” 하지 말라 = 김칫국부터 마시지 마라.
–먼저 의도하고 나중에 시작하라

-악마는 사람들이 그린 것만큼 그렇게 무섭지는 않다
-잔치가 어떠한가에 따라 옷이 어떠하다 = 옷이 날개다(?)
-당신의 일에 재단사가 돼라 = 자신의 일에 전문가가 돼라(?)

~ ~ ~ ~〈〉〈〉〈〉~ ~ ~ ~

19. Kanto de studentoj.

Ĝoju, ĝoju ni, kolegoj,
Dum ni junaj estas!
Post plezura estanteco,
Post malgaja maljuneco—
Sole tero restas.
***
Vivo estas tre mallonga,
Kuras ne tenate,
Kaj subite morto venos,
Kaj rapide ĉiun prenos,
Ĉiun senkompate.
***

19. 학생들의 노래.

동료들이여 기뻐하라, 기뻐하라,
우리가 아직 젊었을 때에!
기쁨의 현재가 지난 후에,
우울한 노년이 지난 후에 -
땅만이 오직 남으리.
***

인생은 아주 짧고,
잡을 수 없이 달려간다,
그리고 갑자기 죽음이 찾아와서,
우리 모두를 삽시간에 잡아가리,
인정사정없이 우리 모두를.
***

Kie niaj antaŭuloj
En la mondo sidas?
Iru al la superuloj,
Serĉu ilin ĉe l' subuloj —
Kiu ilin vidas?
***

Vivu la akademio
Kaj la profesoroj!
Vivu longe kaj en sano
Ĉiu akademiano,
Vivu sen doloroj!
***

우리의 선배들은 어디에
세상 어디에 있는가?
높은 사람들에게 가 보라,
낮은 사람들 중에 그들을 찾아보라 -
누가 그들을 보겠는가?
***

대학이여 만세

교수들도 만세!
건강하게 만세를 누리시길
모든 대학인이여,
아픔 없이 살기를!
***

Vivu, floru nia regno
Kaj regnestro nia!
Kaj amikoj mecenataj,
Protegantoj estimataj
De l' akademio.
***
Vivu ĉiuj la knabinoj
Belaj kaj hontemaj!
Vivu ankaŭ la virinoj,
Amikinoj kaj mastrinoj,
Bonaj, laboremaj.
***

만세, 우리나라여 번창하라
우리의 국왕이여, 만세!
그리고 후원자 여러분도 만세,
존경하는 보호자 여러분도 만세
우리 대학 모든 지도자들 만세.
***
모든 소녀들 만세
아리땁고 수줍음 많은 이들!

여인들도 만세.
여학생들도 가정주부들도 만세,
선하고, 근면한 모든 여인들 만세.
***

Mortu, mortu, malgajeco!
Mortu la doloro!
Mortu ĉiu intriganto
Kaj malamon konservanto
Longe en la koro!
Hemza.

~ ~ ~ ~〈〉〈〉〈〉~ ~ ~ ~

죽어라, 죽어라, 우울함이여!
고통이여 죽어라!
모함하는 자들이여 모두 죽어라
증오를 품은 자여 모두 죽어라
우리의 마음에서 영원히!
Hemza

20. El Heine'.

Al brusto, al mia — ha, ĝi min doloras —
Almetu maneton, amata knabino!
Vi aŭdas, ke tie meblisto laboras?
Li por mi la ĉerkon konstruas sen fino!
***

Ha, kiel li frapas en mi en la koro!
La vivo forkuras, ne estas jam por mi ...
Rapidu, rapidu kun via laboro,
Ke povu mi foj' je eterne ekdormi.
K.D.

~ ~ ~ ~〈〉〈〉〈〉~ ~ ~ ~

20. 하이네의 시.

가슴을 내 가슴을 - 아, 그것이 나를 아프게 하고 있어요 -
어여쁜 손을 얹어 주오, 사랑하는 소녀여!
그대는 듣는가요, 거기서 목공이 일하는 소리를?
그는 나를 위해 관을 만들고 있어요, 끊임없이!
***
아, 그가 내 심장을 두드리고 있어요!
숨은 달아나고, 이제 더 이상 내 것이 아니에요…
빨리, 빨리 일을 끝내세요,
이제 내가 영원히 잠잘 수 있도록.
K.D.

~ ~ ~ ~〈〉〈〉〈〉~ ~ ~ ~

Aldono al la Dua Libro de l' Lingvo Internacia

En mia unua libro mi petis ĉiujn amikojn de l' lingvo internacia esprimi ilian juĝon pri la lingvo, kiun mi proponis, montri al mi ĉiujn erarojn, kiujn ili trovis en ĝi, kaj ĉiujn plibonigojn, kiujn ili povas proponi, kaj helpi min tiel doni al la lingvo la plej bonan formon, ĉar la finan formon mi intencis doni al la "Lingvo Internacia" ne pli frue ol en la fino de l' jaro 1888, pripensinte kaj provinte antaŭe ĉiujn juĝojn kaj proponojn, kiuj estus senditaj al mi ĝis tiu tempo.

/ peti iun -i 누구에게 -하기를 부탁하다 / 부탁의 내용이 3가지 나옴 / ne pli frue ol ~이후에, ~하고 나서 /

부 록

저의 "제1서"에서 저는 국제어의 친구 모든 분들께 다음의 세 가지를 부탁 드렸습니다. 첫째, 제가 제안한 이 언어에 대한 여러분의 비판을 표현해 주시기를, 둘째, 그 안에서 발견한 실수들과 또한 모든 건설적 제안들을 알려 주시기를, 셋째, 그렇게 해서 제가 이 언어를 가장 좋은 모습으로 만들어 낼 수 있도록 도와 주시기를 부탁을 드렸습니다. 왜냐하면 1888년 말까지는 제게 보내주신 모든 비판과 제안들을 다 검토할 것이며 그 후에 비로소 "국제어"에 마지막 손질을 가하려고 생각했기 때문입니다.

En la "Dua Libro" mi diris, ke por fari la lingvon libera

de ĉiuj personaj eraroj, estus dezirata, ke ia instruita societo prenu en siajn manojn la sorton de l' lingvo kaj, aŭskultinte la konsilojn de kompetentaj personoj, ĝi donu al la lingvo la finan formon, kiu estus egale ordona por mi, kiel por ĉiu alia amiko de l' lingvo internacia.

/ libera de ~로부터 자유로운 / estus dezirata, ke ~인 것이 바람직하다, 여기서 보어는 부사 dezirate가 되어야 함 / preni en sian manon 일을 하려고 손을 대다, 착수하다, 책임지다 / 여기 쓰인 ĝi는 ia instruita societo / 자멘호프는 instruita를 "학술적인"의 뜻으로 자주 쓰고 있음 / ordona 규범적인, 모두가 따라야 하는 /

"제2서"에서 저는 이 언어가 모든 개인적인 실수에서 벗어나려면 어떤 학술단체가 이 언어를 맡아 주었으면 했습니다. 그래서 그 단체에서 모든 전문가들의 의견을 들어보고 난 후에 그 언어의 최종 모습을 정해 주기를 바랐습니다. 그럴 때에는 저뿐만 아니라 모든 국제어의 친구들도 그 결정에 따라야 하겠지요.

Nun mi kun la plej granda ĝojo povas sciigi ĉiujn amikojn de l' lingvo internacia, ke mia deziro ne restis vana. Ankoraŭ en la fino de l' jaro 1887, t.e. ankoraŭ antaŭ la ricevo de mia libreto, la Amerika Filozofia Societo en Filadelfio (The American Philosophical Society) elektis komitaton por pripensi kaj decidi la demandon, ĉu lingvo internacia estas necesa, ĉu ĝi estas kreebla, kaj kiel ĝi devas esti. La frukto de l' laboroj de la komitato estis jena decido:

/ vana 헛된, 공허한 / Ankoraŭ en la fino de l' jaro -년이 다 지나기 전에, antaŭ ol la fino de l' jaro라 해도 됨 / demando 질문, 제기된 문제 / kiel ĝi devas esti 그것이 어떤 모습이어야 할지, 여기서 부사 kiel이 쓰인 것에 주의, 물론 형용사 kia로 해도 됨; kia일 경우에는 "쉬운, 어려운, 국제적인…" 등의 뜻이 되고, kiel일 경우에는 그 언어의 구체적인 모습을 말하는 것이 됨 /

저는 모든 국제어 친구 분들께 제 소원이 헛되지 않았음을 알려 드리게 되어 기쁘기 그지없습니다. 1887년이 다 가기도 전에, 즉, 제 책을 받아 보기도 전에, 필라델피아의 미국 철학협회에서는 국제어가 과연 꼭 필요한지, 그리고 그것은 만들어 낼 수 있는 것인지 또한 그것은 어떤 모습이 되어야 할지 등의 문제를 연구할 위원회를 선출했다고 합니다. 그리고 그 연구의 결과는 다음과 같았습니다:

ke lingvo internacia estas kreebla, ke ĝi estas necesa, ke ĝi devas havi gramatikon la plej simplan kaj naturan, kun la plej simpla ortografio, kaj fonologio, kaj la vortoj devas esti agrablaj por la orelo; ke la vortaro devas esti kreita el vortoj pli malpli rekoneblaj por la plej gravaj civilizitaj popoloj; ke la fina formo de tia lingvo devas esti la frukto de l' laboroj ne de unu persono, sed de la tuta instruita mondo.

/ 앞의 decido를 설명하는 ke-절이 모두 5개 나옴 / agrablaj por la orelo 듣기 좋은 / instruita mondo 지식층 /

1) 국제어는 만들어 낼 수 있으며, 2) 그것은 필요하고, 3) 그 문법은 아주 쉽고 자연스러워야 하며 철자법과 발음이 간단해야 하고 단어는 듣기에 좋아야 한다, 4) 어휘는 주요한 여러 문명 민족들에게 비교적 잘 알려진 것들이어야 하고 5) 또 그 언어는 어느 한 개인에 의해서가 아니라 모든 지식층들의 합의에 의해서 최종적으로 만들어진 것이어야 한다.

Sur la fondo de ĉio supre dirita, la "Amerika Filozofia Societo" decidis dissendi al ĉiuj instruitaj societoj la proponon fari internacian kongreson de instruituloj por decidi la finan formon de lingvo tutmonda.

/ 자멘호프는 이 당시 fondo를 fundo의 뜻으로 종종 쓴 것 같음 / fondi 기초를 세우다, 설립하다, ~을 근거로 하다 ; fundo 바닥, 기초, 입구에서 가장 멀리 떨어진 곳 /

위에서 말씀 드린 모든 것을 근거로 하여 "미국 철학협회"에서는 모든 지식층의 사회단체에 세계어 창안을 위한 지식인 대회를 제안하는 통지를 보내기로 결정하였습니다.

Tiel la leganto vidas, ke ne sciante ankoraŭ pri mia laboro, la "Amerika Filozofia Societo" venis al tiuj samaj decidoj pri lingvo tutmonda, al kiuj mi venis, kaj ke la principoj, kiujn la "Amer. Fil. Societo" ellaboris por la lingvo teorie, estas pli malpli egalaj al tiuj, kiujn mi efektivigis praktike.

/ Tiel la leganto vidas, ke ~ 독자 여러분은 ~을 보시게 될 것입니다, 이것은 이렇게 이해하면 되겠음: Kiel la leganto vidas, la rezulto estis, ke ~ /

독자 여러분께서 보시듯이 그 미국 철학협회는 저의 일을 알지도 못한 채 제가 이미 도달한, 그 똑같은 세계어의 문제에 도달한 것입니다. 그리고 또 그 협회가 이론적으로 만들어낸 국제어에 관한 원칙들도 제가 이미 실용적으로 실제 만들어 낸 것들과 거의 동일한 것들입니다.

Tial ĝi estas tute natura, ke ricevinte mian libreton jam en la fino de siaj laboroj, la komitato trovis, ke mia lingvo estas sufiĉe proksima al la idealo, kiun ĝi ellaboris teorie. Jen kion diras pri la "Lingvo internacia" sinjoro Henry Phillips, Jr (unu el la tri personoj, el kiuj estis farita la komitato por decidi la demandon pri lingvo tutmonda):

/ ĝi 대신 tio를 써도 됨 / ke-절은 앞의 ĝi를 설명하는 절 / Tial estas tute nature, ke ~로 해도 됨 / Jen 여기 ~가 있다 / Jen kion diras=Jen tio(n), kion diras / 목적격을 쓴다면 앞에 타동사 문장 "Jen mi prezentas al vi" 같은 말이 생략된 것이고, 주격을 쓴다면 자동사 문장 "Jen estas" 같은 말이 생략된 것임 /

그래서 그 협회가 일을 끝낼 무렵 저의 소책자를 받아 보고는 제가 제안한 그 언어가 그 협회가 이론적으로 생각한 그 이상형에 아주 가깝다는 것을 알았다는 것은 지극히 당연한 일인 것입니다. 여기 Henry Phillips, Jr 씨가 "국제어"에 대해서 한 말을 소개합니다. (그는 세계어 문제를 결정하기 위한 위원회 위원 3인 가운데 한 사람입니다.)

"La plej nova propono al la publiko kaj ĝis nun la plej simpla kaj la plej racionala, estas la "Lingvo internacia," kreita de d-ro S* el Varsovio. La principoj, sur kiuj ĝi estas fondita, estas en la tuto maleraraj; ĝia vortaro ne estas kreita laŭ la persona volo kaj juĝo de l' aŭtoro, sed prenita el la lingvoj franca, germana kaj angla kaj en parto el la latina, kaj ĝi enhavas la vortojn, kiuj estas similaj en tiuj lingvoj; estas faritaj kelkaj ŝanĝoj pro la bonsoneco.

/ racionala 이성적인, 일반적인 원칙에 맞는, =racia / en al tuto 대체적으로, 전체적으로 / en parto 부분적으로 /

"가장 최근에 발표된, 그리고 가장 간단하고도 이성적인 제안은 바르샤바의 S* 박사(의사)가 창안한 "국제어"입니다. 그 언어의 원칙들은 전체적으로 잘못된 것이 없으며, 그 어휘는 저자의 뜻이나 판단에 의해서가 아니라 프랑스어, 독일어, 영어에서 가져왔고 부분적으로는 라틴어에서도 가져왔습니다. 그리고 거기에는 그 언어들과 비슷한 단어들도 있으며, 또한 발음의 편의를 위해 약간 수정한 것들도 있습니다.

Pro tio kaj pro ĝia gramatiko la lingvo estas mirinde facila por lerni, prezentante neniajn el la kalejdoskopaj rompaĵoj kaj ŝiraĵoj de la Volapük'. La gramatiko de tiu lingvo estas el la plej simplaj, tiel simpla, kiel en nia propra lingvo, kaj la reguloj por la kreado de vortoj estas tiel klaraj kaj tiel facilaj, ke la vortaro el radikvortoj povas esti farita tre malgranda ..."

/ el la plej simplaj=unu el la plej simplaj / la vortaro el radikvortoj povas esti farita tre malgranda 이 문장은 좀 까다로움, 주어를 la vortaro el radikvortoj로 보면 뒤의 동사와 보어가 좀 이상함, el radikvortoj povas esti farita tre malgranda (la) vortaro로 볼 수도 있음, 자멘호프가 아는 어떤 언어의 영향일지도… /

그리고 또한 그 언어의 문법은 배우기가 놀랍도록 쉬우며 볼라퓌의 그 요지경 같은 복잡한 현상은 전혀 없습니다. 그 말의 문법은 아주 간단해서 우리 자신의 모국어 문법이나 마찬가지로 간단합니다. 그리고 단어의 조어규칙도 아주 분명하고 쉬워서 어근어들의 단어장은 아주 작습니다…"

Rakontinte mallonge la tutan konstruon de l' "Lingvo internacia" kaj ĝian gramatikon, kaj montrinte kelkajn punktojn, kiuj laŭ lia juĝo devus esti ŝanĝitaj, sinjoro H. Ph. finas:

/ -inte 부사 분사구문이 두 개 나옴 / kiuj-절은 선행사 punktojn을 꾸미는 관계대명사절 /

국제어 에스페란토의 전체 구조와 그 문법에 대해 간단히 말을 하고서 그리고 그의 판단으로는 좀 고쳐져야 할 부분들을 지적하고 나서, Henry Phillips, Jr 씨는 이렇게 말을 마쳤습니다.

"D-ro S*, kiu skribas sub la nomo de d-ro Esperanto, estas tre modesta en siaj postuloj kaj proponas sian lingvon al la publika kritiko tra la tempo de unu jaro, antaŭ ol li donos al ĝi la finan formon. Post tiu fina trarigardo kaj ŝanĝo li volas prezenti ĝin por la publika uzado.

/ sub la nomo de ~라는 이름으로 / tra la tempo de ~의 기간을 거쳐 (동안) / antaŭ ol ~하기 전에 /

"D-ro Esperanto라는 이름의 S* 박사는 아주 겸손하여 자신이 제안한 언어를 일 년 동안 대중의 비판(판단)에 내놓고자 합니다. 그리고 그 후에 최종 형태를 결정지으려고 합니다. 그 마지막 검토와 수정 후에 그는 대중이 이 언어를 사용하도록 내놓고자 합니다.

Li petas siajn legantojn promesi lerni la lingvon nur tiam, se 10,000,000 personoj estos donintaj tian saman promeson. Mi esperas, ke la fina trarigardo de l' "Lingvo internacia" kondukos al la bonigo de l' eraroj, kiujn mi montris, kaj la tuta mondo povas kuraĝe doni la petitan promeson".

/ 여기 쓰인 tian은 tiam의 전신이 아님, "그러한"의 뜻 / konduki al ~로 이끌다, ~의 결론이 나다 /

그는 독자들에게 만약 천만 명의 사람들이 같은 약속을 하면 그때 그 언어를 배우겠다는 약속을 해 줄 것을 요청하고 있습니다. 저는 이 "국제어"의 마지막 검토과정에서 제가 지적한 실수들이 보완되기를 바라며 또한 모든 세상 사람들이 앞장서서 그 요청한 약속을 많이 보내 주기를 바랍니다."

La kvar ŝanĝoj, kiujn proponas sinjoro H. Ph., estas teorie tre bonaj, sed mi jam mem antaŭ kelkaj jaroj pensis pri ili kaj mi trovis, ke praktike ili estus tre maloportunaj. Pli vastan mian juĝon pri ili kaj pri ĉiuj proponitaj ŝanĝoj mi prezentos al la kongreso, se tiu ĉi efektiviĝos. Al ĉiuj ŝanĝoj, kiujn la internacia kongreso de instruituloj post fonda provado trovos necesaj, — mi jam antaŭe donas mian plenan konsenton.

/ kiujn-절은 앞에 나온 ŝanĝoj를 꾸미는 관계절 / mi trovis, ke ~라는 걸 알았다 (발견했다) / se tiu ĉi에서 tiu ĉi는 앞에서 마지막으로 나온 명사를 가리킴 / 여기서도 자멘호프는 fonda를 funda처럼 사용하고 있음, "깊은, 확실한" / provado 시도, 검증 / necesaj는 앞에 나온 kiujn에 걸리는 목적격 보어, kiujn은 앞의 선행사 ŝanĝoj를 꾸미는 관계대명사 / trovi –on –a 무엇이 어떠하다고 생각하다 / jam antaŭe 미리 먼저, 사전에, 강조하기 위해 둘을 함께 썼음 /

H. Ph. 씨가 제안한 그 네 가지 수정사항은 이론적으로는 아주 좋습니다. 그러나 제가 벌써 몇 년 전에 그 문제들에 대해 생각을 해 보았으며 실제적으로는 그것들이 아주 불편하다는 것을 발견하였습니다. 그 제안들과 또한 다른 모든 수

정 제안들에 대하여 저는 그 대회가 실제로 개최된다면 그 대회에서 광범위하게 제 판단을 다 말씀드리겠습니다. 그 지식인들의 국제대회가 확실한 검증을 다 한 후에 꼭 필요하다고 판단하는 모든 수정사항에 대해서 저는 지금 사전에 미리 완전한 동의를 표해 두는 바입니다.

Sciigante la amikojn de l' lingvo internacia pri la intencita internacia kongreso, mi devas sciigi ilin, ke la tuta sorto de l' lingvo internacia de nun transiras en la manojn de l' kongreso, kaj la fina formo, kiun la kongreso donos al la lingvo, devas esti leĝdonanta por ĉiuj amikoj de l' "Lingvo internacia", se la kongreso eĉ trovus necesa ŝanĝi la lingvon ĝis nerekonebleco. Mia rolo nun estas finita, kaj mia persono tute foriras de l' sceno.

/ sciigi iun pri io = sciigi iun, ke = sciigi ion al iu 누구에게 무엇을 알리다 / transiri 건너가다, 이동하다 / leĝdonanta 법적인 지위를 가지는, 법적 효력이 있는 / se ~ eĉ 비록 ~라 할지라도 / ĝis nerekonebleco 몰라볼 정도로 / rekoni (다시 알다) 인지하다, 인식하다, 인정하다 / mia persono “저 개인은, 저라는 사람은” /

국제어 친구 여러분께 앞으로 있을 그 국제대회를 알려 드리면서 저는 이제부터는 국제어의 운명이 전적으로 그 대회의 결정에 달려 있음을 알려 드려야겠습니다. 그리고 그 대회에서 정하게 될 이 국제어의 최종적인 형태가 모든 국제어 친구들에게 법적인 효력을 가지게 될 것임도 알려 드려야겠습니다. 비록 그 대회가 이 국제어를 몰라볼 정도로 수정을 한다 할지라도 말입니다. 저의 역할은 이제 끝이 났습니다. 그리고 저 개인은 이제 무대로부터 완전히 사라질 것입니다.

Sed kunligi jam antaŭe la sorton de l' lingvo internacia kun la estonta kongreso — estus tre malprudenta, kaj tiuj amikoj de l' lingvo, kiuj malfortigus aŭ tute ĉesigus ilian laboradon, "atendante la kongreson," — povus meti nian sanktan aferon en danĝeron esti perdita je eterne; ĉar la kongreso povas ankoraŭ ne efektiviĝi, kaj se ĝi efektiviĝos, povas ankoraŭ okazi, ke ĝi donos neniajn praktikajn rezultatojn.

/ kunligi ion kun io 무엇과 무엇을 연결시키다 / 여기서 형용사 malprudenta 로 쓴 것은 실수, 주어가 kunligi 동사원형이므로 보어는 malprudente 부사가 되어야 함 / danĝeron에서 목적격이 쓰인 것은 이동의 방향 표시 / esti는 danĝeron을 수식하는 동사 불변화법 / je eterne=por ĉiam 영원히 / se=eĉ se / povas ankoraŭ okazi의 주어는 뒤에 나오는 ke-절 / Povas okazi, ke ~일 수 있다 /

그러나 이 국제어의 운명을 벌써 사전에 그 미래의 대회와 연결 짓는 것은 아주 신중하지 못한 태도일 수 있습니다. 그리고 국제어의 친구들이 “대회를 기다리며” 일에 박차를 가하지 않거나 또는 아예 그만두거나 해서 이 중요한 (신성한) 일을 아주 영원히 잃게 되는 위험에 빠질 수도 있습니다. 왜냐하면 그 대회가 개최되지 않을지도 모르며, 또 가령 그 대회가 실제 개최된다 하더라도 아무런 실질적인 결론이 나지 않을 수도 있기 때문입니다.

Tial ni devas labori diligente laŭ la vojo, kiun ni jam unu fojon elektis, tute egale ĉu la kongreso efektiviĝos aŭ ne, ĉar tiu vojo estas certa kaj kondukos nin al la celo en ĉiu okazo. Esperante la kongreson, mi nun faras persone neniajn ŝanĝojn en la lingvo. Ĉiujn ŝanĝojn, kiujn oni proponis al mi, kaj mian personan juĝon pri ili — mi prezentos nun jam ne al la publiko, sed al la estonta kongreso.

/ tute egale ĉu ~ aŭ ne ~이든 아니든 똑같이 / konduki - on al -을 -로 이끌다 / jam ne (마음속으로 생각하고 있던 것을) 더 이상 하지 않기로 하다 /

그래서 우리는 그 대회가 개최되든 아니 되든 이미 한번 선택한 이 길을 따라 계속 열심히 노력해 나가야 하겠습니다. 왜냐하면 그 길은 분명한 길이요 그리고 또 어떤 경우에든 우리를 목적지로 안내할 것이기 때문입니다. 그 대회를 기대하면서 저는 현재로서는 이 국제어에 그 어떤 수정도 가하지 않겠습니다. 여러분이 제게 보내주신 여러 제안과 또 그에 대한 저의 판단도 저는 이제 더 이상 대중에게 내어놓지 않고 다만 앞으로 있을 그 대회에 제출하기로 하겠습니다.

La eldonado de la ceteraj kajeroj de la "Dua Libro" nun jam tial ne estas bezona, la nuna kajero estas la lasta, kaj la aŭtoro nun ĉesigas je eterne sian laboradon. Ĉion, kion mi de nun faros aŭ skribos, mi ĝin ĉion faros jam kiel simpla privata amiko de la lingvo internacia havante nek pli da kompetenteco, nek pli da moralaj aŭ materialaj privilegioj, ol ĉiu alia.

/ bezona 필요한, necesa로 써도 됨, 본래 bezoni는 타동사, necesa는 형용사, bezon- "필요로 하다", neces- "꼭 필요한" / ĝin ĉion 그 모든 것을 / ĉesi "더 이상 -을 하지 않다, -을 중단하다", 이 동사는 자동사인데, 좀 까다로움, 불변화사(동사원형)나 전치사구가 보충어로 따라올 수 있음: li ~is paroli, ne ~i kun siaj demandoj Z, ili ne ~os en sia celado Z / Mi ĝojas vidi vin과 비교하면 이해가 좀 쉬움 / ĉesigi -on -을 중단시키다, la vento ~igis la pluvon /

그래서 이제 "제2서"는 더 이상 계속 발행할 필요가 없게 되었습니다. 이번 호가 마지막이 될 것입니다. 그리고 이제 저자는 영원히 이 일을 그만두겠습니다. 이제부터 제가 무엇을 하든지 또는 어떤 글을 쓰든지, 그 모든 것은 그저 이 국제어의 친구의 한 사람으로서 사적으로 하는 것일 뿐입니다. 그리고 제게는 이제 그 어떤 권위도 없으며 도덕적이거나 물질적인 특권도 없습니다. 그 어느 누구와도 똑같을 것입니다.

Sed por ke la lingvo internacia povu fariĝi de nun tute sendependa de mia persono, kaj ke ĝi povu tute bone kaj regule riĉiĝi, vastiĝi kaj iri antaŭen, ĉu mi povos ankoraŭ labori por ĝi, aŭ ne, — mi donos tie, unu fojon por ĉiam, respondojn je kelkaj demandoj tuŝantaj la lingvon kaj ĝian estontecon.

/ por ke ~ -u ~하도록 / sendependa de ~로부터 독립하여, ~에 의존하지 않고 / ĉu … aŭ ne 절은 앞의 ĝi povu … antaŭen 절과 연관됨 / tie 혹시 ĉi tie가 아닐까? (여기서(?), 앞으로 개최될 그 대회에서?) / unu fojon por ĉiam 단 한 번만 /

그러나 이 국제어가 이제부터는 제 개인에 의존하지 않도록 하기 위해서, 그리고 또 제가 일을 계속 더 하든지 아니 하든지 상관없이 그것이 풍부해지고 또 확장되어 좋은 방향으로 지속적으로 발전해 나가게 하기 위해서, 저는 여기에서(거기에서?) 딱 한 번만 이 국제어와 그 미래에 대한 몇 가지 문제들에 대한 답변을 드리도록 하겠습니다.

1) La lingvo internacia restas senŝanĝa en tiu formo, en kiu ĝi estas proponita de mi; fari en ĝi iajn laŭvolajn ŝanĝojn mi de nun jam ne havas la privilegion; tiu ĉi privilegio apartenas al la internacia kongreso de instruituloj, kiu estas esperata pro la iniciativo de la Amerika Filozofia Societo; se la intencita kongreso ne efektiviĝos, tiam poste (sed ne antaŭ kvin jaroj de nun) la amikoj de l' lingvo internacia faros mem internacian kongreson, kiu havos la privilegion fari en la lingvo ŝanĝojn kaj bonigojn.

/ 여기 쓰인 fari는 뒤의 privilegion에 걸리는 수식어구 / ne antaŭ kvin jaroj de nun 지금으로부터 5년 전에는 하지 않겠다는 뜻, 5년이 지난 후 언젠가 하겠다는 뜻 /

1) 이 국제어는 제가 제안한 그 상태로 변화 없이 그대로 남을 것입니다. 저는 이제부터 그 어떤 임의의 수정도 가할 권한이 없습니다. 이 권한은 오로지 미국철학협회가 제안한 그 국제지식인대회에만 있게 될 것입니다. 만약 그 국제대회가 개최되지 못한다면 그 후에 (지금부터 5년이 경과한 후에) 국제어의 친구들이 직접 국제대회를 개최할 것이며, 그 대회가 수정과 보완의 권한을 가지게 될 것입니다.

2) La sola ŝanĝo, kiun mi trovas necesa fari mem, estas: anstataŭ "ian," "ĉian," "kian," "nenian," "tian" — devas esti: "iam," "ĉiam," "kiam," "neniam," "tiam" (por malegaligi la vortojn "ian" etc. kaj "ia,n" etc).

/ trovas의 목적어는 fari, 그 목적어의 보어는 necesa, 여기서도 necesa가 동사 불변화법의 보어이기 때문에 부사 necese로 되어야 옳다, 자멘호프는 이렇게 목적격보어에서는 비록 그것이 불변화사의 보어일지라도 형용사형으로 자주 썼음 / "etc" 이건 에스페란토 단어가 아님, 에스페란토로는 "k.c."라고 써야 함, "등등" /

2) 제가 필요하다고직접 판단한 단 하나의 수정은 "ian, ĉian, kian, nenian, tian" 대신 "iam, ĉiam, kiam, neniam, tiam"을 쓰는 것입니다. (이것은 "ian" 등과 "ia,n" 등을 다르게 해 주기 위함입니다.)

3) Se ia el la tipografioj ne povas presi verkojn kun signetoj superliteraj (^) kaj (˘), ĝi povas anstataŭigi la signeton (^) per la litero "h" kaj la signeton (˘) tute ne

uzadi. Sed en la komenco de tia verko devas esti presita: "ch=ĉ; gh=ĝ; hh=ĥ; jh=ĵ; sh=ŝ". Se oni bezonas presi ion kun signetoj internaj (,), oni devas ĝin fari garde, ke la leganto ne prenu ilin por komoj (,). Anstataŭ la signeto (,) oni povas ankaŭ presadi (') aŭ (-). Ekzemple: sign,et,o = sign'et'o = sig-net-o.

/ ia=iu 에스페란토에서는 이 둘이 혼용되고 있음, 영어의 부정관사처럼 쓰이기도 함 / tipografio 인쇄술, (고) 인쇄소 / preni -on por -o 무엇을 무엇으로 생각하다 (오인하다) /

3) 인쇄소들 가운데 윗부호 (^와 ˘)가 있는 책을 인쇄할 수 없는 곳에서는 (^) 대신 "h"를 쓸 수도 있고, 또 (˘)는 아예 쓰지 않을 수도 있습니다. 그러나 그 책 첫머리에 다음과 같이 인쇄가 되어 있어야 할 것입니다: "ch=ĉ; gh=ĝ; hh=ĥ; jh=ĵ; sh=ŝ". 만약 중간부호(,)를 인쇄할 필요가 있을 때에는 독자들이 그것을 쉼표(,)로 오해하지 않도록 조심해서 해야 할 것입니다. (,) 부호 대신 (')나 (-)로 표시해도 좋습니다. 보기: sign,et,o = sign'et'o = sig-net-o.

4) La vortaro, kiu estas aldonita al mia unua broŝuro, estas ne plena, kaj la leganto ne miru, se li multajn vortojn en ĝi ne trovas. Sed mi ne havis la intencon eldoni aŭtore plenan vortaron kaj krei laŭ mia persona plaĉo la tutan lingvon de l' kapo ĝis la piedoj. Ĉar unue — la kreado de tute plena vortaro estas laboro ne ebla por unu homo, ĉar la nombro de l' vortoj en lingvo de l' homoj estas senfina, kaj se kun ĉiu vorto oni devus

atendi, ĝis mi ĝin kreos, tiam la lingvo neniam estus finita kaj ĉiam estus en dependo de mia persono;

/ aŭtore 저자로서, 즉, 무엇인가를 직접 저술한다는 뜻 / de l' kapo ĝis la piedoj 머리부터 발끝까지 전부 / kun ĉiu vorto 모든 단어에 있어, kun을 쓴 것에 유의, je, por 등을 써도 되겠음 / tiam은 se-조건절 뒤에 쓰였기 때문에 생략해도 됨 / esti en dependo de -에 의존해 있다 /

4) 제1서에 딸린 단어장은 완전한 것이 아닙니다. 그러니 독자 여러분은 거기에 많은 것이 빠져 있다고 놀라지 마십시오. 그러나 저는 직접 완전한 큰사전을 편찬하고 또한 그 언어의 모든 것을 머리부터 발끝까지 모두 제 개인의 취향에 따라 만들 생각은 없었습니다. 왜냐하면 완전한 큰사전의 편찬은 한 사람만으로는 불가능한 일이기 때문입니다. 인간 언어의 단어의 수는 한이 없어서 만약 모든 단어를 제가 만들어 내기까지 기다려야 한다면 그때에는 그 언어는 영원히 완성되지 못할 것이며 항상 제 개인에 의존해야 하기 때문입니다.

due — en tia grava afero, kiel lingvo tutmonda, la persona juĝo kaj decidoj de unu homo devas havi rolon eble plej malgrandan, ĉar unu homo sur ĉiu paŝo eraras. Unu homo tie povas esti nur iniciatoro sed ne kreanto. Lingvo tutmonda devas esti pretigata paŝo post paŝo, per la kunigita laborado de la tuta civilizita mondo.

/ tia ~ kiel ~처럼 그러한 / sur ĉiu paŝo 매번, 어디에서나,

항상 / 여기 쓰인 tie는 “국제어에서”라는 뜻 / paŝo post paŝo 한걸음 한걸음, 차근차근 /

둘째로 - 국제어(세계어)와 같은 이런 중요한 일에서는 개인적인 판단과 한 사람의 결정은 최소한의 역할만 해야 합니다. 왜냐하면 한 사람은 (개개인은) 항상 실수를 할 수 있기 때문입니다. 거기에서는 개인은 한 사람의 창시자는 될 수 있겠지만, 모든 것을 다 창조해 내는 사람은 될 수 없기 때문입니다. 세계어는 모든 문명화된 세상의 협력으로 차근차근 준비되어 나가야 합니다.

Por ke la lingvo povu regule, unuforme kaj unuvoje progresadi malgraŭ la disĵetita laboro de malsamaj personoj en malsamaj lokoj de la tuta mondo, oni devis krei komunan fundamenton, sur kiu ĉiuj povus labori. Tia komuna fundamento por la "Lingvo internacia" devas esti mia unua broŝuro ("Lingvo internacia. Antaŭparolo kaj plena lernolibro"), kiu havas en si la tutan gramatikon de la lingvo kaj sufiĉe grandan nombron da vortoj.

/ Por ke-절은 전체 문장의 부사절, 주어는 oni, 동사 devis / devas esti -임에 틀림없다, -이어야 한다 /

이 국제어의 발전에 관한 노력은 세계 여러 나라에 흩어진 많은 사람들의 노력이 서로 뿔뿔이 흩어져 있지만 그럼에도 불구하고 이 국제어가 규칙적으로 하나의 형태로 그리고 한 길로 잘 발전해 나가도록 하기 위해서는 모두가 의지할 수 있는 하나의 공통된 기초가 있어야만 할 것입니다. 그 공통된 기초는 전체 문법과 충분한 단어가 들어 있는 저의 "제1서" (서문과 문법교재)가 되어야 할 것입니다.

Tio ĉi estas la unua kaj la lasta persona vorto en la afero de l' lingvo internacia. Ĉio cetera devas esti kreata de la homa societo kaj de la vivo, tiel kiel ni vidas en ĉiu el la vivantaj lingvoj. Ĉiu, kiu ellernis la diritan "fundamenton", povas kuraĝe diri, ke li konas la lingvon internacian tute, ke li konas ĝin ne malpli bone ol la aŭtoro aŭ ol iu alia.

/ la unua kaj lasta vorto 처음이자 마지막으로 하는 말 / Ĉio cetera 그 외의 모든 것은 / 여기 쓰인 vivo는 "언어 자체의 생명력"이라고 보는 게 좋겠음 / tile kiel ~처럼 그렇게, 여기서 tiel은 없어도 됨 / ne malpli bone ol ~ 못지 않게 /

이것은 국제어와 관련한 저의 처음이자 마지막으로 하는 개인적인 말이 되겠습니다. 그 외의 모든 것은 우리가 모든 자연어에서 보듯이 그렇게 사회 공동체와 언어 자체의 생명력에 의해 만들어져 나가야 되겠습니다. 위에서 말한 그 "기초"를 다 배운 사람은 과감히 말할 수 있습니다. 자기는 그 국제어를 완전히 다 알고 있다고 말입니다. 그리고 그는 이 국제어의 저자나 또 그 어느 누구 못지 않게 그걸 잘 알고 있다고 말입니다.

Ĉar en ĉio, kio en la dirita broŝuro ne estas trovata,

kompetenta devas esti de nun ne la aŭtoro aŭ ia alia persono, — la solaj kompetentaj nun devas esti talento, logiko, kaj la leĝoj kreitaj de la plej granda parto de la verkantoj kaj parolantoj.

/ Ĉar는 이 전체 문장에 연결되는 접속사, 이 전체 문장이 앞에서 한 말의 종속절임, 그래서 ĉar를 썼음 / Ĉar … persono도 하나의 완전한 문장이며, 그 뒤에 이어지는 문장도 역시 그러함 / "la solaj …" 문장 앞에도 Ĉar가 쓰일 수 있음, 자멘호프는 이 두 문장을 하나로 묶었음 / 첫째 문장의 주어는 "la aŭtoro aŭ ia alia persono" / 둘째 문장의 주어는 la solaj kompetentaj "유일하게 권위 있는 것들은", 동사는 devas esti / "kreitaj … parolantoj" 구는 앞의 leĝoj를 꾸미는 수식어구 /

왜냐하면 그 소책자(제1서)에서 밝혀져 있지 않는 모든 것에 대해서는 이제부터는 그 저자나 혹은 그 어떤 개인이 권위를 가지는 것이 아니라, -이제 유일하게 권위를 가지는 것은 오로지 재능, 논리, 그리고 이 국제어의 대다수 저자들이나 사용자들이 만들어 내는 규칙들이 될 것이기 때문입니다.

Se ia vorto ne estas trovata en la vortaro, kiun mi eldonis, kaj oni ĝin ne povas fari mem laŭ la reguloj de la internacia vortfarado, nek anstataŭigi per alia esprimo, — tiam ĉiu povas krei tiun vorton laŭ lia persona plaĉo; tiel ankaŭ se naskiĝus ia demando stilistika aŭ eĉ gramatika, ne decidita klare en mia unua broŝuro, — ĉiu povas ĝin decidi laŭ sia juĝo; kaj se vi volas scii, ĉu vi bone decidis tiun demandon, turnu vin ne al mi, sed rigardu, kiel tiun demandon decidas la plejmulto de l' verkantoj.

/ ne ~ nek ~도 아니고 ~도 아니다 / 여기서도 tiam은 쓰지 않아도 됨, 그리고 자멘호프가 "tian"이라고 쓰지 않았음에 유의 (앞에서 이렇게 고치겠다고 말했음), 간혹 이럴 때 자멘호프가 tiam을 쓰는 이유는, 그 종속절이 너무 길기 때문임 / tiel ankaŭ 이와 같이 / ĉu가 종속접속사로 쓰일 때에는 "~인지 아닌지"의 뜻 /

만약 어떤 단어가 제가 펴낸 그 단어장에 없으면, 그리고 그것을 국제어 조어법의 규정에 따라 스스로 만들어 낼 수도 없고 또 다른 표현으로 대체할 수도 없다면, 그때에는 누구든지 자신의 뜻대로 그 단어를 만들어 낼 수 있습니다. 그리고 제1서에서 분명히 결정되지 않은 어떤 문체론적이거나 심지어 문법적인 문제가 있을 때에도, 모든 사람은 각자 자신의 판단에 따라 그것을 결정할 수 있습니다. 그리고 만약 당신이 그 문제를 제대로 잘 결정했는지 알고 싶다면, 제게 묻지 마시고 대다수의 글쓴이들이 그 문제를 어떻게 결정했는지 잘 보시기 바랍니다.

Ĉiu vorto, ĉiu formo, kiu ne estas rekte kontraŭ la jam kreita gramatiko kaj vortaro, aŭ kontraŭ la logiko aŭ la leĝoj enkondukitaj de la plejmulto de l' uzantoj, — estas tute bona, tute egale ĉu ĝi plaĉos al mi persone aŭ ne. La verkoj, kiujn mi eldonos persone, ne devas havi pli da kompetenteco, ol la verkoj de ĉiu alia.

/ 관계대명사로 단수 kiu가 쓰인 것을 보아, 그리고 또 보어로 형용사 bona가 단수로 쓰인 것을 보아, 자멘호프는 이 문장의 주어로 ĉiu vorto, ĉiu formo를 전체적으로 하나의 단수 개념으로 취급하고 있음 / tute egale ĉu ~이든 아니든 똑같이, 여기 쓰인 egale는 estas에 이어지는 보어가 아님 / pli da는 pli multe da를 줄인 것이라 볼 수 있음 /

이미 만들어진 문법이나 단어장에 직접적으로 위배되지 않고, 또 논리나 대다수 사용자들이 도입한 규칙에 반하지 않는다면, 모든 단어나 모든 형태는 다 좋습니다. 그것이 자신의 (자멘호프 자신의?) 마음에 들든 들지 않든 말입니다. 제가 앞으로 개인적으로 쓰게 될 모든 글들은 다른 사람들의 글보다 더 권위를 가지는 것은 아닙니다.

Kaj poste, kiam la lingvo sufiĉe fortiĝos kaj ĝia literaturo sufiĉe vastiĝos, tiam ankaŭ tio, kio estas en mia unua broŝuro, devos perdi ĉian signifon, kaj sole kompetentaj tiam devos esti la leĝoj ellaboritaj de la plejmulto.

/ kiam ~ tiam 문장에서 tiam이 두 번 나옴 / sole 오로지, nur / kaj sole … 이후에서 주어는 la leĝoj /

그리고 이후에 이 국제어가 충분히 강해지고 또한 그 문학이 충분히 저변이 넓어지게 되면, 그때에는 저의 제1서에 들어있는 것조차도 모든 의미를 잃을 것이며, 그때에는 오로지 대중에 의해 만들어진 법칙만이 유일한 권위를 가지게 될 것입니다.

Per unu vorto — la lingvo internacia devas vivi, kreski kaj progresi laŭ la samaj leĝoj, laŭ kiaj estis ellaborataj ĉiuj vivaj lingvoj, kaj tiu formo, kiun mi donis al ĝi, tiu gramatiko kaj vortaro, kiujn mi prezentis, devas esti sole fundamento, sur kiu estos ellaborata la efektiva lingvo internacia de l' estonteco.

/ Per unu vorto 한마디로 말해서 / 관계대명사로 kiaj를 쓴 것을 보아, 이 선행사는 samaj leĝoj이긴 하되, 거기서 samaj에 초점을 맞추고 있음을 알 수 있다, kiuj를 써도 됨 / efektiva 실제적인, 추상적이 아닌 /

한마디로 말해서 - 이 국제어는 다른 모든 자연어가 자라가는 것과 똑같은 법칙에 의해 살아 나가야 하고 성장해 나가야 하는 것입니다. 그리고 제가 만든 형태와 또 제가 제안한 문법과 어휘들은 미래에 실제적인 국제어가 자라나가는 데 있어 오직 하나의 기초(규범)만 되면 되는 것입니다.

Se mi senigas min nun je ĉiaj personaj privilegioj, kaj fordonas ilin tute al la publiko, mi ĝin faras ne pro malvera modesteco, sed ĉar mi havas la profundan kredon, ke tion postulas la interesoj de la afero, kiu alie ne povus regule kaj rapide vastiĝi kaj ĉiam estus en dependo de unu persono kun liaj eraroj. Nur viva konkursa laboro, ĉe kia ĉio pli bona iom post iom elpuŝas la malpli bonan, — povas doni efektive bonan kaj vivipovantan lingvon internacian.

/ senigi iun je io 누구로부터 무엇을 빼앗다, 없애다 / intereso 관심, 흥미, 유익을 얻을 수 있는 가능성 / alie 그렇지 않으면 / en dependo de ~에게 의존해 있는 / 여기서도 관계대명사로 kia를 쓴 것을 보아, 초점이 laboro에 맞춰진 게 아니라, “viva konkursa”라는 형용사에 맞추어져 있음을 알 수 있음 /

제가 스스로 모든 개인적인 특권을 포기하고 또 그 권한을 완전히 대중에게 양보하는 것은 그 어떤 거짓된 겸손으로 하는 게 아닙니다. 저는 이 일이 그 자체의 유익을 위해서 그것을 요구하고 있다는 깊은 확신을 가지고 있기 때문에 그렇게 하는 것입니다. 그리고 또한 그렇지 않으면 이 일은 제대로 빨리 확산되지 못하고 항상 한 사람에게 매달려 있게 되며, 그 사람의 실수에서 벗어나지 못할 것이기 때문입니다. 모든 일에 있어 좋은 것이 못한 것을 차츰차츰 밀어내는 것처럼 오로지 생명력과 경쟁만이 - 이 국제어에 실제적인 유익이 될 것이며 또한 그것을 살아 있는 언어로 만들어 줄 것입니다.

Multaj kredeble timos, ke danke tiun vastan liberecon la lingvo internacia baldaŭ disfalos en multaj malsamaj lingvoj. Sed kiu konas iom la historian de la lingvoj, tiu komprenos, ke tiu timo estas tute senfonda, ĉar ni ĉiuj laboros sur unu fundamento, kaj tiu fundamento, enhavante la tutan gramatikon kaj la pli grandan parton de l' vortoj, kiuj en la parolado estas renkontataj la plej ofte, havos en la lingvo internacia tian saman signifon, kiun en ĉiu lingvo havis tiu lingva materialo, kiu estis en ĝi en la komenco de regula skriba literaturo: estis preta gramatiko, estis granda kolekto da vortoj, sed multaj vortoj ankoraŭ malestis.

/ danke 다음에 목적격을 썼음, danke al 대신 / en 다음에 목적격을 써도 되겠음 / senfonda=senfundamenta, 근거 없는 / 부사의 최상급에선 주로 관사 la를 쓰지 않음, 자멘호프는 종종 썼음 / literaturo 문학, 여기서는 '문자로 기록된 문학 또는 문자언어'라는 뜻으로 쓰임 / malesti 부족하다, 존재하지 않다 /

많은 사람들은 그러한 자유로움 때문에 국제어가 곧 여러 상이한 언어들로 나누어질지도 모른다고 분명히 걱정할 것입니다. 그러나 언어의 역사를 좀 아는 사람들이라면 그러한 걱정은 근거가 없는 것임을 이해할 것입니다. 왜냐하면 우리 모두는 하나의 기초 위에 일을 할 것이고, 또 그 기초는 모든 문법과 일상의 삶 속에서 가장 많이 쓰이는 단어들 대부분을 포함하고 있어서, 그것이 모든 자연어가 규칙적인 문자언어로 발달해 온 초기에 가졌던 그 자료들과 같은 역할을 할 것이기 때문입니다: 그것은 바로 문법과 많은 단어들이었습니다. 그러나 그때 아직 존재하지 않은 단어들도 많이 있었습니다.

Tiuj ĉi vortoj estis kreataj unu post unu, laŭ la kreskanta bezono, kaj malgraŭ ke ili estis kreataj dise de malsamaj personoj, sen ia kondukanto aŭ leĝdonanto, la lingvo ne sole ne disdividiĝis, sed kontraŭe, ĝi ĉiam pli unuformiĝis, la dialektoj kaj provincialismoj iom post iom perdiĝis antaŭ la fortiĝanta komuna literatura lingvo.

/ unu post unu 하나하나씩, 차례차례, unu post alia라고 해도 됨 / malgraŭ ke=malgraŭ tio ke / unuformiĝi 하나의 형태가 되다, uniformo는 유니폼(옷) / provincialismo =provincismo 지방주의(?), 사투리가 됨, provincialo 종교의 지방행정관 /

이러한 단어들은 증가하는 필요에 따라 하나하나씩 만들어진 것들입니다. 그리고 그것들이 여러 다른 사람들에 의해 여기저기서 분산되어 만들어졌고, 또 그 어느 누구가 분명히 도입을 하거나 강제로 시행을 시킨 것도 아니었음에도 불구하고 여러 언어들로 나누어지지 않았을 뿐만 아니라 오히려 반대로 그것은 항상 하나의 형태로 통일이 되어 왔으며 사투리들은 차츰차츰 강해져 가는 공동의 문자언어 앞에서 사라져 갔던 것입니다.

Ke mia unua broŝuro prezentas fundamenton sufiĉe fortan, kaj ke la fundamenta vortaro enhavas nombron da vortoj sufiĉan kaj tiel grandan, ke se oni volas, oni povas eĉ tute libere esprimi siajn pensojn sen ia kreado de novaj vortoj, — montras la fakto, ke en la tuta "Dua Libro" vi ne renkontas eĉ unu nove kreitan vorton! (vi renkontos tie, vere, multajn vortojn, kiujn vi ne trovas en la fundamenta vortaro, sed tio ĉi estas vortoj ne nove kreitaj, sed nur tiaj, kiujn mi danke la gramatikon

(C. 7.) ne bezonis presi en la vortaro).

/ 두 번 나오는 ke-절은 뒤의 동사 montras의 목적어절, 주어는 la fakto / tiel grandan, ke의 ke는 앞의 tiel과 연결된 것 / la fakto, ke에서 ke-절은 앞의 fakto를 수식하는 종속절 / tio ĉi는 앞에 나온 multajn vortojn, 이것을 tio ĉi로 표현했음에 유의 / tiaj, kiujn 앞의 tiaj를 tiuj로 해도 됨, "제가 ~한 그러한 것들"이라는 뜻, "그것들"이 아님 / danke ~on=danke al ~o / (C.7.) 이것은 문법 C의 제7항을 의미함, 소위 "외래어"에 관한 규정 /

이 제2서에서 여러분은 새로 만들어진 단어는 하나도 발견할 수 없다는 사실은 바로 저의 제1서가 아주 강력한 기초를 제공한다는 것, 또 기본 단어장은 누구든지 새로운 단어를 만들어 내지 않고도 자신의 생각을 자유롭게 표현할 수 있을 정도로 충분한 수의 단어를 포함하고 있다는 것을 나타냅니다! (여러분은 그 기본 단어장에 없는 많은 단어들을 제2서에서 만날 것입니다만, 그것들은 새로 만든 단어들이 아니라, 기본문법 C-7항 덕분으로 제가 그 단어장에 인쇄할 필요가 없었던 그런 것들입니다.)

Oni devas memori, ke ĉiu lingvo servas por esprimi niajn pensojn, sed ne por senpense traduki el aliaj lingvoj; oni devas tial peni esprimadi siajn pensojn per la jam estantaj vortoj kaj kreadi novajn vortojn nur tie, kie ĝi estas efektive necesa, — kaj tiam la vortoj nove kreataj estos nur malofte disĵetitaj inter la multo da vortoj jam konataj kaj povos facile aliĝi al la lingvo kaj riĉigi ĝin ne perdigante ĝian unuformecon.

/ servas 봉사하다, -의 역할을 하다 / esprimi와 traduki는 por 다음에 나오는 동사 불변화법 / tie, kie 이것은 tiam, kiam이라 해도 됨 / 여기서 perdi를 쓰지 않고 perdigi를 쓴 것은, 주어인 vortoj nove kreataj가 직접 무엇을 잃는다는 뜻이 아니라 "사람들로 (또는 그 언어로) 하여금 -을 잃어버리게 하다"라는 뜻이라서 그렇게 했음 /

우리는 모든 언어는 우리의 생각을 표현할 수 있도록 해 주는 역할을 한다는 것을 기억해야 합니다. 그저 아무 생각 없이 다른 언어들로부터 번역만 해서는 안 되는 것입니다. 그래서 우리는 실제로 필요할 경우에는 이미 존재하는 단어들로부터 새로운 단어들을 만들어 내어 자신의 생각을 표현하도록 노력해야 합니다. 그럴 때에 새로 만들어진 단어들은 이미 사용되고 있는 많은 단어들 사이에 조금씩 끼어들어 그 언어에 잘 적응하게 되고 또 그 언어를 더 풍부하게 만들며 그 언어의 통일성을 해치지 않게 되는 것입니다.

Tiel, danke la unu gramatikon kaj la unu formon de la plej granda parto de l' vortoj, la lingvo internacia havos jam de l' komenco unu formon ĉe ĉiuj uzantaj ĝin. Nur tiuj vortoj, kiuj en la fundamenta vortaro ne estas trovataj, en la unua tempo estos malegale kreataj de malsamaj aŭtoroj.

/ danke ~on ~덕분에 / ĉe ĉiuj uzantaj ĝin 그것을 사용하는 모든 사람에게 있어 / en la unua tempo 초기에 /

그래서 하나의 문법과 대부분의 단어들의 단일어형 덕분에 이 국제어는 처음부터 모든 사용자들에게 있어 하나의 형태를 유지하게 될 것입니다. 다만 기본 단어장에 포함되어 있지 않은 단어들은 초기에는 여러 다른 저자들에 의해 서로 좀 다르게 만들어질 수도 있습니다.

Sed ĉar unue tiaj vortoj estos renkontataj nur disĵetite inter la multo da vortoj jam konstantaj, kaj due la nombro de tiaj malegale sonantaj vortoj ankoraŭ pli malgrandiĝos danke la komunan fonton, el kiu la aŭtoroj prenados la novajn vortojn (la plej gravaj eŭropaj lingvoj), — tial tiuj "novaj" vortoj prezentos nenion alian ol provincialismojn de la unu lingvo internacia. Tiaj provincialismoj estis en granda nombro en ĉia alia lingvo, kaj kun la vastiĝado de la skribata literaturo ili komencis perdiĝi.

/ 뒤에 나오는 tial은 없어도 됨 / la unu lingvo internacia 라는 표현은 그 국제어의 통일성(하나됨)을 강조하기 위함 / nenio alia ol ~에 불과하다 / estis en granda nombro 아주 많이 존재했었다, 여기의 estis는 ekzistis의 뜻 / ĉiu alia lingvo에서 ĉiu로 써도 됨 / 타동사 komenci의 쓰임이 좀 다양함, (1) -을 시작하다 (2) -하기 시작하다 (3) -의 첫머리가 되다 (보기: ~i legi Z ; ~is neĝi Z ; tiu vorto ~as la frazon) /

그러나 첫째는 그러한 낱말들이 이미 항구적으로 쓰이고 있는 많은 낱말들 사이에 조금씩 끼여 있는 것들이며, 둘째는 그 각각 다른 모습의 낱말들은 하나의 공통의 어원 (대부분 주요한 유럽의 말들)에서 나올 것이므로 점점 그 수가 작아질 것입니다. -그래서 그 “새로운” 낱말들은 이 단일화 된 국제어의 사투리 정도에 불과할 것입니다. 그러한 방언들은 어느 언어에나 많이 존재하였으나, 문자언어가 널리 보급됨에 따라 점점 사라지기 시작했습니다.

Tio sama estos ankaŭ en la lingvo internacia, sed ĉar la lingvo internacia pli dependas de la volo de l' homoj, ol de aliaj kondiĉoj, — tiu proceso de unuformiĝado iros en ĝi multe pli rapide. La vortoj kreitaj malfeliĉe baldaŭ perdiĝos, kaj la vortoj feliĉe kreitaj restos kaj eniros en la lingvon;

/ Tio sama estos ~그렇게 같은 것이 -에 있을 것이다 (이때 estas는 완전자동사, ekzistas의 뜻), 그럴 것이다, Tiel same estos라고 해도 됨 (이때 estas는 불완전자동사, “~이다”의 뜻) / proceso 다음에 동사 iri를 쓴 것에 유의 / malfeliĉe, feliĉe 자멘호프는 여기서 재미있는 표현을 쓰고 있음, “불행하게, 행복하게 태어난” 정도의 뜻 /

국제어에서도 그럴 것입니다. 그러나 이 국제어에서는 다른 어느 조건보다도 사용자들의 의지가 중요할 것이기 때문에 - 그 과정은 훨씬 더 빠르게 진행될 것입니다. 불행하게 태어난 낱말들은 곧 사멸될 것이고, 행복하게 태어난 낱말들은 이 언어 안에 잘 정착할 것입니다.

la vortoj egale feliĉe kreitaj sed malegale sonantaj —

kelkan tempon batalos inter si kiel sinonimoj, sed jam post mallonga tempo ni vidos, ke unu el tiuj formoj estas uzata pli ofte kaj de pli granda parto de verkantoj, ol ĉiuj aliaj formoj, — kaj baldaŭ la unua formo elpuŝos ĉiujn ceterajn formojn, kiuj post kelka tempo simple mortos de neuzado. Tiel ju pli energie vastiĝos kaj riĉiĝos la literaturo de la lingvo internacia, des pli baldaŭ ni havos unuforman pli malpli plenan vortaron.

/ sinonimo 동의어, homonimo 동음이의어 / uzata pli ofte kaj (uzata) de pli / la unua formo 앞에서 말한 것들 가운데 "첫째의"라는 뜻으로 봐도 되고, 혹은 여러 동의어들 가운데 "가장 우선적인 것"으로 봐도 되겠음 / morti de ~로 (으로 인해) 죽다 /

태어나긴 다 행복하게 잘 태어났으나 형태가 서로 다른 말들의 경우에는 -어느 기간 동안은 그 동의어들 사이에 서로 다툼이 있을 것입니다. 그러나 얼마 지나지 않아 그중 어느 하나가 더 자주 쓰이게 되고 또 더 많은 저자들에 의해 사용됨으로 말미암아 -곧 그 첫째의 형태가 다른 모든 형태들을 밀어낼 것이며, 그 다른 형태들은 아무도 쓰지 않고 곧 소멸될 것입니다. 그런 방식으로 국제어 문학이 더 많이 확대되고 풍부해지면 질수록 우리는 더 이른 시일 내에 어느 정도 충분한, 동일 형태의 어휘들을 (큰사전을) 가지게 될 것입니다.

Tiuj, kiuj volas labori super la lingvo internacia, skribi verkojn en tiu lingvo etc. — povas nun diri kuraĝe, ke ili havas en la manoj plenan vortaron, ĉar povante ĉian ankoraŭ ne kreitan vorton krei laŭ ilia plaĉo, anstataŭ atendi, ĝis mi ĝin kreos, ili povas nun esprimi en la lingvo internacia ĉion, kion ili volas.

/ labori super ~에 관하여 일하다, labori pri라고 해도 됨 / etc. 이것은 에스페란토가 아님, 에스페란토로는 k.c. / povante ĉian ankoraŭ ne kreitan vorton krei 목적어가 povante krei 사이에 나왔음, 아마도 뒤에 이어지는 laŭ ilia plaĉo때문인 것 같음 / 여기 쓰인 mi는 자멘호프 자신을 말함 /

이 국제어에 관하여 작품을 쓴다든지 등등 무슨 일을 하고 싶은 사람들은 –지금 당장 자기 손 안에 큰사전이 있다고 과감히 말할 수 있습니다. 왜냐하면 제가 그 어떤 단어를 만들어 낼 때까지 기다리지 말고 그들 스스로가 자신의 취향에 따라 아직 만들어지지 않은 모든 종류의 낱말을 만들어 낼 수 있으며, 또한 지금 그들이 원하는 대로 모든 것을 이 국제어로 표현할 수 있기 때문입니다.

Tio ĉi estus ne ebla en la okazo, se mi volus mem eldoni plenajn vortarojn: ĉar kiom ajn mi laborus, ĉiam danke la senfineco de la homa vortaro restus ankoraŭ multego da vortoj ne kreitaj, kaj tiuj, kiuj devus ilin uzi, ne scius kion fari, ĉar krei ilin mem estus ne permesita.

/ en la okazo, se ~ 만약 ~하는 경우에는 / 뒤에 모두 가정법이 쓰인 것에 유의 / kiom ajn ~ 아무리 ~할지라도 / ne scii kion fari 뭘 어떻게 할지 모르다, kiel fari라고 해도 됨

/ 문법적으로는 permesite가 쓰여야 함, 자멘호프는 종종 이렇게 쓰고 있음 /

만약 제가 큰 사전들을 직접 만들어 내기를 원한다고 할 경우에는 이것은 불가능할 것입니다. 왜냐하면 제가 아무리 노력한다 할지라도 인간 어휘의 무한정성 때문에 모자라는 낱말들은 항상 무척 많이 있을 것이고, 그 낱말들을 써야만 하는 사람들은 어떻게 해야 할지 모르게 될 것이기 때문입니다. 왜냐하면 그 낱말들을 직접 만드는 것이 허락되어 있지 않기 때문이지요.

Sed nun restas unu ŝajne tre grava demando: se mi skribas al iu en la lingvo internacia kaj mi devis kelkajn vortojn krei mem, sed mi volas havi la certon, ke la adresito tute bone, vere kaj klare komprenos la vortojn, kiujn mi kreis, — kion mi tiam devas fari?

/ ŝajne 일견, 겉으로 보기에, 아마도 / adresito 수신자, (대화의 경우에는) 대화 상대방 /

그러나 일견 아주 중요한 의문이 하나 생깁니다. 만약 내가 이 국제어로 누구에게 편지를 쓰면서 몇 개의 낱말을 직접 새로 만들어야만 했다. 그런데 그 수신자가 정말로 내가 만든 낱말들을 분명히 이해할 수 있을 거라는 것을 내가 확신하려면 -그때 나는 뭘 해야만 할까?

La respondo estas tre simpla: fari tion saman, kio estas farata ĉe la uzado de ĉia alia lingvo, se ia por ni necesa vorto en tiu lingvo aŭ tute ankoraŭ ne ekzistas, aŭ ne estas ankoraŭ de ĉiuj egale uzata aŭ konata, — t.e. apud la vorto nove kreita meti en kuneteniloj (...) la tradukon de tiu vorto en ia alia lingvo, en kiu tiu vorto jam ekzistas.

/ "fari" 여기서의 뜻은 "-하는 것", 이것이 이 문장의 주어가 되는데, 동사는 없음, 뒤의 t.e.(즉)가 가리키는 말이 됨 / ia por ni necesa vorto -> ia vorto necesa por ni / aŭ가 두 개 나옴 / kuneteniloj 괄호, krampoj, parentezo(삽입구) / 관계대명사 kio 용법: 1) 선행사가 tio, io, ĉio, nenio 일 때 (Nun restas nenio, kio malhelpas lin.) 2) 선행사가 명사적 성격의 형용사일 때 (La plej grava, kion mi nun devas fari, estas renkonti lin.) 3) 선행사가 앞 문장 전체일 때 (Ŝi estas afabla, kio ebligas ŝin proksimiĝi al li.) 4) 선행사가 뒤의 문장 전체일 때 (Mi renkontos lin, kaj kio estas la plej malfacila afero, mi diros al li la veron.)

그 대답은 간단합니다: 다른 모든 언어에서 하는 방법대로 그대로 하면 되는데, 그것은 이러합니다. 만약 우리에게 꼭 필요한 어떤 낱말이 어느 언어에 아직 존재하지 않든지 아니면 모든 사람들에게 아직 그렇게 잘 알려지지 않은 것이라면 -그 새롭게 만들어진 낱말 옆에 괄호를 써고 그 괄호 안에 그 낱말이 이미 존재하는 다른 어떤 언어로 그 단어의 번역을 써 두는 것입니다.

Kiun lingvon vi uzos por tiu celo, estas por la afero tute egala, se vi nur pensas, ke tiu lingvo estas komprenebla por via adresito, aŭ ke li havas sub la mano aŭ facile povas havi vortaron de tiu lingvo.

/ "Kiun lingvon vi uzos por tiu celo" 전체가 뒤에 나오는 estas por… 문장의 주어가 됨, 그럴 경우 뒤에 나오는 보어 egal-은 부사가 되어야 함 / 혹은 이 경우 estas 앞에 tio가 생략되었다고 볼 수도 있음, 그렇다면 보어가 형용사가 되는 것이 맞음 / por la afero "이 일에 있어", la afero는 지금 이야기하고 있는 이 문제 / tute egala 똑같다, 전혀 문제 될 게 없다 / pensas의 목적어로 두 개의 ke-절이 나옴 / aŭ ke li havas sub la mano (vortaron de tiu lingvo) aŭ (ke li) facile povas havi vortaron de tiu lingvo로 생각하면 됨 / sub la mano=en la mano /

그 목적을 위해 여러분이 어느 언어를 사용할 것인가 하는 문제는 이 일에 있어 전혀 문제가 될 게 없습니다. 여러분의 생각에 그 수신자가 그 언어를 이해할 수 있다거나, 또는 그 사람이 그 언어의 단어장을 당장 가지고 있거나 또는 쉽게 구할 수 있다고 생각한다면 말입니다.

Sed estus dezirate, ke ĉiuj amikoj de la lingvo internacia uzu en tiaj okazoj unu lingvon, kaj por tio mi proponas la lingvon francan, ĉar tiu ĉi lingvo en nia tempo en multaj sferoj ankoraŭ havas la rolon de lingvo internacia.

/ dezirate 이것은 dezirinde라고 써도 됨, 뒤에 나오는 ke-절이 주어이므로 보어는 부사 dezirate로 쓰였음 / uzu 에서 원망법이 쓰인 것은 이것이 자멘호프의 바람이기 때문

임 / en nia tempo 우리 세대, 요즘, 오늘날 /

그러나 국제어 친구 모든 분들께서는 그러한 경우에 하나의 언어를 사용해 주셨으면 좋겠습니다. 그 언어로 저는 프랑스어를 제안합니다. 왜냐하면 오늘날 프랑스어가 그래도 아직 여러 분야에서 국제어의 역할을 하고 있기 때문입니다.

Sed tute ne estas postulata, ke vi aŭ via adresito sciu la lingvon francan, ĉar la vorto devas esti elskribata el la franca vortaro sen ia ŝanĝo, en tiu formo, en kiu ĝi estas trovata en la vortaro; estas nur necese, ke la skribanto kaj la ricevanto havu sub la mano francan vortaron (se ili ne pli volas uzi alian lingvon).

/ ke-절이 주어인데도 자멘호프는 여기서 또 형용사를 보어로 쓰고 있음, 이때도 Sed 다음에 tio가 생략되었다고 볼까? / 뒤에 sciu 원망법이 쓰인 것은 주절의 동사가 postuli이기 때문 / elskribi 옮겨 쓰다, 뽑아 쓰다 / sub la mano=en la mano /

그러나 여러분이나 여러분의 수신자가 그 프랑스어를 꼭 알아야 할 필요는 없습니다. 왜냐하면 그 단어는 프랑스어 사전에 나오는 모습 그대로 아무 변화 없이 옮겨다 써 놓을 것이기 때문입니다. 다만 글을 쓰는 사람이나 수신자나 모두 프랑스어 사전을 가지고 는 있어야 하겠지요 (그들이 다른 언어를 더 쓰지 않는다면 말입니다).

Multaj kredeble estos malkontentaj, ke mi ne volas eldoni persone plenan aŭtoritatan vortaron, kiun ĉiuj devus obei. La amaso amas, ke oni donu al ĝi leĝojn, ke oni donu al ĝi ne bonan, sed jam tute pretan, — kaj la vojon, kiun mi proponas, multaj nomos tro malrapida.

/ ami 마음으로 좋아하다; ŝati 머리로 높이 평가하다 / nomi 이름 짓다, 부르다, 여기서는 "여기다" 정도로 이해하면 좋겠음 /

분명히 많은 사람들은 제가 직접 모든 사람들이 따라야 할 권위 있는 큰사전을 만들어 내지 않는다고 불만을 가질 것입니다. 대중은 누군가가 법과 규칙을 그들에게 주기를 바라고, 또 좋은 것이 아니라 완전히 준비된 것을 주기만을 좋아합니다. -그리고 많은 사람들은 제가 제안한 이 길이 너무 느리다고 여길 것입니다.

Se mi ne eldonas mem vortarojn pli plenajn, sed lasas ilian kreadon al la publiko, mi ĝin faras ne pro maldiligento: sufiĉe plena vortaro jam estas preta ĉe mi, kaj mi povus eldoni ĝin eĉ tuj, kaj se ĝi eĉ ne estus preta, la leganto komprenos, ke ĝi estas tute ne malfacila por mi krei ĉiutage certan nombron da vortoj kaj eldonadi paŝo post paŝo vortarojn ĉiam pli plenajn.

/ 여기 쓰인 ĝin은 "내가 큰사전을 만들지 않는 것, 그것"을 뜻함 / ĉe mi 나에게, 우리 집에 / eĉ tuj 지금 당장이라도 / ĝi와 krei가 같은 말이며 주어인데, 이럴 경우 보통 tio를 쓰거나 아예 쓰지 않음, 안 쓸 경우에는 보어로 부사를 써야 함 / paŝo post paŝo 한 걸음 한 걸음 / ĉiam pli plenajn

계속적으로 조금씩 보충해 나가는 모습을 생각하면 됨 /

만약 제가 더 큰 단어장을 직접 만들지 않고 그것을 대중에 맡긴다 하더라도, 그것은 제가 게을러서가 아닙니다. 이미 준비된 충분히 큰 단어장이 제게 있습니다. 그리고 저는 당장이라도 그걸 출판할 수 있습니다. 그리고 만약 그것이 아직 준비가 안 되었다 할지라도, 제가 매일 일정 분량의 단어를 만들어 내어 조금씩 조금씩 더 큰 사전으로 출판해 내는 것이 저로서는 전혀 어려운 일이 아니라는 걸 독자 여러분은 이해하시겠지요.

Por mi persone estus kompreneble multe pli oportuna teni la sorton de l' lingvo internacia en miaj manoj. Tial, mi esperas, la leganto komprenos, ke kreinte la fundamenton de l' lingvo, mi nun deprenas de mi tutan aŭtoritaton nur tial, ke mi profunde kredas, ke tion postulas la interesoj de l' afero.

/ 여기 쓰인 oportuna도 문법적으로는 부사로 쓰여야 함, 주어가 teni이기 때문 / depreni de ~로부터 무엇을 빼앗다, 제거하다 / tial, ke = ĉar / la interesoj de l' afero 그 일 자체가 유익하게 되는 것, 그 일 자체의 유익을 위해서 /

물론 저 개인으로서는 국제어의 운명을 제 손안에 직접 쥐는 것이 훨씬 더 편리합니다. 그래서 부탁 드리건대, 독자 여러분, 제가 이 언어의 기본을 창안한 이후 그 모든 권한을 스스로 내려놓는 것은 오로지 이 일 자체의 유익을 위해서는 이렇게 하는 것이 필요하다는 것을 굳게 믿기 때문임을 꼭 알아주시기 바랍니다.

La tempo, mi esperas, montros, ke mi ne eraris. Sed se la estonteco eĉ montros, ke mi eraris kaj ke plena vortaro devas esti kreata de unu persono, la leganto ne forgesu ke mi ja povas ĝin fari ankaŭ poste! Sed mi faros ĝin nur tiam, se la tempo montros, ke ĝi estas efektive necesa. Nun mi laborados, mi skribados verkojn, mi kreados vortojn, — sed ĉion kiel privata amiko de l' lingvo internacia, kaj ĉiu alia povas ĝin fari kun la egala kompetenteco.

/ montros, ke ~을 드러낼 것이다 / 여기에서는 se와 eĉ가 떨어져 있음 / ankaŭ poste 나중에라도 / kiel ~로서 / kompetenta 어떤 일에 대단한 능력이 있는, 가장 적합한, 자격이 있는 /

시간은 제가 틀리지 않았음을 증명해 줄 것입니다. 그러나 혹 나중에 제가 틀렸으며 또 큰사전은 한 사람에 의해 만들어져야 한다는 것이 드러난다 할지라도, 독자 여러분, 잊지 마십시오. 나중에라도 저는 그것을 할 수 있습니다! 그러나 저는 그것이 정말로 필요하다는 것을 시간이 증명할 때에만 그것을 할 것입니다. 이제 저는 계속 제 일을 하겠습니다. 책도 쓰겠습니다. 그리고 낱말들도 만들어 나가겠습니다. -그러나 이 모든 것은 단지 국제어 친구의 한 사람으로서 사적으로 하는 일일 뿐입니다. 모든 다른 사람들도 똑같은 자격을 가지고 그것을 할 수 있습니다.

5) Je la demando, kiam mi eldonos vortarojn returnitajn (nacia-internaciajn), kiam mi eldonos mian broŝuron en ĉiuj aliaj lingvoj, ĉu mi eldonos lernolibrojn sistemajn kaj vastajn, librojn, gazetojn etc. — mi jam nun ne bezonas respondi;

/ Demando를 설명하는 종속절이 3개 나옴 (kiam, kiam, ĉu) /

5) 제가 언제 역방향의 사전들(나라말-국제어)을 만들어 낼 것인지, 또 제가 이 제1서를 여러 다른 말로 언제 출판할 것인지, 또는 제가 더 크고 체계적인 교재나 책, 잡지 등을 출판할 것이지 등에 관한 질문은 이제 더 이상 답변을 드리지 않아도 되겠습니다.

ĉar, konante nun la lingvon internacian ne malpli ol mi mem, kaj estante nun egala morala kaj materiala mastro de la lingvo kiel mi mem, — ĉiu povas nun mem eldoni ĉiajn necesajn verkojn, ne atendante ĝis mi ĝin faros. Mi faros, kion mi povos, kaj ĉiu alia amiko de l' lingvo faru ankaŭ, kion li povas; mi mem ne povas eldoni eĉ la centan parton de tio, kio estas bezonata.

/ 분사구문이 2개 나옴, 이 분사구문들의 의미상 주어는 뒤에 나오는 ĉiu / ne malpli ol ~못지 않게 / kion=tion, kion / centan parton 백째의 부분, 즉 1/100의 뜻 /

왜냐하면, 이제 저 못지 않게 국제어를 잘 알고 있으며, 또 저와 마찬가지로 이 언어의 동등한 정신적, 물질적 주인이 된 모든 분들은 제가 그 모든 필요한 작품들을 만들기까지 기다릴 필요 없이 스스로 그런 것들을 출판하실 수 있기 때문입니다. 저는 제가 할 수 있는 것을 하겠으니, 다른 모든 에스페란토 친구 분들도 각자 자기가 할 수 있는 일을 하십시오. 저는 필요한 모든 것의 1/100도 직접 출판할 수는 없습니다.

6) Multaj petas, ke mi komencu eldonadi la adresarojn de la "promesintoj", por ke la amikoj de l' lingvo internacia sciu unu pri alia kaj povu korespondi inter si. Tiujn adresarojn mi kredeble efektive komencos eldonadi, sed nur tiam, kiam mi vidos, ke la homoj efektive komprenis la gravecon de l' promesoj kaj prenas la aferon sufiĉe serioze. Sed nun estas bedaŭrinde ankoraŭ multaj, kiuj, vive laborante por la afero kaj tute bone korespondante en la lingvo internacia, ne sendis ankoraŭ ilian "promeson"!

/ 자멘호프는 접미사 "-ad-"를 자주 쓰는 편이다 / por ke ~ 하도록, 뒤에는 원망법의 동사가 나옴 / unu pri alia 이와 비슷한 표현이 많이 있는데, 모두 unu (la) alian으로 대체할 수 있음 / preni ~을 어떻게 여기다 / vive 활기차게, 열심히 /

6) 많은 분들이 제가 그 "약속"을 한 사람들의 주소록(인명록)을 출판해 주기를 청하고 있습니다. 국제어 친구들끼리 서로 알고 또 연락을 할 수 있도록 말입니다. 저는 분명히 그 주소록 출판을 시작할 것입니다. 그러나 사람들이 그 약속의

중요성을 실제로 깨닫고 그 일을 신중하게 여기게 되었다고 판단될 때에 그렇게 하겠습니다. 그러나 지금은 유감스럽게도 아직도 많은 사람들이 실제 이 일을 위해서 열심히 일은 하면서도 그리고 이 국제어로 편지를 주고받는 일을 아주 잘 하고 있으면서도 그 "약속"은 보내주지 않는 분들이 많습니다!

7) Multaj min demandas, per kio ili povas esti utilaj al la afero de l' lingvo internacia, kiel ili devas labori kaj kiel oni povas la plej certe progresigi la aferon. Mia respondo nun devas esti: ĉiu laboru tiel, kiel li trovos la plej bona, ĉar la sorto de l' afero estas nun egale en la manoj de ni ĉiuj. Celon ni ĉiuj havas unu kaj klaran: ke la nombro de l' amikoj de l' lingvo internacia, la nombro de l' personoj uzantaj tiun lingvon kaj laborantaj por ĝi — konstante kresku, kaj ke la lingvo mem ĉiam pli riĉiĝu.

/ 동사 demandas의 목적어로 3개의 절이 나옴 (per kio, kiel, kiel) / 여기서도 부사의 최상급에 관사 la를 쓰고 있음 / kiel li trovos la plej bona= kiel li trovos, ke ĝi estas la plej bona / unu kaj klaran은 Celon을 꾸밈 /

7) 많은 분들이 무엇으로 이 국제어의 일에 자신들이 도움이 될 수 있을지, 그리고 또 그 일을 어떻게 해야 하며, 어떤 식으로 그 일을 가장 확실하게 발전시켜 나갈 수 있을지 물어 옵니다. 저의 대답은 이렇습니다: 모두 각자 자기가 가장 좋다고 생각하는 대로 일을 하십시오. 왜냐하면 이제 이 일

의 운명은 우리 모두의 손에 동등하게 놓여 있기 때문입니다. 우리 모두의 목적은 단 하나이며 아주 분명합니다. 국제어의 친구가 많아지고 이 언어를 사용하는 사람들과 또 이 일을 위해 일하는 사람들이 갈수록 많아지는 것입니다. 그리고 이 언어 자체가 항상 더 풍성해져 나가는 그것입니다.

Por tio ni ne bezonas kondukanton: ĉia persono, ĉia rondeto, ĉia societo laboru laŭ sia bontrovo, en sia sfero kaj laŭ siaj fortoj, — kaj malgraŭ la disĵeteco de l' laboro (se ĝi nur estos ĉie sufiĉe energia) post la plej mallonga tempo ni vidos, ke nia komuna celo estas alvenita, ke la lingvo internacia fortiĝis kaj estas uzata de la tuta mondo. Tie ĉi mi nur uzos la bonan okazon kaj esprimos per kelkaj vortoj mian personan penson pri tio, kiel ni devas faradi:

/ kondukanto 도입하는 사람, 리더 / bontrovo 좋다고 생각함, 선한 의도, (자신의) 판단 / alvenita=atingita 도달된, 달성된 / ke-절은 앞의 celo를 설명하는 종속절 / uzi la bonan okazon 이 기회를 빌려 /

이 일을 위해 우리는 리더가 필요하지 않습니다. 모든 사람, 모든 모임, 모든 단체는 각자의 판단에 따라 각자의 환경에서 각자의 힘에 맞게 일을 해 주십시오. 그리고 비록 이 일이 여러 지역에 분산되어 있지만 (만약 각 지역에서 충분히 활기차게 돌아가기만 한다면) 얼마 지나지 않아 우리의 공동의 목표, 즉, 이 국제어가 힘을 얻고 전 세계에 널리 쓰이게 되는 그 목표가 달성되어 있는 것을 보게 될 것입니다. 다만

이 기회를 빌려 저는 여기에서 우리가 어떻게 해야 하는가에 대한 저의 개인적인 생각을 몇 말씀을 드릴까 합니다.

a) Antaŭ ĉio (kaj tio ĉi estas la plej grava) ni devas labori diligente kaj ne malvarmiĝante por la afero kaj tute ne zorgante tion, kion diras aŭ faras aliaj. Estas multaj, kiuj komprenante bone la utilecon de l' afero, alfalis al ĝi en la komenco tre varmege, certe kredante, ke post kelkaj monatoj la tuta mondo jam estos plena de la lingvo internacia;

/ malvarmiĝi 차가워지다, 의욕을 잃다 / Mi sentas min malvarma 춥다 ; Mi estas malvarma (homo) 나는 냉혈한 이다(?) / alfali -에 달려들다, -에 도달하다, -에 떨어지다 등 /

a) 무엇보다도 (이것이 사실 제일 중요합니다) 우리는 이 일을 위해 열심히 일해야 합니다. 그리고 의욕을 잃지 말고 또 다른 사람들이 뭐라고 하든지 또 뭘 하든지 상관하지 말아야 합니다. 처음에는 이 일의 유용성을 잘 이해해서 마치 몇 달 지나지 않아 온 세상이 이 국제어로 뒤덮일 줄 믿고 아주 열심으로 이 일에 달려든 사람들이 많았습니다.

sed kiam post kelka tempo ili vidis, ke la mondo estas ankoraŭ trankvila, ke la plej granda parto de l' mondo eĉ ankoraŭ ne scias pri la afero, ke la gazetoj ne alportas ĉiutage sensaciajn novaĵojn pri la irado de l' afero, — ili tute malvarmiĝis por la afero. De la efemera laboro de tiaj amikoj la afero ne sole nenion gajnas, sed kontraŭe, ĝi nur perdas.

/ 전체의 주어는 뒤에 나오는 ili / kiam-절은 관계부사절 / vidis의 목적어로 3개의 ke-절이 나옴 / De la efemera laboro 그 하루살이 같은 일로부터 / perdi –을 잃다, 여기서는 이 동사의 목적어가 나오지 않음, "해만 끼칠 뿐이다" /

그러나 얼마 지나지 않아 그들은 보았지요. 세상은 여전히 조용하며, 세상 사람들 대부분이 이 일에 대해 알지도 못하고, 또 신문들도 날마다 이 일의 진척 상황에 대해 대단한 기사를 전하지도 않는다는 것을 말입니다. -그리고 그들은 이 일에 대해 완전히 차가워졌습니다. 그런 친구들의 그 하루살이 같은 일로 인해 이 국제어의 일은 조금도 유익을 얻지 못하며 오히려 해만 입게 됩니다.

Sed efektivaj amikoj de l' afero ne rigardas, ĉu la afero jam faris multon da bruo kaj ĉu ĝi estas jam sufiĉe "en modo"; profunde kredante, ke la afero estas utila kaj havas estontecon, ili laboras senbrue, sed diligente kaj konstante, ĉiu en sia urbo, en sia lando kaj laŭ siaj fortoj, — kaj danke la laboron de tiuj ĉi amikoj mi esperas, ke l' afero baldaŭ kaj sen bruo vastiĝos en la tuta mondo.

/ 동사 rigardas의 목적어로 ĉu-절이 두 개 나옴 / ĉu가 종속절을 이끌 때엔, "-인지 아닌지"의 뜻 / en modo 유행하는 / ĉiu … fortoj 절에서 ĉiu 다음에 laboras 생략되었다

고 볼 수 있음 / 자멘호프는 danke를 자주 씀, danke al, dank' al /

그러나 이 일의 실질적인 친구들은 이 일이 큰 화제를 불러일으켰는지 또는 그것이 아주 유행을 타는지, 그런 것에는 신경을 쓰지 않고, 다만 이 일이 아주 유익하고 또 미래가 있다는 것을 깊이 확신하며 소리없이 그러나 열심히 끊임없이 노력합니다. 각자의 도시에서 각자의 나라에서 자신의 힘이 닿는 한 말입니다. –그리고 이러한 친구들 덕분으로 저는 이 일이 곧 세상에 조용히 널리 퍼져 나갈 것을 기대하고 있습니다.

b) Oni devas energie kolekti "promesojn", ne timante la altecon de la nombro. Mi ripete turnas la okulojn de l' amikoj sur tiun ĉi punkton, ŝajne fantazian, sed efektive tre gravan. Ĉiu el la promesoj aparte havas signifon tre malgrandan, kaj tial multaj ne volas kolekti, dirante, ke promesojn oni devas sendi en granda nombro aŭ tute ilin ne sendi. Mi ripetas, ke tia parolado estas tute malprava. Ne estimante apartajn unuojn, ni neniam venos al grandaj nombroj.

/ ripete 반복적으로, 다시 한 번 / turnas –을 어디로 돌리다 / aparte 따로따로, 나뉘어서 / apartajn unuojn 하나하나(의 개체)를 /

b) 우리는 열심히 "약속"을 모으며 그 수의 거대함을 겁내지 말아야 합니다. 저는 여러 친구들이 이 문제에, 비록 환상

같지만 그러나 정말로 중요한 이 문제에 시선을 집중해 주시기를 다시 한 번 부탁 드립니다. 모든 약속 하나하나는 아주 작은 의미밖에 없어서 많은 사람들이 그것을 모으려고 하지 않을 것입니다. 누군가는 말합니다. 사람들이 그 약속을 아주 많이 보내든지 아니면 아예 보내지 않는 게 좋겠다고 말입니다. 그러나 저는 그것은 틀렸다는 것을 다시 한 번 말씀 드리고자 합니다. 하나하나를 존중하지 않고서는 우리는 절대 큰 수에 도달할 수 없습니다.

Ĉiu promeso aparte havas signifon la plej malgrandegan, sed unu post unu ilia nombro grandiĝos, kaj tiam ili prezentos grandegan forton kaj decidos per unu fojo la gravan demandon de lingvo internacia. Se miaj vortoj estas ne sufiĉe kredigaj, kaj vi restas skeptikaj, ne forgesu almenaŭ, ke malutilon la promesoj en ĉia okazo ne portas, se ili eĉ neniam venos al la esperata nombro, sed utilon ili ĉe feliĉaj rezultatoj povas alporti grandegan.

/ per unu fojo 한 번으로 / 여기의 Se는 Se eĉ로 이해해도 되겠음 / krediga 믿게 할 만한, kredinda와 비슷 / en ĉia okazo 어떤 경우에라도 / ĉe feliĉaj rezultatoj 좋은 결과가 나온다면 / grandegan은 앞의 utilon을 꾸밈, 이렇게 한 것은 grandegan을 강조하기 위함인 듯 /

모든 약속 하나하나는 아주 작은 의미밖에 없습니다. 그러나 하나둘 모여서 그 수가 커지면 그때에는 그것은 아주 큰 힘을 가질 것이며 한 번에 국제어의 아주 중요한 문제를 결정지을 것입니다. 만약 제 말이 그렇게 믿어지지 않고 또 여러분이 좀 회의적이라 할지라도, 이것만은 잊지 마십시오. 비록 그 기대하는 수에 도달하지 못한다 할지라도 어떤 경우에라도 그 약속은 해가 되지는 않습니다. 반대로 만약에 결과가 좋다면 그것은 어마어마한 유익을 가져다 줄 것입니다.

c) Grandegan utilon alportos al la afero tiuj, kiuj riĉigos la literaturon de l' lingvo internacia. Nenio povas tiel bone imponi al la amaso, kiel faktoj kaj konstantaj signoj de vivo. Oni devas senĉese eldonadi ĉiam novajn verkojn pri la lingvo internacia, kaj la plej grava — en tiu lingvo. La kampo tie ĉi estas granda, eldoni oni povas kaj devas multe.

/ Nenio … tiel, kiel ~처럼 그런 것은 아무것도 없다 / imponi al ~에게 큰 인상을 주다(남기다) / kaj la plej grava — en tiu lingvo = kaj la plej grava (estas tio, ke oni devas eldonadi verkojn) en tiu lingvo "국제어에 대해서"가 아니라 "직접 국제어로" 글을 쓰기를 강조함 / granda, eldoni 이 사이에 kaj를 써 주는 것이 좋겠음 /

c) 이 국제어의 문학을 풍부하게 하는 사람들이 이 일에 아주 거대한 유익을 가져다 줄 것입니다. 확실한 사실과 또 항상 살아 있다는 증거같이 대중에게 큰 인상을 심어줄 수 있는 것은 아무것도 없습니다. 우리는 끊임없이 항상 이 국제어에 대한 새로운 작품들을 출판해 내야 할 것입니다. 그러나 가장 중요한 것은 –이 언어로 직접 글을 쓰는 것입니다. 이 분야는 아주 거대합니다. 우리는 누구든지 글을 쓸 수 있

고 또 많이 써야만 합니다.

Antaŭ ĉio la amikoj devas eldoni la gramatikon kaj la vortaron en ĉiuj lingvoj de la mondo. Eldoninte la gramatikon kaj la vortaron en la lingvo de iu popolo, vi ne sole donos al tiu popolo la eblon aliĝi al la homara afero, sed unutempe (danke la vortareton) vi per unu fojo donas al la tuta mondo la eblon korespondi libere kun ĉiu ano de tiu popolo.

/ Antaŭ ĉio 가정 먼저, 우선적으로 / ne sole, sed (ankaŭ, eĉ) ~일 뿐 아니라, ~역시 / iu popolo가 뒤에 다시 나오면서 tiu popolo로 되었다 /

가장 우선적으로 친구 여러분은 세계 모든 말로 문법서와 단어장을 만들어야 합니다. 어떤 민족어로 문법서와 단어장을 만들어 냄으로써 여러분은 그 민족에게 인류의 일에 동참할 수 있는 기회를 줄 뿐만 아니라, 또 동시에 (그 단어장 덕분에) 여러분은 한 번에 또한 전 세계에 그 민족과 자유롭게 의사소통을 할 수 있는 가능성을 주게 되는 것입니다.

La eldonado de la malgranda vortareto en ĉia aparta lingvo postulas malmulte da laboro kaj tre malmultege da mono. Oni devas eldoni vortarojn returnitajn; ĉar estas jam eldonitaj vortaroj rektaj, la pretigado de vortaroj returnitaj estas laboro tre facila kaj malmulte kosta. Laŭ la mezuro de la progresado kaj riĉiĝado de l' lingvo oni devas eldonadi pli plenajn vortarojn, kaj estus bone, ke en ili la novaj vortoj, kreitaj de l' aŭtoroj mem, estus donitaj kune kun ilia franca traduko.

/ tre malmultege 강조하기 위해서 이렇게 표현한 것 같음 / vortaro returnita 역방향 단어장 / vortaro rekta 단방향 단어장 / Laŭ la mezuro de ~(의 크기, 정도)에 따라 / estus bone, ke ~하는 게 좋을 것이다 /

작은 단어장을 각 나라말로 출판하는 것은 그리 큰 일이 아니며 또 비용이 아주 적게 듭니다. 역방향 단어장들도 만들어 내야 합니다. 이미 단방향 단어장들이 나와 있기 때문에 역방향 단어장을 준비하는 것은 아주 쉬운 일이며 비용도 얼마 들지 않습니다. 이 국제어가 발전해 나가고 또 풍부해져 가는 정도에 따라 우리는 더 큰 사전들도 만들어야 합니다. 그리고 그 사전들에서 모든 저자들이 직접 만든 단어들에는 프랑스어 번역도 함께 실어 주는 것이 좋겠습니다.

Oni devas eldoni pli vastajn lernolibrojn, laŭ bonaj metodoj, kun multaj ekzemploj kaj pecoj por traduki, — ĉar la lernolibroj, kiujn mi eldonis mem, estas tre malgrandaj, kunpremitaj kaj faritaj nur por homoj pli-malpli instruitaj. Fine, por ke la lingvo eble pli rapide fortiĝu kaj riĉiĝu, oni devas eldoni kiel eble pli multe da verkoj en la lingvo internacia, originalaj aŭ tradukitaj; kaj tiuj personoj aŭ rondetoj, kiuj havas la eblon, devas komenci eldonadi gazetojn kaj ĵurnalojn en la lingvo internacia.

/ pecoj por traduki 번역 연습문(?), por traduko라 해도 됨 / kunpremita 압축된 / kiuj havas la eblon 앞의 personoj aŭ rondetoj를 꾸미는 관계절, "가능성이 있는, 할 수 있는, 능력이 되는" /

우리는 좋은 교육방법에 따라 많은 예문과 번역 연습문이 들어 있는 더 큰 학습서들도 만들어 내야 합니다. -왜냐하면 제가 직접 출판한 그 교재는 아주 작은 것으로 단지 약간의 지식을 갖춘 사람들을 위한 압축적인 것이기 때문에 그렇습니다. 마지막으로 (한 말씀 드리자면) 이 국제어가 더 빨리 힘을 얻고 풍부해지도록 하기 위해서 우리는 가능한 한 더 많은 원작과 번역 작품을 이 국제어로 출판해 내야 할 것입니다. 그리고 능력이 되는 개인이나 단체들은 잡지나 신문들도 이 국제어로 출판을 시작해야 할 것입니다.

El ĉiuj specoj de verkoj, pri kiuj mi parolis, mi mem povas eldoni nur tre malgrandan parton, ĉar mi havas tro malmulte da tempo kaj tro malgrandajn kapitalojn. Ĉiu el la amikoj de l' lingvo aparte povas ankaŭ eldoni nur malmulte. Sed se ĉiu el ni faros tiun malmulton, kiun li povas, tiam la literaturo de l' lingvo internacia rapide vastiĝos.

/ aparte 각각 떨어져서, 독자적으로 / faros tiun malmulton "그 작은 것(양)을 한다면" /

제가 말씀 드린 그 모든 저작들 중에서 저 자신은 아주 작은 부분밖에는 할 수 없을 것입니다. 왜냐하면 저는 시간도 없고 돈도 많지 않기 때문입니다. 국제어 친구 여러분도 각자 독자적으로 조금씩이라도 할 수 있습니다. 그러나 우리들 가운데 모두 자기가 할 수 있는 대로 "그 조금씩"만이라도 한다면, 그때에는 국제어 문학은 빨리 확장되어 나갈 것입니다.

Por ke ĉiuj povu scii pri ĉiu nova eldonita verko, mi petas ĉiun, kiu eldonos ion pri la lingvo internacia aŭ en tiu ĉi lingvo, sendi al mi unu ekzempleron de sia verko; ĉar komencante de Aŭgusto 1888 mi eldonados ĉiumonate nomarojn de ĉiuj verkoj pri la lingvo internacia, kiuj eliris de la komenco ĝis tiu tempo. Apud ĉiu verko estos dirita, kiu ĝin eldonis, kiom ĝi kostas kaj kie oni ĝin povas ricevi.

/ peti iun -i 누구에게 -을 해 주기를 청하다 / komencante de ~부터 시작해서 / 자멘호프는 달 이름을 모두 대문자로 시작해서 썼음 / eliri "출판되다"의 뜻 / dirita 대신 skribita, notita 등을 써도 좋겠음 /

모든 사람들이 새로 출판된 저작들을 알 수 있도록 하기 위해서, 저는 이 국제어에 관해서나 또는 이 국제어로 무엇인가를 출판하는 모든 분께 자신의 저작물을 한 부씩 제게 보내 주실 것을 부탁 드립니다. 왜냐하면 1888년 8월부터 시작해서 저는 처음부터 그때까지 나온 국제어에 관한 모든 저작물의 목록을 매월 출판할 것이기 때문입니다. 그리고 모든 저작물 옆에는 누가 그것을 출판했는지 그리고 값은 얼마인지 또 어디서 구할 수 있는지 등을 밝혀 둘 것입니다.

Alsendinte la koston de poŝta transsendo, ĉiu povas en ĉiu tempo ricevi de mi la plej novan nomaron de l' verkoj. La eldonantojn de l' verkoj mi petas ankaŭ, ke en la fino de ĉia verko aŭ verketo, kiun ili eldonos, ili presu ĉiam la plej novan el la diritaj nomaroj. Mi esperas, ke neniu el la eldonantoj malkonsentos plenumi mian peton, kiu estas egale grava por la eldonantoj kiel por la afero mem.

/ Alsendinte 보내고 나서, 보내 주시면, 의미상 주어는 뒤에 나오는 ĉiu / en ĉiu tempo 항상, 언제나 / peti iun, ke~ 누구에게 ~해 줄 것을 청하다 / esperi, ke ~ -os 이 esperi 동사 다음에 나오는 종속절에는 주로 미래형 동사를 씀 / egale ~ kiel ~ ~와 똑같이 ~ , tiel ~ kiel ~ 이나 같음 /

우편요금을 보내 주시면 모든 사람은 저로부터 언제나 가장 새로운 저작목록을 받아 보실 수 있습니다. 저작물의 저작자(출판자)들께도 부탁하건대 자신이 출판하는 책 마지막에 그 목록 최신판을 꼭 좀 인쇄해 주시기를 부탁 드립니다. 저는 모든 출판자들께서 저의 이 청을 거절하지는 않으실 것이라 기대합니다. 이것은 이 일 자체를 위해서도 중요하지만 출판자 여러분께도 똑같이 중요할 것입니다.

ĉ) Tre grava por la progresado de l' lingvo internacia estas diligenta uzado ĝin en korespondado kun amikoj kaj konatoj aŭ eĉ kun nekonatoj. Kiom ajn vi ripetados al la amaso pri la utileco kaj la oportuneco de l' lingvo, la plej granda parto de l' amaso restos surda por viaj vortoj, ĉar ĝi timos, ke vi postulas de ĝi ian oferon.

/ 여기 쓰인 ĝin은 문법적으로 잘못되었다, 명사 uzado가 목적어를 취할 수는 없다, ĝia diligenta uzado라고 하는 게 옳다 / Kiom ajn 아무리 -하더라도 / ĝi는 앞에 나온 la plej granda parto de l' amaso, 대중들 대부분 /

ĉ) 국제어의 발전을 위해서는 친구들, 지인들, 심지어 모르는 사람들하고도 편지를 주고받으면서 이 국제어를 열심히 사용하는 것이 아주 중요합니다. 여러분이 대중을 향하여 이 언어의 유용성과 간편성을 아무리 반복하여 말한다 해도 대중들 대부분은 여러분의 말에 귀를 기울이지 않을 것입니다. 왜냐하면 그들은 여러분이 혹시라도 뭔가를 요구할까 봐 두려워하기 때문입니다.

Sed se ĉiuj amikoj de l' lingvo internacia anstataŭ paroladi farados, tiam vi baldaŭ vidos, ke la tuta indiferenta amaso aliĝis jam al la afero, sen bruo kaj eĉ mem tion ne vidinte.

/ anstataŭ paroladi farados 차례를 바꾸어 생각하면 쉬움, farados anstataŭ paroladi / 여기 쓰인 tion이 뭘 뜻하는지 좀 애매함 /

그러나 만약 국제어의 모든 친구들이 (선전의) 말을 하는 대신 직접 행동을 한다면, 그때에는 그 모든 냉담한 대중이 소리도 없이 그리고 심지어 그것을 보지도 않고서(?) 벌써 우리 일에 합류해 있는 것을 여러분이 볼 수 있을 것입니다.

Ricevinte de vi leteron internacian kaj kompreninte ĝin, kvankam li la lingvon ne lernis, via adresito vidos praktike la oportunecon de l' lingvo, kaj li komencos mem ĝin uzadi; se li restos indiferenta, tiam ricevinte kelkajn fojojn tiajn leterojn, li jam scios sufiĉe bone la lingvon, tute ĝin ne lerninte.

/ 여기서는 "국제어로 쓰인 편지"를 그냥 letero internacia로 표현했음 / se=eĉ se /

여러분으로부터 국제어로 쓰인 편지를 받아 보고, 비록 그가 그 말을 배우지도 않았는데 그것을 이해하게 된다면, 여러분의 편지를 받은 그 사람은 그 언어의 간편성을 실용적으로 알게 될 것이고 스스로 그것을 사용하기 시작할 것입니다. 그리고 만약 그 사람이 그래도 계속 냉담하다 할지라도, 그런 편지를 몇 차례 받아 보게 된다면 그는 그 언어를 배우지도 않고 벌써 충분히 잘 알게 될 것입니다.

d) Estas kompreneble ankoraŭ multaj vojoj kaj vojetoj por progresigi l' aferon de l' lingvo internacia, sed mi devas ilin lasi al la bontrovo kaj plaĉo de ĉiu aparta persono. Estus bone, se en ĉiuj urboj kaj urbetoj estus kreitaj rondetoj por kune labori por la afero de l' lingvo (en kelkaj urboj tiaj rondetoj jam estas kreitaj).

/ vojoj kaj vojetoj 여러 가지 방법들 / bontrovo 좋다고 생각하는 바 / Estus bone, se ~라면 좋겠습니다 /

d) 물론 이 국제어 운동의 발전을 위한 여러 가지 방법들이

아직도 많이 있습니다. 그러나 저는 그것을 여러분 각자의 생각과 취향에 맡겨야 하겠습니다. 만약에 모든 도시마다 이 국제어를 위해 함께 일할 수 있는 모임이 만들어진다면 참 좋겠습니다 (몇몇 도시에서는 벌써 모임이 만들어졌습니다).

Per pripensado kaj laborado kunligita oni ĉiam povas pli multe fari, ol laborante aparte. Sed unu aferon oni ne devas forgesi: oni devas esti atendemaj kaj konstantaj; ni ne devas atendi, ke aliaj nin kuraĝigu per sia ekzemplo, kaj ni ne devas perdi la kuraĝon kaj malvarmiĝi, se ni tiun ekzemplon ne vidas, — ni devas per nia propra laboro doni ekzemplon al aliaj;

/ kunligita 함께 묶어진, 협동의 / atendema 기다릴 줄 아는, 인내심이 있는 / per sia ekzemplo 자신의 본보기를 가지고, 솔선수범하여, 먼저 나서서 /

협동하여 생각하고 노력함으로써 우리는 항상 각자 혼자서 하는 것보다 훨씬 더 많은 것을 할 수 있습니다. 그러나 한 가지 잊지 말아야 할 것은 우리 모두 인내심이 있어야 하고 또 항상 꾸준히 해야 한다는 점입니다. 우리는 다른 사람들이 먼저 나서서 우리를 격려해 주길 기다려서는 안 됩니다. 그리고 또 그런 사람들이 나서지 않는다고 용기를 잃고 열정이 식어져서도 안 됩니다. — 우리 자신이 먼저 나서서 일을 함으로써 다른 사람들에게 본을 보여야 할 것입니다.

kaj se en la unua tempo neniu al ni aliĝos, aŭ se oni eĉ ridos je ni, ni devas kredi, ke pli aŭ malpli frue la ridantoj venos al ni. Ni iru kuraĝe antaŭen, ĉar nia afero estas honesta kaj utila!

~ ~ ~ ~〈〉〈〉〈〉~ ~ ~ ~

/ ridi je ~을 비웃다 / pli aŭ malpli frue 조만간 / venos al ni 우리에게로 올 것이다, 우리의 편이 될 것이다 /

그리고 처음에는 아무도 우리와 함께하지 않는다 할지라도, 혹은 비록 사람들이 우리를 비웃는다 할지라도, 조만간 그 비웃는 사람들이 우리의 편이 될 것이라는 걸 우리는 믿어야 합니다. 우리 모두 용감하게 앞으로 나아갑시다. 왜냐하면 우리의 이 일은 정직한 일이며, 유용한 일이기 때문이니까요!

~ ~ ~ ~〈〉〈〉〈〉~ ~ ~ ~

Tiu ĉi libreto estas la lasta vorto, kiun mi elparolas en rolo de aŭtoro. De tiu ĉi tago la estonteco de l' lingvo internacia ne estas jam pli multe en miaj manoj, ol en la manoj de ĉia alia amiko de la sankta ideo. Ni devas nun ĉiuj egale labori, ĉiu laŭ siaj fortoj.

/ Elparoli "발음하다"의 뜻으로도 쓰이는데, 여기서는 "말하다, 발표하다" / egale labori "똑같은 분량의 일을 한다"는 뜻이 아니라, "동등한 자격으로 일을 한다"는 뜻 /

이 조그만 책자가 제가 저자로서 발표하는 마지막 말입니다. 오늘부터 이 국제어의 미래는 제 손에만 달린 것이 아니라 이 신성한 사상의 모든 친구들 손에 다 함께 달렸습니다. 우리는 이제 모두 자신의 힘이 닿는 대로 동등한 자격으로 일을 해야 할 것입니다.

Ĉiu el vi povas nun fari por nia afero tiom same kiom mi, kaj multaj el vi povas fari multe pli multe ol mi, ĉar mi estas sen kapitaloj, kaj el mia tempo, okupita de laboro por ĉiutaga pano, mi povas oferi al la amata afero nur tre malgrandan parton.

/ tiom same kiom mi 저와 똑같은 분량으로 / okupita … pano 구는 그 뒤에 나오는 mi를 수식하는 분사 형용사구 / el mia tempo를 맨 마지막으로 보내서 생각해 보면 쉬움 / laboro por ĉiutaga pano 생업 /

여러분 모두는 이제 우리의 이 일을 위해서 저와 똑같은 만큼의 일을 할 수 있습니다. 그리고 여러분 가운데 많은 분들은 오히려 저보다 더 많은 일을 할 수 있을 겁니다. 왜냐하면 저는 자본도 없고, 또 생업에 바빠서 제가 사랑하는 이 일에 쓸 시간이 별로 없기 때문입니다.

Mi faris por la afero ĉion, kion mi povis, kaj se ĉiu efektiva amiko de l' lingvo internacia alportos al ĝi eĉ la centan parton de l' moralaj kaj materialaj oferoj, kiujn mi al ĝi alportis tra dekdu jaroj ĝis hodiaŭ, tiam la afero iros bonege kaj venos al la celo post la plej mallonga tempo. Ni laboru kaj esperu!

~ ~ ~ ~〈〉〈〉〈〉~ ~ ~ ~

/ centa parto 백째의 부분, 백분의 일 / alporti -로 가져

가다, 바치다 / iri bonege 일이 잘 되어 가다 /

저는 제가 할 수 있는 모든 것을 다 했습니다. 그리고 이 국제어의 실제적인 모든 친구들이 그동안 오늘까지 12년간 제가 이 일을 위해 바친 그 정신적, 물질적 희생의 백분의 일이라도 함께해 준다면 그때에는 이 일은 잘 이루어져 나갈 것이며 아주 짧은 시간 내에 그 목표가 달성될 것입니다. 우리 모두 희망을 가지고 일을 해 나갑시다!

~ ~ ~ ~〈〉〈〉〈〉~ ~ ~ ~

NOMARO

de l' verkoj pri la lingv'o internacia (Esperanta), kiuj eliris ĝis Januaro 1889.

№	Nom'o de l' verk'o:	Kost'o:
1.	*D-r Esperanto.* Lingv'o internacia. Antaŭparolo kaj plen'a lern'o'libr'o en la lingv'o rus'a	15 kopek'oj.
2.	— en la lingv'o pol'a	15 kop.
3.	— en la lingv'o franc'a	20 kop.
4.	— en la lingv'o german'a	20 kop.
5.	— en la lingv'o angl'a	20 kop.
13.	*Hanes.* Safah achath lekulanu (lern'o'libr'o de l' lingv'o internacia Esperanta en la lingv'o hebre'a) . .	20 kop.
6.	*D-r Esperanto.* Malgrand'a vortar'o internacia-rus'a . . .	3 kop.
7.	— internacia-pol'a . .	3 kop.
8.	— internacia-franc'a . .	3 kop.
9.	— internacia-german'a .	3 kop.
10.	— internacia-angl'a . .	3 kop.
11.	*D-r Esperanto.* Du'a Libr'o de l' lingv'o internacia (skribit'a internacie)	25 kop.
12.	— Aldon'o al la Du'a Libr'o de l' lingv'o internacia. (internacie) .	10 kop.
14.	*A. Grabowski.* La neĝ'a blovad'o. Rakont'o de A. Puŝkin. (internacie)	15 kop.
15.	*L. Einstein.* La lingvo internacia als beste Lösung des internationalen Weltsprache-Problems. Vorwort, Grammatik und Styl nebst Stammwörter-Verzeichniss nach dem Entwurf des pseudonymen Dr. Esperanto	50 kop.
16.	*N. N.* Rusa traduk'o de la Du'a Libr'o de l' lingv'o internacia	25 kop.
17.	*D-r Esperanto* Plena vortaro rusa-internacia.	1 rubl'o.

104

Ĉiuj supre skribitaj verk'oj pov'as est'i ricevataj en la libr'ej'oj kaj ankaŭ ĉe *d-ro L. Zamenhof (Varsovio,* strato Przejazd N. 9*)*. Anstataŭ mon'o oni pov'as sendi sign'oj'n de poŝto (de ĉia land'o). Por la poŝta transsendo oni dev'as aldoni po 20% de la kost'o de l' verk'oj. Kiu aĉetas ne malpli ol por unu rubl'o, tiu por la transsendo ne pagas.

En la komenc'o de ĉiu monat'o estas presat'a nova nomar'o de ĉiuj verk'oj pri la lingv'o internacia (de kiu ajn ili estas eldonitaj), kiuj eliris de la komenc'o, mem ĝis tiu monat'o. ☞ Kiu deziras regule ĉiam scii pri la progresado de l' lingvo internacia, ☜ tiu pov'as sendi 30 kopek'oj'n por jar'o al la eldonant'o de la dirit'aj nomar'oj (L. Zamenhof, Varsovio, strat'o Przejazd N. 9), kaj tiam li akurat'e ricevad'os per la poŝto ĉiu'n nov'a'n nomar'o'n tuj kiam ĝi estos presita.

Дозволено Цензурою.—Варшава, 9 Января 1889 года.

Presejo de Ĥ. Kelter, Varsovio, strato Novolipie N. 11.

105

Nomaro (발행된 책자 목록) 1889.10. 발간

Ĉiu'j supr'e skrib'it'a'j verk'o'j pov'as est'i ricev'at'a'j en la libr 'ej'o'j kaj ankaŭ ĉe d-ro L. Zamenhof (Varsovio, strat'o Prezejazd N. 9). Anstataŭ mon'o oni pov'as send'i sign'o'j'n de poŝt'o (de ĉi'a land'o). Por la poŝt'a trans'send'o oni dev'as al'don'i po 20% de la kost'o de l' verk'o'j. Kiu aĉet'as ne mal'pli ol por unu rubl'o, tiu por la trans'send'o ne pag'as.

위에 쓰인 모든 작품은 서점에서나 아래 자멘호프 박사의 주소에서 살 수 있습니다 (Varsovio, strat'o Prezejazd N. 9). 돈 대신 국제반신권을 보낼 수도 있습니다. 우편환을 보내시려면 책값의 20%를 추가해야 합니다. 1루블 이상 구매할 경우에는 우송료가 없습니다.

....

En la komenc'o de ĉiu monat'o est'as pres'at'a nov'a nom'ar 'o de ĉiu'j verk'o'j pri la lingv'o internaci'a (de kiu ajn ili est'as eldon'it'a'j), kiu'j el'ir 'is de la komenc'o, mem ĝis tiu monat'o. ☞ Kiu dezir'as regul'e ĉiam sci'i pri la progres'ad'o de l' lingv'o internaci'a, ☜ tiu pov'as send'i 30 kopek'o'j'n por jar 'o al la el'don'ant'o de la dir 'it'a'j nom'ar'o'j (L. Zamenhof, Varsovio, strat'o Prezejazd N. 9), kaj tiam li akurat'e ricev'ad'os per la poŝt'o ĉiu'n nov'a'n nom'ar 'o'n tuj kiam ĝi est'os pres'it'a.

매월 초에 국제어 관련 출판물 새 목록이 발행될 것입니다 (누구의 작품이든지 상관없이). 그리고 그 목록은 최초로부터 그 시점까지의 모든 출판물을 포함합니다. ☞ 국제어의 발전 상황을 항상 정기적으로 알고 싶은 분들은 ☜ 이 목록 발행자에게 연간 30코페크를 보내시면 (L. Zamenhof, Varsovio, strat'o Prezejazd N. 9), 매번 발행되는 새 목록을 즉시 우편으로 받아 보실 수 있습니다.

편집자의 말

코로나19로 인해 움츠렸던 일상이 점차 회복되고 있습니다. 국내외 여행도 활성화되면서 봄꽃잔치로 전국에 개나리, 벚꽃, 진달래, 철쭉, 튤립이 지천에 가득합니다. 에스페란토 홍보와 문화 사업을 위해 2020년 세운 진달래 출판사가 벌써 4년째를 맞았습니다. 100권이 다 되도록 무수한 책을 만들면서 에스페란토 저변 확대를 위해 힘을 쏟았습니다. 또한 많은 사람들의 버킷리스트인 책 출간의 기쁨을 함께 누리면서 행복한 시절을 보냈습니다. 율리안 모데스트 작가와 장정렬 번역가님, 이낙기 선생님의 역작을 책으로 내면서 행복한 책 읽기와 유익한 글쓰기의 시간을 가졌습니다. 많이 팔리지는 않더라도 후손을 위해 필요한 책을 만든다는 사명감, 힘써 번역한 작가들의 작품을 그냥 묵히지 않겠다는 각오로 시작한 책중에서는 좋은 결과를 내기도 해서 보람을 느꼈습니다. 특별히 박기완 박사님이 수년간 힘들게 번역한 작품을 이번에 우리 출판사에서 책으로 내게 되어 영광스럽게 생각합니다. 자멘호프 박사가 처음으로 쓴 제1서와 이어 쓴 제2서를 박사님이 직접 옮기고 해설한 이 책을 한 권으로 묶어서 출간하게 되어 에스페란토 학습에 유익하고 홍보에도 도움이 될 것으로 믿습니다. 제목이 너무 도전적이지만 에스페란토를 처음 접하는 이에게 꼭 필요하고 좋은 책이라는 생각에 옮긴 박사님도 동의해 주셨습니다. 아무쪼록 많은 이들이 읽고 평등한 언어의 기쁨을 서로 나누기를 바랍니다. 책으로 내도록 허락해준 자멘호프학당에도 감사드립니다.

- 진달래 출판사 대표 오태영

『진달래 출판사 간행목록』

율리안 모데스트의 에스페란토 원작 소설

- 에한대역본

『바다별』 (단편 소설집, 오태영 옮김)

『사랑과 증오』 (추리 소설, 오태영 옮김)

『꿈의 사냥꾼』 (단편 소설집, 오태영 옮김)

『내 목소리를 잊지 마세요』 (애정 소설, 오태영 옮김)

『살인경고』 (추리소설, 오태영 옮김)

『상어와 함께 춤을』 (단편 소설집, 오태영 옮김)

『수수께끼의 보물』 (청소년 모험소설, 오태영 옮김)

『고요한 아침』 (추리소설, 오태영 옮김)

『공원에서의 살인』 (추리소설, 오태영 옮김)

『철(鐵) 새』 (단편 소설집, 오태영 옮김)

『인생의 오솔길을 지나』 (장편소설, 오태영 옮김)

『5월 비』 (장편소설, 오태영 옮김)

『브라운 박사는 우리 안에 산다』 (희곡집, 오태영 옮김)

『신비로운 빛』 (단편 소설집, 오태영 옮김)

『살인자를 찾지 마라』 (추리소설, 오태영 옮김)

『황금의 포세이돈』 (장편 소설집, 오태영 옮김)

『세기의 발명』 (희곡집, 오태영 옮김)

『꿈속에서 헤매기』 (단편 소설집, 오태영 옮김)

- 한글본

『상어와 함께 춤을 추는 철새』 (단편 소설집, 오태영 옮김)

『바다별에서 꿈의 사냥꾼을 만나다』 (단편소설집, 오태영 옮김)

『바다별』 (단편 소설집, 오태영 옮김)

『꿈의 사냥꾼』 (단편 소설집, 오태영 옮김)

클로드 피롱의 에스페란토 원작 소설

- 에한대역본

『게르다가 사라졌다』 (추리소설, 오태영 옮김)

『백작 부인의 납치』 (추리소설, 오태영 옮김)

장정렬 번역가의 에스페란토 번역서

- 에한대역본

『파드마, 갠지스 강가의 어린 무용수』 (Tibor Sekelj 지음, 장정렬 옮김)

『테무친 대초원의 아들』 (Tibor Sekelj 지음, 장정렬 옮김)

『욤보르와 미키의 모험』 (Julian Modest 지음, 장정렬 옮김)

『대통령의 방문』 (예지 자비에이스키 지음, 장정렬 옮김)

『국제어 에스페란토』 (D-ro Esperanto 지음, 이영구.
장정렬 공역, 진달래 출판사, 2021년)

『황금 화살』 (ELEK BENEDEK 지음, 장정렬 옮김)

『알기쉽도록 <육조단경> 에스페란토-한글풀이로
읽다』 (혜능 지음, 왕숭방 에스페란토 옮김, 장정렬
에스페란토에서 옮김)

『침실에서 들려주는 이야기』 (Antoaneta Klobučar 지음,
Davor Klobučar 에스페란토 역, 장정렬 옮김)

『공포의 삼 남매』 (Antoaneta Klobučar 지음, Davor
Klobučar 에스페란토 역, 장정렬 옮김)

『우리 할머니의 동화』 (Hasan Jakub Hasan 지음, 장정렬
옮김)

『얌부르그에는 총성이 울리지 않는다』 (Mikaelo Brostejn
지음, 장정렬 옮김)

『청년운동의 전설』 (Mikaelo Brostejn 지음, 장정렬 옮김)

『푸른 가슴에 희망을』 (Julio Baghy 지음, 장정렬 옮김)

『반려 고양이 플로로』 (크리스티나 코즈로브스카 지음,
페트로 팔리보다 에스페란토 옮김, 장정렬 옮김)

『민영화도시 고블린스크』 (Mikaelo Brostejn 지음, 장정렬
옮김)

『마술사』 (크리스티나 코즈로브스카 지음, 페트로
팔리보다 에스페란토 옮김, 장정렬 에스페란토에서 옮김)

『세계인과 함께 읽는 님의 침묵』 (한용운 지음, 장정렬
에스페란토 옮김)

- 한글본

『크로아티아 전쟁체험기』 (Spomenka Ŝtimec 지음, 장정렬 옮김)

『희생자』 (Julio Baghy 지음, 장정렬 옮김)

『피어린 땅에서』 (Julio Baghy 지음, 장정렬 옮김)

『사랑과 죽음의 마지막 다리에 선 유럽 배우 틸라』 (Spomenka Ŝtimec 지음, 장정렬 옮김)

『상징주의 화가 호들러를 찾아서』 (Spomenka Ŝtimec 지음, 장정렬 옮김)

『무엇때문에』 (Friedrich Wilhelm ELLERSIE 지음, 장정렬 옮김)

『밤은 천천히 흐른다』 (이스트반 네메레 지음, 장정렬 옮김)

『살모사들의 둥지』 (이스트반 네메레 지음, 장정렬 옮김)

『메타 스텔라에서 테라를 찾아 항해하다』 (이스트반 네메레 지음, 장정렬 옮김)

『파드마, 갠지스 강의 무용수』 (Tibor Sekelj 지음, 장정렬 옮김)

『대초원의 황제 테무친』 (Tibor Sekelj 지음, 장정렬 옮김)

이낙기 번역가의 에스페란토 번역서

『오가이 단편선집』 (모리 오가이 지음, 데루오 미카미 외 3인 에스페란토 옮김, 이낙기 에스페란토에서 옮김)

『체르노빌1, 2』 (유리 셰르바크 지음, 이낙기 옮김)

기타 에스페란토 관련 책

- 에한대역본

『에스페란토 직독직해 어린 왕자』 (생 텍쥐페리 지음, 피에르 들레르 에스페란토 옮김, 오태영 옮김)

『에스페란토와 함께 읽는 이방인』 (알베르 카뮈 지음, 미셸 뒤 고니나즈 에스페란토 옮김, 오태영 옮김)

『자멘호프 연설문집』 (자멘호프 지음, 이현희 옮김)

『에스페란토와 함께 읽는 논어』 (공자 지음, 왕숭방 에스페란토 옮김, 오태영 옮김)

『우리 주 예수의 삶』 (찰스 디킨스 지음, 몬태규 버틀러 에스페란토 옮김, 오태영 에스페란토에서 옮김)

『진실의 힘』 (아디 지음, 오태영 옮김)

- 한글본

『안서 김억과 함께하는 에스페란토 수업』 (오태영 지음)

『인생2막 가치와 보람을 찾아』 (수필집, 오태영 지음)

『에스페란토의 아버지 자멘호프』 (이토 사부로 지음, 장인자 옮김)

『사는 것은 위험하다』 (이스트반 네메레 지음, 박미홍 옮김)

『자멘호프의 삶』 (에드몽 쁘리바 지음, 정종휴 옮김)

- 에스페란토본

『Pro kio』 (Friedrich Wilhelm ELLERSIE 지음)

『Enteru sopirantan kanton al la koro』 (오태영 지음)

『Kumeŭaŭa, la filo de la ĝangalo』 (Tibor Sekelj 지음)